中国近现代针灸文献研究集成

教材卷

王富春 杨克卫／主编

针灸综合分卷

湖南篇（下）

北京科学技术出版社

针灸问答（谭志光）
（卷下）

鍼灸問答
題簽

鍼灸問答卷下

長沙譚志光容園甫著

男　敦文子彬甫
受業吉亮勛漢軒甫　參訂
男　敦華國　孝　繕校
受業成阜吾

第二十七章　十五絡名

問　何謂十五絡

答　大腸偏歷肺列缺脾絡公孫胃豐隆小腸支正心通里膀胱飛揚腎太鍾心包內關三焦外肝絡蠡溝膽光明更有太包脾大絡督絡長強任會陰註手陽明大腸經絡爲偏歷手太陰肺經絡爲列缺足太陰脾經絡爲公孫足陽明胃經絡爲豐隆手太陽小腸絡爲支正手少陰心經絡爲通里足太陽膀胱經絡爲

飛揚足少陰腎經絡爲太鍾、手厥陰心包經絡爲內關、手少陽三焦經絡爲外關、足厥陰肝經絡爲蠡溝、足少陽膽經絡爲光明、又脾經大絡名大包、督脈之絡名長強、任脈之絡名會陰、共爲十五絡、

第二十八章　十五絡穴別走主治

問　十五絡穴別走主治歌呢

答　肺之別絡列缺名腕上寸半走陽明經入掌中散魚際補虛欠㰦瀉掌心

心之別絡通里穴腕下一寸太陽別經入心中繫目舌補不能言瀉支膈

心包別絡內關主腕後二寸少陽走循經上系心包絡心痛實瀉頭搖補

小腸別絡支正名腕後五寸走少陰別上循肘肩髃絡瀉肘節廢補疣生

大腸別絡偏歷尋腕上三寸走太陰循行肩臂上頰齒補齒寒痺瀉齲聾

三焦別絡名外關腕後二寸厥陰間外繞肘臂胸中注補手不收瀉手攣

膀胱別絡飛揚屬踝上七寸少陰足實瀉鼻塞頭背疼補虛專治鼻鼽衄

膽經別絡穴光明。踝上五寸走厥陰。絡循足跗瀉實厥。補痿躄坐起不能。

胃之別絡號豐隆。踝上八寸太陰通。循脛上頭絡喉嚨。實瀉狂癲補脛枯。

脾之別絡是公孫。拇節後寸走陽明。主治腸胃厥氣逆。補腹鼓脹瀉腸疹。

腎之別絡即太鍾。谿下五分太陽通。別走心包外腰脊。虛補腰痛泄閉癃。

肝之別絡蠡溝當。踝上五寸走少陽。循脛上睪與莖結。睪莖卒疝虛實詳。

督絡長強骶骨端。俠脊上項散頭前。傍肩貫膂走任脈。瀉背脊強補頭旋。

任絡屏翳又會陰。穴在二便兩陰中。上循鳩尾散於腹。補腹搔癢泄脹膨。

脾之大絡太包穴。腋下六寸布胸脇。補虛百節皆縱弛。實則身痛法當泄。

第二十九章　奇經八脈說

問　何謂奇經八脈。。

答　脈有督任衝帶陽維陰維陽蹻陰蹻。皆由正經別出。另有處所。故曰奇經。然經有十二。絡有十五。凡二十七脈。氣血相隨。治十二經。即禹疏九河之謂也。至於雨水過多各河暴張溢出溝渠皆盈此所謂病入奇經治法當如瀹濟漯決汝漢排淮泗之水若徒在十二經中調治則不應矣當取奇經八脈主穴治之即疏通溝渠之謂而取經外奇穴亦本此意

問　奇經八脈起止穴名歌呢

答　督起長強齗交唇任始會陰承漿終衝首橫骨幽門止帶在季肋維道中陽蹻申脈上承泣陰蹻照海交信通陽維金門瘂門內陰維廉泉起築賓

第三十章　督脈經穴歌註

問　督脈經共二十八穴係何名在何處主治何病

答　長強骶骨端三分七壯三分伏地尋腸風痔漏腰脊痛痢疝瘡蝕及五淋註長強穴在脊骶骨端下三分伏地取足少陰少陽之會督脈之絡別走任脈三分七壯此穴乃痔根本主治腸風下血痔漏腰脊痛狂病大小便難頭重洞泄五淋小兒顖陷驚癇瘈瘲脫肛瀉血赤白下痢灸龜尾即窮骨頭多壯極效按玉

龍賦云兼承山灸痔最妙席弘賦云連大杼行鍼治小兒氣痛百證賦云兼百會治脫肛靈光賦云百會龜尾治痢疾天星祕訣兼大敦治疝氣

問　腰俞穴呢

答　腰俞廿一椎下中二分五壯腰脊疼冷痺溫瘧汗不出婦人溺赤兼閉經 註 腰俞穴在二十一椎下宛宛中二分五壯一日五分七壯主治腰脊痛不得俛仰腰脚冷痺不仁灸隨年壯溫瘧汗不出婦人經閉溺赤灸後忌房勞强力按千金云治腰卒痛灸七壯席弘賦云兼環跳治冷風痺

問　陽關穴呢

答　陽關在十六椎間三壯五分伏臥探主治膝疼難伸屈風痺筋攣等症安 註 陽關在十六椎下伏取五分三壯主治膝痛不可屈伸風痺筋攣等症

問　命門穴呢

答　命門十四椎下間前與臍平仔細探三壯五分腰腎痛遺精帶下症虛寒 註 命

門穴在十四椎下前平臍或用棍取或用綫取五分三壯主治腎虛腰痛帶下遺精耳鳴手足攣痺驚眩頭痛身熱骨蒸痎瘧瘈瘲裏急腹痛等症按千金云腰痛不能動者灸隨年壯神農經云治腰痛可灸七壯玉龍賦云兼腎俞治老人便數標幽賦云兼肝俞能使瞽者得見一傳此穴灸寒熱之症多效

問　懸樞穴呢

答　懸樞在十三椎下三壯三分遵古法主治腰脊難俛仰腹中積痛穀不化註懸樞穴在十三椎下伏取三分三壯主治腰痛腹中積氣疼痛穀不化瀉痢等症

問　脊中穴呢

答　脊中十一椎下是五分禁灸俯取之風癇癲邪不嗜食五痔積聚脫肛醫註脊中穴在十一椎下俯取五分禁灸主治風癇癲邪腹滿不食五痔積聚下痢小兒赤白痢秋末脫肛痛不可忍灸之最效

問　中樞穴呢

答　中樞十椎之下尋惟有氣穴論註登主治心背相控痛三壯退熱進食能註中樞穴在十椎下俯取此穴諸書未載惟氣府論督脈下王氏註中有此穴及考之氣穴論曰背與心相控而痛所治天突與十椎者即此穴也五分禁灸一傳云此穴能退熱進食三壯屢效

問　筋縮穴呢

答　筋縮穴第九椎藏五分三壯俯取探主治風癇目上視癲狂驚恐並脊強註筋縮穴在九椎下五分三壯主治癲狂脊強風癇上視百證賦云兼水道治脊強

問　至陽穴呢

答　至陽穴在七椎間五壯三分黃疸安少氣難言胸脇滿腰脊肢痛胃中寒註至陽穴在七椎下俯取五壯三分主治腰脊強痛胃中寒不嗜食少氣難言胸脇支滿羸瘦黃疸淫濼脛痠一云灸三壯治喘氣立愈按神農經云治寒熱脛痠四肢重痛咳嗽灸三壯至七壯玉龍賦云却疸治神疲

問　靈台穴呢。

答　靈台在六椎下。尋甲乙經中無此名。氣府論治喘不卧。風冷久嗽三壯。神註靈台穴。在六椎下。禁鍼三壯。甲乙經無此穴。惟氣府論註。主治氣喘久嗽等症。

問　神道穴呢。

答　神道五椎之下存。禁鍼五壯主頭疼。痎瘧健忘。牙車急。小兒風癇灸卽寧。神註神道穴。在五椎下。禁鍼五壯。主治傷寒頭痛。寒熱往來。痎瘧悲愁。健忘驚悸。牙車急張。口不合。小兒風癇。瘈瘲。灸七壯。按百證賦云。兼心俞治風癇。

問　身柱穴呢。

答　身柱三椎取宜俯。腰脊疼痛分壯五。癲癇狂怒欲殺人。瘈瘲身熱妄言語。註身柱穴。在三椎下。五分五壯。主治腰脊痛。癲癇狂走。怒欲殺人。瘈瘲身熱。小兒驚癇。按神農經云。咳嗽可灸十四壯。玉龍賦云。能蠲嗽除膂痛。百證賦云。兼本神治癲疾。乾坤生意云。同陶道。肺俞。膏肓。治虛損五勞七傷。一傳治四時傷寒。

問　陶道穴呢

答　陶道俛取一椎際督脈足太陽相會五分五壯治頭暈痎瘧寒熱洒淅累（註）陶道穴在一椎下乃督脈足太陽之會五分五壯主治痎瘧寒熱洒淅脊強煩滿汗不出頭重目瞑瘈瘲恍惚不樂一傳善退骨蒸之熱

問　大椎穴呢

答　大椎一椎上陷中平肩手足三陽會久瘧肺脹五壯分頸項背膊勞濕痺（註）大椎穴在一椎上陷中一曰平肩手足三陽脈之會五壯五分一云以年爲壯大杼爲骨會骨病者可灸之主治五勞七傷乏力風勞濕痺痎瘧久不愈肺脹脇滿嘔吐上氣背膊拘急項頸強不得回顧一云能瀉胸中之熱及諸熱氣若灸寒熱之法先大杼次長強以年爲壯一云治身痛寒熱風氣痛一云治衄血不止灸二三十壯可斷根按千金云凡瘧有不可瘥者從未發前灸大椎至發時滿百壯無不瘥又云諸煩熱時行溫病灸大椎百壯刺三分瀉之又治氣短不

語。壯隨年數、又治頸癭灸百壯。及大椎兩旁、相去各一寸半、少垂下、各三十壯、玉龍賦云、百勞止虛汗。神農經云、治小兒急慢驚風、又竇太師治諸虛、寒熱灸此、捷徑云、治熱不至肩、時傳此穴治百病。

問　瘂門穴呢？

答　瘂門項後入髮際五分宛中仰頭取。二分禁灸頸項強。陽熱衄血中風倡。註 瘂門穴、在項後入髮際五分宛宛中。仰頭取之。督脈陽維之會。入系舌本、二分不可深。禁灸。主治頸項強急不語。諸陽熱盛。衄血不止。脊強反折。瘈瘲癲疾、頭風疼痛。汗不出。寒熱風痙。中風尸厥不省人事。百症賦云、兼關衝治舌緩不語。

問　風府穴呢？

答　風府入髮際一寸。三分禁灸身不遂。暴瘖身重頭項強。目眩鼻衄狂恐悸。註 風府穴。在項上入髮際一寸。大筋內宛宛中、疾言其肉立起。言休其肉立下。督脈陽維之會。三分禁灸。主治中風舌緩。暴瘖不語。振寒汗出。身重。偏風半身不遂。

傷風頭痛項急不得回顧目眩反視鼻衄咽痛狂走悲恐驚悸一云主瀉胸中之熱與大杼缺盆中府同按席弘賦云風府風池尋得到傷寒百病一時消又云陽明二日尋風府又云從來風府最難尋須用工夫度淺深倘能膀胱氣未散更宜三里穴中尋通玄賦云風傷項急求風府一傳治感冒風寒嘔吐不止千金云十三鬼穴此名鬼枕治百邪癲狂

問　腦戶穴呢

答　腦戶風上寸半尋此穴須當禁灸鍼督脈足太陽相會鍼則立死灸則瘖註腦戶穴在風府上寸半督脈足太陽之會禁鍼灸刺中腦立死灸令人瘖

問　强間穴呢

答　强間腦戶上寸半二分五壯目眩患頭痛腦旋頸項强嘔吐涎沫心煩亂註强間穴在腦戶穴上寸半二分五壯一曰禁灸主治頭痛項强目眩腦旋煩心嘔吐涎沫狂走按百證賦云兼豐隆治頭痛難禁

問　後頂穴呢

答　後頂强間上寸半二分五壯主治見頸項强急額顱痛偏頭惡風眼目眩註後頂穴在强間上寸半五壯二分主治頸强急額顱頭偏頭痛惡風目眩不明

問　百會穴呢

答　百會後頂寸五量耳尖直上會諸陽二分五壯頭風痛耳鼻口病身反張註百會穴在後頂上寸半頂中央直兩耳尖上對是穴督脈足太陽之會手足少陽足厥陰俱會於此二分五壯甲乙經三分三壯一曰灸頭頂不得過七七壯主治頭風頭痛耳聾鼻塞鼻衄中風言語謇澁口噤不開或多悲哭偏風半身不遂風癎卒厥角弓反張吐沫心神恍惚驚悸健忘痎瘧女人血風胎前產後風疾小兒風癎驚風脫肛久不瘥一曰百病皆治一曰治悲笑欲死四肢冷氣欲絕身口溫可鍼人中三分灸百會三壯即甦史記載扁鵲治虢太子尸厥鍼取三陽五會而甦按神農經云治頭風可灸三壯並治小兒脫肛艾炷如小麥玉

龍賦云兼顖會治卒中風靈光賦云兼龜尾治痢疾席弘賦云小兒脫肛患多時先灸百會後尾骶又云兼太衝照海陰交治咽喉疾

問　前頂穴呢

答　前頂離百會寸半二分五壯頭目眩小兒驚癇瘈瘲風頸項腫痛並赤面　註　前頂穴在百會前寸半二分五壯主治頭風目眩面赤腫小兒驚癇瘈瘲鼻多清涕頸項腫痛按神農經云治小兒驚風炷如小麥百症賦兼水溝治面腫虛浮

問　顖會穴呢

答　顖會前頂寸半得小兒鍼之凶短折二分五壯腦虛疼頭項腫病並面赤　註　顖會穴在前頂前寸半五壯二分小兒禁鍼蓋其顖門未合刺之令人夭主治腦虛冷痛頭風腫痛項痛飲酒過多頭皮腫風癇清涕一云治目眩面腫鼻塞驚癇不識人灸二七壯初灸不痛病去即痛痛即罷灸若是鼻塞灸至四日漸退七日頓愈鍼入二分得氣即瀉頭風生白屑鍼之彌佳鍼畢以鹽末和麻油擦

於髮根下則頭風永除按神農經治頭痛三壯小兒驚風三壯千金云邪病鬼癲囟上主之名曰鬼門玉龍賦云兼百會治卒中風百證賦云連玉枕療頭風

問　上星穴呢

答　上星去顖會一寸入前髮際一寸許頭目鼻面諸般疼五壯三分瀉熱氣註上星穴在顖會前一寸直入髮際一寸三分五壯一云宜三稜鍼出血以瀉熱氣主治頭風頭痛頭皮腫面虛惡寒痎瘧寒熱汗不出鼻衄鼻涕鼻塞目眩睛痛不能遠視以細三稜鍼刺之宣泄諸陽熱氣無令上衝頭目按千金云鼻中瘜肉灸二百壯又云兼大椎灸瘧至發時令滿百壯炷如黍米又治鬼魅灸百壯又十三鬼穴此名鬼堂主百邪癲狂玉龍賦云治頭風鼻淵

問　神庭穴呢

答　神庭隔上星五分督脈足太會陽明三壯禁鍼治癲癇反弓張目不識人註神庭穴在上星下五分直鼻上入髮際五分髮高者髮際是穴髮低者加二三分

督脈足太陽陽明之會。三壯禁鍼。針之令人癲狂。目失明。一曰灸三七壯。主治發狂登高妄走。風癇癲疾。角弓反張。目上視。不識人。頭痛鼻淵。煩滿。驚悸不眠。

問　素髎穴呢。

答　素髎在鼻端準頭。一分禁灸多涕流。鼻中瘜肉難消散。喎噼衄血喘不休。註素髎穴在鼻端準頭。一分禁灸。主治鼻中瘜肉不消。喘息不利。多涕。喎噼衄血。一曰治酒醉風。刺用三稜鍼出血。

問　水溝穴呢。

答　水溝鼻下人中陷。督脈手足陽明會。三分三壯中惡邪。口噤癲癇卒倒累。註水溝穴在鼻下人中陷中。督脈手足陽明之會。三分得氣即瀉。三壯至七壯。炷如小麥。主治中風口噤。中惡不省人事。癲癇卒倒。消渴多飲。水氣遍身浮腫。鍼此穴水盡即愈。按神農經云。治小兒驚風。三壯。炷如小麥。玉龍賦云。兼曲池。治瘘仆。又云兼委中治腰脊閃痛。又云瀉太陵除口臭。席弘賦云。人中治癲功最高。

十三鬼穴不須饒。千金云。此穴爲鬼宮。治百邪癲狂。凡人中惡。先掐鼻下是也。鬼擊卒死者。須急灸之。百症賦云。兼前項。治面腫虛浮。靈光賦。兼間使。治邪癲。

問　兌端穴呢？

答　兌端穴在上唇端。手陽明脈氣所絡。二分三壯。治癲癇。齦痛口瘡。穢難聞。註　兌端穴在上唇端。甲乙經曰。手陽明脈氣所絡。二分三壯。炷如大麥。主治癲癇吐沫。齒齦痛。消渴。衄血。口噤。口瘡臭穢。百症賦云。小便赤澀。兌端獨泄太陽經。

問　齗交穴呢？

答　齗交唇內上齒縫。任督二經相會通。三壯三分。治鼻瘜。頭額項頸痛面紅。註　齗交穴在唇內上齒縫中。即齒根肉。任督二經之會。三分三壯。主治面赤。心煩。鼻瘜不消。頭額痛。頸項強。目赤。牙疳。腫痛。久癬不除。百症賦云。善治鼻瘜。

第三十一章　任脈經穴歌註

問　任脈經。共二十四穴。係何名。在何處。主治何病。

答 會陰前後兩陰間任督衝脈來源探三壯禁鍼諸陰病男女陰痛衝心寒 註 會陰穴在大便前小便後兩陰之間任脈別絡俠督脈衝脈之會一云任督衝三脈所起任由此而行腹督由此而行背衝由此而行少陰之分三壯禁鍼惟卒死者鍼一寸補之溺死者令人倒馱出水用鍼此穴補之尿屎出則活餘不可鍼主治陰汗陰中諸病前後相引痛不得大小便穀道病久痔相通男子陰寒衝心女子陰痛經不通一傳治婦人產後昏迷不省人事

問 曲骨穴呢

答 曲骨中極下一寸毛際陷中經脈動八分七壯水脹腫淋癃㿉疝小腹痛 註 曲骨穴在中極下一寸毛際陷中任脈足厥陰之會三分三壯一云八分七壯主治小腸脹痛水腫小便淋澀㿉疝失精婦人赤白帶下千金云治水腫脹

問 中極穴呢

答 中極臍下四寸位膀胱募穴足陰會八分多壯孕禁灸冷氣衝心陽虛憊 註 中

極穴、在臍下四寸、膀胱募也、足三陰任脈之會、八分三壯、一云、灸百壯至三百壯、孕婦禁灸、主治陽氣虛憊、冷氣時上衝心、尸厥恍惚、失精無子、臍下結塊、水腫奔豚、疝瘕五淋、小便赤澀不利、婦人下元虛冷、血崩白濁、因產惡露不行、胎衣不下、經閉不通、血積成塊、子門腫痛、

問　關元穴呢。

答　關元臍下三寸、確藏精蓄血、小腸募、八分七壯、諸虛損、淋疝奔豚遺精濁、註　關元穴、在臍下三寸、又名大中極、乃男子藏精女子蓄血之處、小腸募也、足三陰陽明任脈之會、八分七壯、一云灸百壯、至三百壯、千金云婦人刺之則無子、主治積冷、諸虛、百損、臍下絞痛、漸入陰中、冷氣入腹、少腹奔豚、夜夢遺精、白濁五淋、七疝、溲血、小便赤澀、婦人帶下瘕聚、經水不通、不孕、或妊娠下血、或產後惡露不止、或血冷月經斷絕、一云、積冷虛乏、皆宜灸、一云、治陰症傷寒、及小便多、婦人赤白帶下、可灸二三百壯、然須頻次灸之、仍下兼三里、故曰若要丹田安、

三里常不乾。按神農經治痃癖氣痛。灸二十一壯。千金云。久痢不瘥。灸三百壯。分十日灸之。并治冷痢腹痛。及臍下結痛。流入陰中。發作無時。仍灸天井百壯。又治霍亂、氣淋、石淋、痛疝、及臍下三十六種疾。灸五十壯。又云。胞門閉塞絕子、灸三十壯。玉龍賦。合湧泉豐隆治尸勞。又云。兼帶脈多灸。能治腎敗。席弘賦。治小便不禁。又云。兼照海陰交曲泉。氣海同瀉。治七疝如神。

問　石門穴呢。

答　石門臍下二寸。確六分五壯。三焦募。臍腹絞痛堅硬。腫。淋泄疝逆婦露惡。註　石門穴在臍下二寸。三焦募也。六分五壯。主治腹痛堅硬。水腫支滿、氣淋小便不利。腹痛泄瀉不止。寒熱咳逆上氣。嘔血卒疝。婦人惡露不止。千金云。大腸閉塞、氣結。心下堅滿。灸百壯。又云。少腹絞痛。泄痢不止。灸百壯。

問　氣海穴呢。

答　氣海臍下一寸半。五壯五分主何患。奔豚七疝與癥瘕。陽虛驚恐不得臥。註　氣海穴在臍下一寸半、爲男子生氣之海、五分五壯、主治下焦虛冷、上衝心腹、嘔吐不止。陽虛不足、驚恐不臥、奔豚七疝、癥瘕結塊、狀如覆盃、臍下冷氣、陽脫欲死。陰症傷寒、卵縮、四肢厥冷、小便赤澀、羸瘦白濁、婦人赤白帶下、月事不調。或產後惡漏不止、繞膝絞痛、小兒遺溺等症、悉宜多灸。

問　陰交穴呢？

答　陰交臍下一寸。論五壯八分。主腹疼。濕癢奔豚腰膝痛。妊婦禁灸。古法云。註　陰交穴在臍下一寸。一曰當膀胱上際。三焦募也。任衝少陰之會。八分五壯、孕婦禁灸。主治衝脈生病、從少腹衝心而痛。不得小便、疝痛。陰汗濕癢。豚腰膝拘攣。按神農經、治臍冷疼、灸三七壯。千金云、大小便不通、灸三壯。玉龍賦、兼三里。水分。治膨脹。席弘賦云、兼照海、曲泉、關元、氣海、同瀉、治七疝。小腹痛。如神。

問　神闕穴呢？

答　神闕正當臍中間。多灸禁鍼。陰傷寒。腹冷腸泄水腫脹。小兒乳痢脫肛。操。註　神闕穴。正當臍中是穴、三壯禁鍼、一曰炒乾淨鹽。塡臍上加厚薑一片。灸百壯。或用川椒末代鹽。亦妙、主治陰症。傷寒中風。不省人事。腹中虛冷。腸膈鳴。泄瀉、水腫膨脹。小兒乳痢不止。腹大風癇脫肛。婦人血冷等症。千金云納鹽臍中灸三壯。治淋病、灸二七壯。治霍亂並脹滿。

問 水分穴呢。

答 水分臍上一寸。當五壯禁鍼主何殃。臍中繞痛腸鳴泄。腹堅鼓脹水腫探。註水分穴。在臍上一寸。當小腸下口。至是而泌別淸濁。水液入膀胱。渣滓入大腸、故曰水分、五壯禁鍼。主治水病腹堅。黃腫如鼓。衝胸不得息、臍中繞痛。腸鳴泄瀉。小便不通。小兒顖陷。神農經云腹脹水腫。灸三七壯。一云此穴可灸百壯。

問 下脘穴呢。

答 下脘臍上二寸。當八分五壯腹堅脹。臍上厥氣穀不化。虛腫痃癖痛鳴腸。註下脘穴在臍上二寸。當胃下口。小腸上口。足太陰任脈之會。八分五壯、一曰二七壯至百壯。孕婦不可灸。主治臍上厥氣堅痛。腹脹滿水穀不化。虛腫癖塊連臍。瘦弱。少食翻胃。按靈光賦。兼中脘治腹堅。百症賦。兼陷谷。能治腹內腸鳴。

問　建里穴呢？

答　建里在臍上三寸。五壯五分孕婦禁。霍亂腸鳴嘔不食。腹脹身腫心痛症。註建里穴。在臍上三寸。中脘下一寸。五分五壯。一云宜鍼不宜灸。孕婦尤忌之。主治腹脹身腫。心痛上氣。腸鳴嘔吐不食。按千金云。主霍亂腸鳴腹脹。八分二七壯至百壯。百症賦。兼內關掃盡胸中之苦悶。天星秘訣云。兼水分治肚腹腫脹。

問　中脘穴呢？

答　中脘臍上四寸。列八分七壯胃募穴。腹堅積痢痰飲翻。心下脹滿及膈噎。註中脘穴。在上脘下一寸。臍上四寸。胃之募也。手太陽少陽。足陽明任脈之會。八分七壯。一曰百壯。孕婦不可灸。主治心下脹滿。傷寒食不化。翻胃不食。積聚痰飲。面黃。傷寒飲水過多。腹脹氣喘。溫瘧霍亂。吐瀉寒熱不已。奔豚脹滿。飲食不進。

不化。氣結疼痛、雷鳴皆宜灸之。按千金云。虛勞吐血。嘔逆不下食。多飽多睡等症。灸三百壯。又治脹滿水腫。奔豚伏梁。及中毒。不能食飲。按玉龍賦云。兼腕骨療脾虛黃疸。合上脘治九種心疼。百症賦主治積痢。靈光賦兼下脘治腹堅。

問　上脘穴呢。

答　上脘中脘上一寸。八分五壯。心煩病。奔豚氣脹積聚疸。九種心疼反胃症。註上脘穴在巨闕下一寸。臍上五寸。足陽明手太陰任脈之會。八分五壯。千金云灸二七壯至百壯。孕婦不可灸。主治心中煩熱。痛不可忍。腹中雷鳴。飲食不化。霍亂反胃。吐嘔多涎。奔豚伏梁。氣脹積聚。黃疸。心風驚悸。嘔血。玉龍賦兼中脘治九種心疼。太乙歌云。兼豐隆治心疼吐嘔。蚘虫。百症賦兼神門治發狂奔走。

問　巨闕穴呢。

答　巨闕鳩尾下一寸。六分七壯。心募穴。痰飲咳逆狂疸蚘。九種心疼卒尸厥。註巨闕穴在鳩尾下一寸。心之募也。六分七壯。主治上氣咳逆。胸滿氣短。九種心疼冷痛引少腹蚘痛痰飲咳嗽霍亂腹脹恍惚發狂黃疸煩悶卒心痛尸厥蠱毒息賁吐痢不止牛癇按千金云治吐逆不下食灸五十壯上氣胸滿牽脊徹痛灸五十壯小兒諸癇病三壯炷如小麥百症賦云兼刺膻中能除膈熱蓄飲

問　鳩尾穴呢

答　鳩尾蔽骨下五分膏之原穴禁灸鍼心悸神耗癲狂取但非高手不能行註鳩尾穴在臆前蔽骨下五分人無蔽骨者從岐骨際下行一寸鳩尾乃膏之原也禁鍼灸一云三分三壯但非高手不可輕用主治心驚悸神氣耗散癲癇狂病席弘賦云鳩尾能治五般癇若下湧泉人不死

問　中庭穴呢

答　中庭膻中下寸六三分五壯仰取候主治胸脇支滿脹食入還出吐逆促註中庭穴在膻中下一寸六分陷中仰取三分五壯主治胸脇支滿噎塞吐逆食入還出小兒吐乳等症

問　膻中穴呢。

答　膻中玉堂下寸六。七壯禁鍼治喘嗽。膈食反胃喉中鳴。涎沫濃血乳不足。註　膻中穴在玉堂下一寸六分。橫平兩乳之間陷中。仰臥取之。禁鍼七壯。甲乙經云鍼三分。主治一切上氣短氣。痰喘哮嗽。咳逆噎氣。膈食反胃。喉鳴肺癰。吐涎沫膿血。婦人乳汁少。此氣之會也。凡上氣不下。及氣膈氣噎氣痛之類。均宜灸之。按玉龍賦。兼天突。治喘嗽。百症賦。兼巨闕。治膈痛蓄飲。一傳治傷寒風痰壅盛。

問　玉堂穴呢。

答　玉堂紫宮下寸六。三分五壯何病屬。胸膺氣逆及心煩。喉痺痰壅與氣促。註　玉堂穴在紫宮下一寸六分。陷中仰而取之。三分五壯。主治胸膺滿痛。心煩嘔逆。上氣喘急。喉痺咽壅。水漿不入。嘔吐寒痰。按百症賦。兼幽門。能治心煩嘔吐。

問　紫宮穴呢。

答　紫宮華蓋下寸六。五壯三分仰取同。喉痺咽壅水不入。咳逆吐血支滿胸。註　紫

宮穴在華蓋下一寸六分陷中仰而取之三分五壯主治胸脇支滿膺痛喉痺咽壅水漿不入咳逆上氣吐血煩心

問 華蓋穴呢

答 華蓋璇璣下一寸六三分五壯治脇肋喉痺胸滿水不下有口難言氣喘咳

註 華蓋穴在璇璣下一寸六分陷中仰而取之三分五壯主治咳逆喘急上氣哮嗽喉痺胸脇滿痛水飲不下按神農經治氣喘咳嗽胸滿喘逆不能言語可灸七壯百症賦云兼氣戶治脇肋痛

問 璇璣穴呢

答 璇璣天突下寸六三分五壯疾可痊膈痛項強神藏並胃中有積三里兼

註 璇璣穴在天穴下一寸六分陷中仰而取之三分五壯主治胸脇滿咳逆上氣喘不能言喉痺咽腫水飲不下按玉龍賦兼氣海治喘促席弘賦云治胃中有積兼三里功多百症賦云兼神藏治膈滿項強

問　天突穴呢

答　天突結喉下三寸五分咳嗽症喉痺噎氣及肺癰吐咯膿血暴瘖痛註天突穴在結喉下三寸宛宛中陰維任脈之會五壯五分甲乙經云低頭取之刺入一寸主治上氣哮喘咳嗽喉痺噎氣肺癰吐咯膿血咽腫暴瘖身寒熱咽乾舌下急不得下食按神農經治氣喘咳嗽玉龍賦兼膻中治咳嗽靈光賦治喘痰百症賦兼肺俞治咳嗽連聲千金云治上氣氣悶咽寒聲壞灸五壯

問　廉泉穴呢

答　廉泉結喉上中央舌本之下兩脈詳三壯三分喘息逆舌縱舌腫舌縮瘖註廉泉穴在頷下結喉上中央舌本下仰而取之陰維任脈之會按刺瘧論所載曰舌下兩脈者廉泉也氣府論曰足少陰舌下各一衛氣篇曰足少陰之標在背俞與舌下兩脈然則廉泉非一穴當是舌根下之左右泉脈而且爲足少陰之會也愚按即通舌下海泉穴三壯三分主治咳嗽喘息上氣吐沫舌縱舌下腫

難言舌根急縮不食涎出口瘡按百症賦兼中衝堪攻舌下腫痛

問 承漿穴呢

答 承漿脣稜下陷中二分三壯治偏風口眼喎斜暴瘖症消渴嗜水齒疳瘻註承漿穴在頤前下脣稜陷中足陽明任脈之會二分三壯主治偏風半身不遂口眼喎斜口噤不開暴瘖不能言鍼三分徐徐引氣而出及治任之爲病其舌內結男子七疝女子瘕聚一云療偏風口喎面腫消渴飲水口齒疳蝕生瘡灸之日可七壯至七七壯爲止使血脈宣通其風立愈或炷不必大但令當脈即可按千金云小兒脣緊灸三壯又云凡噦令人惋悵灸七壯即止又十三鬼穴此名鬼市治百邪癲狂按百症賦云瀉牙疼而即移通玄賦云治頭項强急

第三十二章　衝脈經穴

問 衝脈經穴起何處止何處

答 起於橫骨穴止於幽門穴

問　幽門穴呢？。

答　在巨闕旁寸半。

問　通谷穴呢？。

答　在幽門下一寸。

問　陰都穴呢？。

答　在通谷下一寸。

問　石關穴呢？。

答　在陰都下一寸。

問　商曲穴呢？

答　在石關下一寸。

問　肓兪穴呢？

答　在商曲下二寸。

問　中注穴呢？

答　在肓俞下一寸。

問　四滿穴呢？

答　在中注下一寸。

問　氣穴穴呢？

答　在四滿下一寸。

問　大赫穴呢？

答　在氣穴下一寸。

問　横骨穴呢？

答　在大赫下一寸。

以上二十二穴均見足少陰腎經穴。所謂適當腹部之衝是也。分壯主治見前。

第三十三章　帶脈經穴

問 帶脈經穴起何處止何處

答 起於季肋下止於維道穴

問 季肋穴呢

答 即帶脈穴在季肋下一寸八分

問 五樞穴呢

答 在帶脈下三寸

問 維道穴呢

答 在章門下五寸三分

以上六穴均見足少陽膽經所謂橫圍腰間如束帶是也分壯主治見前

第三十四章　陽蹻經穴

問 陽蹻經穴起何處止何處

答 起於申脈穴止於承泣穴

問　申脈穴呢？

答　在足外踝下五分。

問　僕參穴呢？

答　在足跟骨下陷中。

問　附陽穴呢？

答　在外踝上三寸。

問　居髎穴呢？

答　在章門下八寸三分。

問　肩髃穴呢？

答　在肩端兩骨陷中。

問　巨骨穴呢？

答　在肩端叉骨罅中。

問　臑俞穴呢？

答　肩胛骨下廉陷中。

問　地倉穴呢？

答　在口吻旁四分。

問　巨髎穴呢？

答　在鼻孔兩旁八分。

問　承泣穴呢？

答　在目下七分。

以上二十穴雜見於膀胱、膽、大腸、小腸與胃經。所謂陽蹻起足跟，循外踝而至頭是也。分壯主治亦見前。

·第三十五章　陰蹻經穴·

問　陰蹻經穴起何處，止何處？

答 起於照海穴，止於交信穴。

問 照海穴呢？

答 在內踝下四分。

問 交信穴呢？

答 在內踝上二寸，復溜前筋骨陷中。

以上四穴並分壯主治，皆見腎經。

、第三十六章 陽維經穴

問 陽維經穴起何處，止何處？

答 起於金門穴，止於瘂門穴。

問 金門穴呢？

答 在足外踝下邱墟後。

問 陽交穴呢？

答　在足外踝斜上七寸。

問　臑俞穴呢？

答　在肩後胛骨下廉陷中。

問　臑會穴呢？

答　在肩前三寸。

問　天髎穴呢？

答　在缺盆上毖骨際。

問　肩井穴呢？

答　在缺盆上寸半。

問　陽白穴呢？

答　在眉上一寸。

問　本神穴呢？

答　在曲差旁一寸半。

問　臨泣穴呢？

答　在目上入髮際五分。

問　目窻穴呢？

答　在臨泣後寸半。

問　正營穴呢？

答　在目窻後寸半。

問　承靈穴呢？

答　在正營後一寸。

問　腦空穴呢？

答　在承靈後寸半。

問　風池穴呢？

答　在腦空下髮際間。
問　日月穴呢？
答　在期門下半寸。
問　風府穴呢？
答　在入後髮際一寸。
問　瘂門穴呢？
答　在入後髮際五分、
以上三十二穴雜見於膀胱小腸三焦與膽經督脈。所謂陽維。由金門行於衛是也。分壯主治皆見前。

、第三十七章　陰維經穴

問　陰維經穴起何處止何處。
答　起於築賓穴止於廉泉穴。

問　築賓穴呢？

答　在內踝上六寸腨分處。

問　腹哀穴呢？

答　在日月下寸半。

問　大橫穴呢？

答　在腹哀下三寸半。

問　府舍穴呢？

答　在腹結下二寸。

問　期門穴呢？

答　在不容旁寸半直乳下二肋間。

問　天突穴呢？

答　在結喉下三寸。

問　廉泉穴呢？

答　在結喉上中央。以上十二穴雖見於脾經、腎經、肝經、與任脈所謂陰維由築賓上行榮是也分壯主治皆見前。

第三十八章　奇經八脈解說

問　奇經八脈解說呢？

答　十二正經外。又有八脈。名爲奇經。茲不具論。而單論衝、任、督、帶、四脈。蓋陽維陽蹻兩脈。行身之背。附於太陽經。以太陽統治之矣。陰維陰蹻兩脈。行身之前。附於太陰經。以太陰統治之矣。惟此四脈。主治有別。不能賅於十二經中。故另詳之。西醫畫脈管。枝分派別。可謂詳矣。然論絡不歸於經。論經不歸臟腑。譬之有千軍而無一將。則亦無所統屬矣。至於奇經八脈。中醫且久不識。何怪西醫不知耶。衝脈起於少腹之內胞中。挾臍左右上行。並足陽明之脈。至胸中而散。上挾咽喉而至胞中名爲氣海乃呼吸之根也人之呼氣由氣海上胸膈入肺管而出於喉其路徑全屬衝脈而上故內經云衝爲氣街蓋指此也凡是氣逆均責於衝故仲景有降衝逆之法胞中又名血海胃中飲食之汁奉心化血下入胞中即由衝脈導之使下故內經云女子二七而天癸至太衝脈盛月事以時下也總之胞中爲先天腎氣後天脾血交會之所衝脈起於胞中導先天腎氣而上行以交於胃導後天脾血下行入胞中以交於腎導氣而上導血而下通於腎麗於陽明衝脈之所司可知矣按衝脈者出氣之街衢也氣生於丹田而其出路則在臍下三寸隔中行旁開五分名氣街穴是氣之出路故名氣街近醫因靈樞言胸氣有街腹氣有街頭氣有街足氣有街遂不能指出氣街穴在何處然內經明言起於氣街俠臍上行則明指氣街穴在臍之下也今人改氣街爲氣穴大失經旨由氣街至臍旁爲肓俞肓即膜也丹田之膜上會於臍故此穴名肓俞也又上胸至通谷穴而散蓋有膜上胸則散爲肺衣而全包肺故

衝脈亦至此而散肺衣會於咽故衝脈又夾咽而止總見氣出於丹田循臍旁上胸中走肺衣中又上會於咽則氣從之出矣膜中氣行之道路卽名衝脈衝主氣與任之主血者不同可知十二正經奇經八脈各有所主然各臟腑氣血往來之道路有散有合不得但指血管以爲經脈也任脈起於少腹之內胞室之下出會陰之分上毛際循臍中央至膻中上喉嚨繞唇絡於唇下之承漿穴與督脈交督脈在背總制諸陽謂之曰督任脈在腹總統諸陰謂之曰任陰陽相貫故任與督兩脈必相交下則交於前後陰之間上則交於唇之上下也以先後天論之督在脊屬腎屬先天任在腹屬脾屬後天先天主氣下交胞中後天主血下交胞中全在此二脈也以水火論督脈屬氣屬火任脈屬血屬水心腎相交水火既濟皆由於此故任脈者陰脈之海也任脈起胞中下至兩陰之間名會陰穴謂與督脈相會而在兩陰間故名會陰上至少腹聚毛之處名中極穴又上至臍下三寸爲關元穴乃元陽元陰交關之所出臍中上行至於鳩

尾再上二寸六分爲膻中穴膻中是心包絡生血而出隨任脈上下運行故任脈之穴兼具包絡之名正見任脈爲心包行血也從膻中上行三寸二分陷中爲紫宮穴紫宮指心而言也心應洛書九紫離卦故名紫宮任脈至此正內合於心故以心位名之正見任脈爲心行血之統脈也又上至唇下爲承漿穴與督脈會而任脈終其支者循面而至於眼下細觀任督之起止而知督脈主陽主氣任脈主陰主血互相貫通爲人身之總司也督脈起於腎中下至胞室腎中天一所生之癸水入於胞中全在督脈導之使下腎氣至胞任脈應之則心胃之血乃下會於胞中此爲任督相交心腎相濟道家坎離水火交媾之鄉即在於此督脈絡陰器循二陰之間與任脈會於下也貫脊上項交於人中與任脈會於上也今細察其脈由鼻柱上腦貫脊抵腎由腎入胞中據此道路觀之乃知督脈主陽主生腎氣蓋氣生於天陽吸於鼻孔至腦門下肺管循背脊而下入腎又由腎入胞中故吸入則胞中滿也吸入之氣實由鼻由腦由脊而下

故掩鼻張口能出氣而不能吸氣蓋吸由脊下非從鼻腦不能入也呼由膈出故張口能出氣也吸由脊下督脈主之知督脈之所主乃知氣之生化也督脈起於胞中出會陰穴至尾閭骨端名長强穴上至二十一椎名腰俞是腰腎筋膜所聯也再上十四椎當腎正中爲命門穴乃腎系着脊之處爲督脈之主蓋任是心血所司督是腎氣所司故命門爲督脈之主穴也又上至第三椎爲身柱穴肺腎相交爲一身元氣之宰故稱爲柱再上大椎至髮際一寸宛中爲風府髮上二寸五分爲腦戶即西醫腦後葉之中縫也至巔頂爲百會穴與肝脈交會於此前行當顖門爲顖會穴謂心神上照於髓以發知覺即神與髓會之所也又至額上髮際爲神庭穴亦是心神上出於此之義下至鼻準至齒縫斷交穴而終蓋人身吸天陽入鼻循脊下腎系[illegible]入丹田總歸督脈所主化氣化精爲人生命之原總督週身臟腑故稱督也帶脈當腎十四椎出屬帶脈圍身一週前垂至胞中帶脈總束諸脈使不妄行如人束帶故名究帶脈之所從出

則貫腎系是帶當屬腎女子一胞全賴帶脈主之蓋以其根結於命門也環腰貫脊居於身之中停又當屬之於脾故脾病則女子帶下以其屬脾而又垂於胞門故隨帶而下也帶脈後在十四椎當腎之中前在臍繞腰一週帶脈一穴則在季肋當少陽部位近圖帶脈三穴一帶脈穴在足少陽膽經季肋之下一寸八分再下三寸爲五樞穴又下爲維道穴似帶脈繞行三匝而有上中下三穴也然難經云帶脈起於季肋廻身一週無三匝之說又靈樞經曰足少陰脈別走太陽至十四椎屬帶脈後人遂以帶爲腎之別脈非也屬帶脈者謂其爲帶脈所管束非言帶脈是腎之脈也因穴屬少陽之界以爲少陽脈者亦非也肝膽能爲帶脈之病然帶脈終非肝膽之脈蓋帶主管束前後前束任而經心小腸之腑中後束督而經腎系之中人生惟脾主中州交合水火帶脈適當腰腹之中應歸爲脾之脈也其穴在脇亦以前不居任位後不居督位正見其管束前後也或疑帶脈不與脾連當知腹中膜油皆脾之物腎着湯治帶脈以脾

爲主。女科以婦人帶衣。皆歸於脾。良有以也。按督脈在背。總統諸陽。屬先天。任脈在腹。總統諸陰。屬後天。衝脈麗於陽明。而通於胞宫。由後天以交於先天。腎者也。帶脈出於腎中。以周行脾位。由先天以交於後天。脾者也。四者互爲工用。不可不詳究焉。

第三十九章　經外奇穴名目主治

問　內迎香二穴呢。

答　在鼻孔中。治火眼暴痛。用蘆管子搐出血。卽愈。

問　鼻準穴呢。

答　在鼻柱尖上。專治鼻上酒醉風。三稜鍼出血。

問　耳尖穴呢。

答　在兩耳尖上。捲耳取。治眼生翳膜。用小艾炷五壯。

問　聚泉穴呢。

答　在舌上當中吐出舌中直有縫陷中是穴治哮喘咳嗽久嗽不愈七壯灸法用生薑切片搭於穴中灸之熱嗽用雄黃和艾炷冷嗽用冬花末和艾炷灸後用清茶連生薑細嚼咽下並治舌苔舌强用小針出血

問　金津玉液二穴呢

答　在舌下兩旁紫筋上是穴捲舌取之治重舌腫痛三稜鍼出血

問　魚腰穴呢

答　在眉毛中間治眼生垂簾翳膜（鍼入一分沿皮向兩旁）

問　海泉穴呢

答　在舌下中央脈上治消渴用三稜鍼出血（一云禁鍼）

問　太陽穴呢

答　在眉後陷中紫脈上治眼紅腫及頭痛用三稜鍼出血其法以手緊扭其領脈即現於脈上刺出血極效

問　大骨空呢。

答　在手大指中節上。屈指當骨尖陷中。治目久痛。及生翳膜目障。（七壯）

問　中魁穴呢。

答　在中指第二節骨尖。屈指得之。治五噎反胃吐食。（七壯瀉之）

問　八邪八風穴呢。

答　在手五指歧骨間。左右手各四穴。名八邪。兩足共八穴。名八風。

問　大都穴呢。

答　在虎口赤白肉際。握拳取之。治頭風牙疼。（七壯一分）

問　上都穴呢。

答　在手食指本節後。岐骨間。握拳取之。治手背紅腫。（一分五壯）

問　中都穴呢。

答　在手無名指本節後。岐骨間。（主治同上）

問　下都穴呢。

答　在手小指本節後岐骨間。（主治同上）

問　十宣穴呢。

答　在手指頭上去爪甲一分。每指各一穴。治乳蛾。以三稜鍼出血。

問　五虎穴呢。

答　在手兩食指及兩名指第二節骨尖。握拳取之。治五指拘攣。（五壯）

問　肘尖穴呢。

答　在兩手肘骨尖上。屈肘得之。治瘰癧。（可灸七七壯）

問　肩柱骨呢。

答　在肩端起骨尖上。治瘰癧及手不舉。（七壯）

問　二白穴呢。

答　在掌後橫紋中直上四寸。一手兩穴。一在大筋內間使穴後一寸。一在大筋外。

問　二穴相並治痔脫肛。
答　獨陰穴呢。
問　在足二指下橫紋中治小腸疝氣又下死胎胞衣噦嘔吐血月經不調（五壯）
答　內踝尖呢。
問　在足內踝骨尖治下片牙疼脚轉筋（七壯）
答　外踝尖呢。
問　在足外踝骨尖治脚氣寒外㢘轉筋以三稜鍼出血
答　囊底穴呢。
問　在陰囊一字紋中治腎臟風瘡及小腸疝氣腎家一切症候（七壯艾如鼠屎）
答　鬼哭穴呢。
問　在手足大拇指去爪甲角如韮葉兩指並起用帛縛之當兩指岐縫中是穴治
答　五癇等症正發時灸之甚效（鬼哭或作鬼眼非鬼眼乃腰眼穴也鬼哭謂鬼

邪哭而求自去之意。)

問　譩譆穴呢。

答　在梁邱穴兩旁各開寸半。兩足共四穴。治腿痛。(七壯。)

問　中泉穴呢。

答　在手背腕中陽谿陽池中間陷中。治心痛及腹中諸氣疼不可忍。(二七壯。)

問　四關穴呢。

答　卽兩合谷。兩太衝是也。

問　小骨空呢。

答　在手小指第二節骨尖。治手節骨疼眼痛。(七壯。)

問　印堂穴呢。

答　在兩眉中陷處。治小兒驚風。(一分五壯。)

問　子宮穴呢。

答　在中極兩旁各開三寸。治婦人久無子嗣。（二七壯）

問　龍玄穴呢？

答　在兩手側腕紫脈上治手痛。（七壯）

問　四縫穴呢？

答　在手四指內中節是穴。治小兒猢猻勞。（三稜針出血）

問　拳尖穴呢？

答　在兩手中指本節骨尖握拳取之。治內障眼。（三壯）

問　闌門穴呢？

答　在曲骨穴兩旁各開三寸。治膀胱七疝奔豚等症。

問　百蟲窠呢？

答　卽血海也。在膝內廉上二寸半。治下部生瘡。（七壯五分）

問　睛中穴呢？

答　在眼睛黑珠正中取穴之法。先用布搭目外。以冷水淋一刻。方將三稜鍼於目外角。離黑珠一分許。刺入半分之微。然後入金鍼約數分深。旁入自上層轉撥向瞳人。輕輕而下。一飯頃出鍼。輕扶偃臥。仍用青布搭目。外再以冷水淋三日夜止。初鍼盤膝正坐。將筋一把兩手握於胸前。寧心正視。其穴易得。治一切內障頃刻光明。凡學鍼人眼者。先試鍼羊眼。羊眼復明。方鍼人眼。不可造次。

第四十章　經外奇穴主治歌

問　經外奇穴主治歌呢。

答　正經之外各奇穴。鼻準稜鍼酒醉風。內迎香搐暴火眼。耳尖五壯治翳朦。聚泉七壯灸喘嗽。金津玉液重舌鍼。魚腰可治垂簾疾。海泉舌底消渴鍼。太陽頭痛眼紅腫。大骨七壯灸眼疼。中魁七壯治反噎。八邪五指岐骨中。八風足趾岐骨內。大都刺牙痛頭風。上都治手臂紅腫。中都下都主治同。十宣在十指尖上。五虎五指拘攣祟。肘尖瘰癧七七壯。肩柱瘰癧亦可攻。二白能治脫肛痔。獨陰灸疝效如神。內踝尖治下牙痛。外踝脚氣並轉筋。囊底灸腎一切症。鬼哭灸癎發最靈。髋骨四穴灸腿痛。中泉心痛與氣疼。四關合谷太衝穴。小骨手節並眼疼。子宮醫婦久無子。印堂治皮止驚風。龍玄七壯治手痛。四縫亦可療猢猻。拳尖三壯灸內障。闌門七壯主奔豚。百蟲窠治下瘡疥。睛中內障勿輕攻。

第四十一章　井滎俞原經合圖說

問　井滎俞原經合圖說呢。

答

	肺	脾	心	腎	包絡	肝	
井木	少商	隱白	少衝	湧泉	中衝	大敦	春刺
滎火	魚際	太都	少府	然谷	勞宮	行間	夏刺
俞土	太淵	太白	神門	太谿	太陵	太衝	季夏刺
經金	經渠	商坵	靈道	復溜	間使	中封	秋刺
合水	尺澤	陰陵泉	少海	陰谷	曲澤	曲泉	冬刺

	大腸	胃	小腸	膀胱	三焦	膽	
井金	商陽	厲兌	少澤	至陰	關衝	竅陰	所出
滎水	二間	內庭	前谷	通谷	液門	俠谿	所溜
俞木	三間	陷谷	後谿	束骨	中渚	臨泣	所注
原	合谷	衝陽	腕骨	京骨	陽池	坵墟	所過
經火	陽谿	解谿	陽谷	崑崙	支溝	陽輔	所行
合土	曲池	三里	小海	委中	天井	陽陵泉	所入

按所出爲井，井象水之泉。所溜爲滎，滎象水之陂。所注爲俞，俞象水之竇。所行爲經，經象水之流。所入爲合，合象水之歸。皆取水義也。　又按春刺井，井者東方春也，萬物之始生，故曰井。冬刺合，合者北方冬也，陽氣潛藏，故曰合。舉始終而言，滎俞經在其中矣。　又按諸井肌肉淺薄，瀉井當瀉滎，補井當補合。

第四十二章　腧經穴總歌

問　肺經穴總歌呢

答　太陰肺兮出中府雲門之下寸六許雲門氣戶旁二寸巨骨之下舉臂取天府腋下三寸求俠白肘上五寸主尺澤肘中紋約論孔最腕則七寸舉列缺腕側上寸半經渠寸口陷脈取太淵掌後橫紋頭魚際節後散脈裏少商大指內側尋去爪韭葉斯爲的

第四十三章　大腸經穴總歌

問　大腸經穴總歌呢

答　手陽明兮屬大腸食指外側號商陽本節前取二間定本節後尋三間強岐骨陷中尋合谷陽谿腕中上側詳腕後三寸是偏歷五寸五分溫溜鄉下廉上廉下一寸上廉里下一寸方屈肘曲中曲池得池下二寸三里塲肘髎大骨外廉陷五里肘上三寸量臂臑髃下一寸取肩髃肩端兩骨當巨骨肩端叉骨罅天鼎缺盆之上藏扶突曲頰下一寸禾髎五分水溝旁鼻孔兩旁五分處左右二

穴皆迎香

第四十四章　胃經穴總歌

問　胃經穴總歌呢？

答　胃之經兮足陽明頭維本神寸五尋下關耳前動脈處頰車耳下八分鍼承泣目下七分取四白一寸不可深巨髎孔旁八分定地倉挾吻四分臨大迎頰前寸三分人迎結旁大脈眞水突在頸大筋下直居氣上下於人氣舍迎下俠天突缺盆橫骨陷中親氣戶俞府旁二寸至乳六寸四分程庫房屋翳膺窻近兩乳中心名乳中次有乳根出乳下各寸六分相去同穴俠幽門一寸五是穴不容依法數其下承滿至梁門關門太乙從頭舉節次挨排滑肉門門各一寸爲定理天樞二寸俠臍旁外陵樞下一寸當二寸太巨五水道歸來七寸已相將氣衝來下外一寸急脈氣衝內五分髀關伏兎後交分伏兎市上三寸强陰市膝上三寸許梁邱二寸得共量膝臏骨下尋犢鼻膝眼二穴在兩旁膝下三寸

三里位里下三寸上廉地條口上廉下一寸下廉條下一寸係豐隆下廉外一寸踝上八寸分明記解谿衝陽後寸半衝陽陷上二寸據陷谷內庭後二寸內庭次指外間是厲兌次指外側端去爪韮葉胃止處

第四十五章　脾經穴總歌

問　脾經穴總歌呢

答　拇指內側隱白位太都節前陷中據太白核骨下陷中公孫節後一寸至商邱有穴屬經金踝下微前陷中是內踝三寸三陰交漏谷六寸有次第膝下五寸爲地機陰陵內側膝輔際血海分明膝臏上內廉肉際二寸半箕門血海上六寸筋間動脈須詳論衝門四寸三分大橫下三寸三分尋府舍腹結橫下寸三分大橫二穴俠臍膀腹哀寸半下日月上與食竇相連接食竇天谿及胸鄉周榮各一寸六者大包淵液下三寸出九肋間當記也

第四十六章　心經穴總歌

問　心經穴總歌呢

答　少陰心起極泉中腋下筋間脈入胸青靈肘上三寸取少海肘內節後容靈道掌後一寸半通里腕後一寸逢陰郄五分取動脈神門掌後銳骨同少府本節勞宮直小指內側取少衝

第四十七章　小腸經穴總歌

問　小腸經穴總歌呢

答　手小指端起少澤前谷外側節間索節後陷中是後谿腕骨陷前看外側腕中骨下陽谷討踝後上陷名養老支正腕後量五寸小海肘端五分好肩貞胛下兩骨解臑俞大骨之下保天宗骨下有陷中秉風髃後舉有空曲垣肩中曲胛裡外俞胛上三寸從肩中二寸大椎旁天窗頰下動脈詳天容耳下曲頰後顴髎面端銳骨當聽宮耳珠大如菽此一經爲手太陽

第四十八章　膀胱經穴總歌

問　膀胱經穴總歌呢

答　足太陽兮膀胱經目眥內側始睛明眉頭陷中名攢竹眉冲曲差神庭中曲差寸半神庭畔五處挨排列上星承光五處後寸半通天絡郄亦相承玉枕横挾於腦後尺寸當准銅人經天柱俠項後髮際大筋外廉陷中是俠脊相去寸五分第一大杼二風門肺俞三椎厥陰四心俞五椎之下論督俞膈俞相梯級第六第七次第立第八椎下穴無名肝俞第九膽第十十一椎下脾俞舉十二椎下胃俞取三焦腎俞氣海俞十三四五爲定矩大腸關元俞安量十六十七椎兩旁十八椎下小腸俞十九椎下尋膀胱中膂二十椎下是白環二十一椎當上髎次髎中與下一空二空俠腰胯並同俠脊四個穴載在千金相連亞會陽陰尾旁八分分寸須與督脈親第二椎下外附分俠脊相去古法云先除脊骨量三寸不是灸穴能傷筋魄戶三椎膏肓四四下五上胛骨裏第五椎下索神堂第六椎下尋譩譆膈關第七魂門九陽綱意舍依此數胃倉肓門屈指談椎

問答

看十二與十三志室次之爲十四胞肓十九合相參秩邊二十椎下詳承扶臀下陰紋當殷門承扶下六寸浮郄一寸上委陽委陽委中向外取膕中外廉兩筋鄉委中膝膕約紋裏此下三寸尋合陽承筋腨腸中央是承山腨下分肉旁飛揚外踝上七寸附陽踝上三寸量金門正在外踝下崑崙踝後跟骨中僕參跟骨下陷是申脈分明踝下容京骨外側大骨下束骨本節後相通通谷本節前陷索至陰小指外側逢

第四十九章　腎經穴總歌

腎經穴總歌呪

湧泉屈足捲指取腎經起處此其所然谷踝前大骨下踝後跟上太谿府谿下五分尋太鍾水泉谿下一寸許照海踝下陰蹻生踝上二寸復溜名溜前筋骨取交信亦曰踝上二寸行築賓六寸腨分處陰谷膝內輔骨際橫骨有陷如仰月大赫氣穴四滿注中注肓俞正挾臍六穴一寸各相去商曲石關上陰都通

谷幽門一寸居幽門巨闕旁寸半步廊神封過靈墟神藏彧中入俞府各一寸六不差殊欲知俞府之位分璇璣穴旁各二寸

第五十章　心包絡經穴總歌

問　心包絡經穴總歌呢

答　厥陰心包何處得乳外二寸天池索天泉腋下二寸求曲澤內廉尋動脈郄門去腕四寸通間使掌後三寸逢內關去腕纔二寸太陵掌後兩筋中勞宮掌內屈指取中指內側出中衝

第五十一章　三焦經穴總歌

問　三焦經穴總歌呢

答　三焦名指外關衝小次之間名液門中渚次指本節後陽池表腕有穴存腕後二寸外關絡支溝腕上三寸約會宗三寸空中求溝旁一寸無令錯溝上一寸臂大脈三陽絡穴之所宅四瀆肘前五寸間天井肘上一寸側肘上二寸清冷

淵消濼臂外肘分索臑會肩頭三寸中肩髎肩端臑上通天髎盆上毖骨際天牖傍頸後天容翳風耳後尖角陷瘈脈耳後雞足逢顱息耳後青絡脈角孫耳廓開有空絲竹眉後陷中看和髎耳前鋭髮同耳門耳珠當耳缺此穴禁灸分明說

第五十二章　膽經穴總歌

問　膽經穴總歌呢

答　少陽瞳髎起目外耳前陷中尋聽會上關耳前開有空頷厭顳顬上廉係懸顱正在顳顬端懸釐顳顬下廉看曲鬢掩耳正尖上率谷耳鬢寸半安本神耳上入髮際四分率橫向前是曲差之旁各寸半陽白眉上一寸訖臨泣有穴當兩目直上髮際五分屬目窗正營各寸半承靈營後寸半錄天衝耳後二寸逢浮白髮際一寸從竅陰枕下動有空完骨耳後四分通腦空承靈後寸半風池後髮際陷中肩井肩前寸半看淵液腋下三寸安輒筋平前復一寸日月期門下

五分京門監骨腰間取帶脈季肋寸八分五樞帶下三寸許維道章下五三分居髎章下八三是環跳髀樞宛宛論兩手着腿風市謀膝上五寸中瀆搜陽關陵上犢鼻外陽陵品骨下寸求陽交外踝斜七寸正上七寸尋外邱光明除踝上五寸陽輔踝上四寸收懸鍾三寸看絕骨邱墟踝下陷中出臨泣寸半後俠谿五會一寸灸早卒俠谿小指歧骨間竅陰小次外側覓

第五十三章　肝經穴總歌

問　肝經穴總歌呢

答　厥陰大敦三毛側行間骨間動脈處節後有絡連五會太衝之脈誠堪據中封一寸內踝前蠡溝踝上五寸據中都七寸胻骨中膝關犢下二寸容曲泉紋頭兩筋間陰包四寸膝臏上五里氣衝下三寸動脈應手陰股向陰廉穴在橫紋胯去衝二寸羊矢下羊矢氣衝外一寸分明有穴君可問章門臍上二寸量橫取六寸看兩旁期門不容旁寸半直乳之下二肋詳

第五十四章　督脈經穴總歌

問　督脈經穴總歌呢

答　長强骶骨端三分腰兪廿一椎下中陽關十六椎下取命門十四椎下存懸樞在十三椎下脊中十一椎下論中樞十椎下俯取此穴氣府論註登筋縮九椎下俯取至陽七椎下俯捫靈台六椎之下是神道五椎之下分身柱三椎下俯取陶道一椎下可捫大椎一椎之上陷瘂門入髮際五分風府髮際入一寸腦戶風上寸半尋强間腦戶上寸半後頂强上寸半存百會後頂前寸半前頂百會寸半輪顖會前頂前寸半上星顖會上寸尋神庭上星前半寸直入前髮際五分素髎鼻準上端是水溝穴即是人中兌端上唇端是穴齗交唇內齦縫尋

第五十五章　任脈經穴總歌

問　任脈經穴總歌呢

答　會陰穴在兩陰間曲骨毛際陷中探子宮中極旁三寸中極關元下寸間關元

問答

臍下三寸取石門臍下二寸探氣海臍下寸有半陰交臍下一寸當神闕當臍中是穴水分臍上一寸量下脘臍上二寸取建里臍上三寸間中脘上脘下一寸上脘巨闕下寸方巨闕鳩尾下一寸鳩尾中庭下寸當中庭膻中下寸六膻中堂下寸六量玉堂紫宮下寸六紫宮華下寸六量華蓋璇璣下寸六璇璣天突寸六量天突結喉下三寸廉泉結喉上中央承漿唇稜下陷是此爲任脈廿四端

第五十六章　衝脈經穴總歌

衝脈經穴總歌呢

幽門巨闕旁寸半通谷幽門下寸居陰都通谷下一寸石關陰都下寸居商曲石關下一寸肓俞商曲二寸居中注肓俞下一寸四滿中注下寸居氣穴四滿下一寸大赫氣穴下寸居橫骨大赫下一寸此爲衝脈廿二區

第五十七章　帶脈經穴總歌

問　帶脈經穴總歌呢。

答　帶脈季肋寸八分。五樞帶下三寸存。維道章下五三得。此乃帶脈六穴臨。

第五十八章　陽蹻經穴總歌

問　陽蹻經穴總歌呢。

答　申脈外踝下五分。僕參跟骨下陷中。附陽外踝上三寸。居髎章下八三分。肩髃肩端兩骨陷。巨骨肩端叉骨中。臑俞肩胛下廉陷。地倉俠吻四分臨。巨髎孔旁八分定。承泣目下七分尋。此乃陽蹻二十穴。鍼科分別要精明。

第五十九章　陰蹻經穴總歌

問　陰蹻經穴總歌呢。

答　陰蹻照海與交信。四穴內踝上下尋。

第六十章　陽維經穴總歌

問　陽維經穴總呢。

答　金門穴在外踝下陽交踝上斜七當臑俞肩髎後胛下臑會肩頭三寸量天髎缺盆上毖骨際肩井缺盆上寸半藏陽白眉上一寸取本神寸半曲差旁臨泣髮際五分上目窗臨後寸半看正營目窗後寸半承靈正營後寸腦空承靈後寸半風池腦空髮際間日月期門下半寸風府後髮際寸端瘂門髮際五分是陽維三十二穴當

第六十一章　陰維經穴總歌

問　陰維經穴總歌呢

答　築賓內六腨分上腹哀日月下寸半大橫哀下三寸五府舍腹結下二寸期門直乳下二肋天突結喉下三寸廉泉結喉上中央此乃陰維穴十二

第六十二章　奇經八脈總歌

問　奇經八脈總歌呢

答　督脈起自下極腧並於脊裏上風府過腦額鼻入斷交爲陽脈海都綱要任脈

起於中極底上腹循喉承漿裏陰脈之海任所謂衝脈出胞循脊裏從腹會咽絡口唇女人成經爲血室脈並少陰之腎經與任督本於會陰三脈並起而異行陽蹻自足外踝起循外踝上入風池陰蹻內踝循喉嚨諸陰交起陰維脈發足少陰築賓郄諸陽會絡陽爲脈太陽之郄金門穴帶脈周廻季肋間會於維道足少陽所謂奇經之八脈維繫諸經乃順常

第六十三章　經外奇穴總歌

問　經外奇穴總歌呢

答　更有經外各奇穴鼻孔之內二迎香鼻準耳尖各要穴聚泉一穴舌中當金津玉液舌左右魚腰二穴眉中間海泉穴在舌之下太陽眉後陷中探大骨空大指中節中魁中指二節端八邪手岐八風足大都虎口赤白間上都食中本節後中都名指本節藏下都小指本節後十宣去爪甲一分五虎四穴食名指二節骨尖握拳尋肘尖二穴屈肘得肩柱肩端起骨尖二白在郄門內外獨陰二

指下横紋外內踝尖共四穴囊底穴在陰囊中鬼哭手足大甲角兢骨梁旁寸半尋中泉陽谿陽池畔四關合谷與太衝小骨小指二節陷印堂兩眉中陷針子宮中極旁三寸龍玄側腕紫筋分四縫手指內中節拳尖中指本節尋闌門曲骨開三寸百蟲窠即血海鬧睛中眼黑珠中是此乃經外奇穴名

第六十四章　井滎俞原經合總歌

問　井滎俞原經合總歌呢

答　少商魚際與太淵經渠尺澤肺相連商陽二三間合谷陽谿曲池大腸牽隱白太都太白脾商邱陰陵泉要知厲兑內庭陷谷胃衝陽解谿三里隨少衝少府屬於心神門靈道少海尋少澤前谷後谿腕陽谷小海小腸經湧泉然谷與太谿復溜陰谷腎所宜至陰通谷束京骨崑崙委中膀胱知中衝勞宮心包絡大陵間使傳曲澤關衝液門中渚焦陽池支溝天井索大敦行間太衝間中封曲泉屬於肝竅陰俠谿臨泣膽坵墟陽輔陽陵泉

第六十五章 穴名同異攷

問　一穴二名呢○

答　後頂○一名交衝○　強間○一名大羽○　竅陰○一名枕骨○　腦戶○一名合顱○

曲鬢○一名曲髮○　腦空○一名顳顬○　顱顖○一名顱息○　聽宮○一名多所聞○

瘈脈○一名資脈○　素髎○一名面正○　水溝○一名人中○　承漿○一名懸漿○

廉泉○一名舌本○　風府○一名舌本○　上星○一名神堂○　絲竹空○一名目髎○

睛明○一名淚孔○　巨髎○一名巨窌○　肩井○一名膊井○　淵液○一名泉液○

臑會○一名臑髎○　大椎○一名百勞○　命門○一名屬累○　風門○一名熱門○

巨闕○一名心募○　期門○一名肝募○　腎俞○一名高蓋○　中膂○一名脊內俞○

天窗○一名窗籠○　天鼎○一名天頂○　天突○一名天瞿○　扶突○一名水突○

天池○一名天會○　人迎○一名五會○　缺盆○一名天蓋○　腧府○一名輸府○

玉堂○一名玉英○　神闕○一名氣舍○　四滿○一名髓府○　腹結○一名腸窟○

衝門〇一名慈宮〇　氣衝〇一名氣街、〇　橫骨〇一名曲骨端〇　輒筋〇一名神光、〇

陽輔〇一名分肉〇　會陽〇一名利機、〇　太淵〇一名太泉、〇　水分〇一名分水、〇

會陰〇一名屏翳、〇　三間〇一名少谷〇　合谷〇一名虎口〇　商陽〇一名絶陽〇

二間〇一名間谷、〇　少衝〇一名經始、〇　少海〇一名曲節〇　陽谿〇一名中魁〇

陽池〇一名別陽〇　支溝〇一名飛虎〇　蠡溝〇一名交儀〇　少澤〇一名小吉〇

中都〇一名中郄〇　三陽絡〇一名通門〇　陰包〇一名陰胞、〇　中封〇一名懸泉、〇

委中〇一名血郄〇　懸鍾〇一名絶骨、〇　漏谷〇一名太陰絡〇　陰交〇一名橫戶、〇

血海〇一名百蟲窠〇　上廉〇一名上巨虛〇　下廉〇一名下巨虛〇　地機〇一名脾舍、〇

伏兎〇一名外勾〇　太谿〇一名呂細〇　照海〇一名陰蹻〇　陰市〇一名陰鼎〇

崑崙〇一名下崑崙〇　飛揚〇一名厥陽〇　附陽〇一名付陽〇　金門〇一名梁關〇

環跳〇一名髀骨〇　申脈〇一名陽蹻〇　湧泉〇一名地冲〇　僕參〇一名安邪〇

陰都〇一名食宮〇　水突〇一名水門、〇

問　一穴三名呢。

答　絡郄。一名強陽、一名腦蓋。禾髎。一名長顪、一名禾窌。客主人。一名上關、一名客主。瞳子髎。一名前關、一名太陽。

頰車。一名機關、一名曲牙。聽會。一名聽河、一名後關。肩髃。一名中肩井、一名偏肩。脊中。一名神宗、一名脊俞。

膻中、一名亶中、一名元見。鳩尾。一名尾翳、一名髑骬。上脘。一名上管、一名胃脘。中脘。一名太倉、一名胃募。

中府。一名府中俞、一名肺募。勞宮。一名五里、一名掌中。大赫。一名陰維、一名陰關。長強。一名氣郄、一名撅骨。

日月。一名神光、一名膽募。承筋。一名腨腸、一名直腸。溫溜。一名池頭、一名逆注。復溜。一名呂腸、一名伏勾。

陽關。一名陽陵、一名關陵。陽交。一名別陽、一名足窌。神門。一名銳中、一名中都。然谷。一名然骨、一名龍淵。

天泉。一名少濕、一名天濕。

問　一穴四名呢。

答　瘂門。一名瘖門、一名舌厭、一名舌橫。攢竹。一名始光、一名光明、一名員柱。關元。一名丹田、一名大中極、一名小腸募。中極。一名玉泉、一名氣原、一名膀胱募。

天樞。一名長谿、一名穀門、一名天腸募。京門。一名氣腹、一名氣府、一名腎募。承山。一名魚腹、一名肉柱、一名腸山。承扶。一名內郄、一名陰關、一名皮部。

問　一穴五名呢○

答　百會○一名三陽○一名五會○一名巔上○一名天滿○　章門、一名長平、○一名季脇○一名脇髎○一名脾募

問　一穴六名呢○

答　腰兪、○一名背解、○一名髓府○一名腰戶、○一名髓孔○一名腰柱、○　石門、一名利機、○一名三焦募、○一名丹田○一名精露○一名兪門、○

問　名同穴異呢○

答　頭臨泣、足臨泣○　頭竅陰、足竅陰○　腹通谷、足通谷○

背陽關、足陽關○　手三里、足三里○　手五里、足五里○

第六十六章　穴名同異總歌

問　一穴二名呢○

答　後頂一名為交衝強間大羽一穴同頭之竅陰名枕骨腦戶合顱名異同曲鬢

又名爲曲髮腦空顳顬本二名顱顖一作爲顱息聽宮一名多所聞瘈脈一名爲資脈素髎又有面正名水溝卽是人中穴承漿又有懸漿名廉泉風府名舌本上星亦名爲神堂絲竹又有目髎號睛明又有淚孔名巨髎巨窌同一穴肩井膊井一穴名淵液泉液避唐諱臑會臑髎一穴名大椎一號百勞穴命門屬累一穴名風門熱門同一穴巨闕心募一穴稱期門一名爲肝募腎俞高蓋一穴名中膂一名脊中俞天窗一名爲窗籠天鼎天頂同一號天突天瞿一穴名扶突一名爲水突天池天會一穴名人迎又名爲五會缺盆天蓋一穴名俞府又名爲輸府玉堂玉英一穴名神闕一名爲氣舍四滿又有髓府名腹結一名爲腸窟衝門一名上慈宮氣衝氣街同一穴橫骨一名曲骨端輒筋又有神光號陽輔肉分一穴名陰都食宮同一穴水突一名爲水門水分分水同一穴會陰屏翳一穴名會陽一有利機號太淵太泉同一稱商陽純陽皆一穴二間又有間谷名三間一名爲少谷合谷虎口同一稱陽谿亦有中魁號少冲經始一

穴名少海又名爲曲節少澤又有小吉名陽池別陽同一穴支溝亦有飛虎稱交儀即是蠡溝穴中封一穴爲懸泉中都又名爲中郄三陽絡穴號通門陰包陰胞同一號陰交橫戶一穴名委中一名爲血郄懸鍾絕骨一穴名漏谷一名太陰絡地機脾舍一穴名血海百蟲窠一穴上廉一名上巨虛下廉亦名爲下巨陰市陰鼎一穴名伏兎一名外勾穴太谿呂細隨人稱照海一名爲陰蹻金門梁關一穴名崑崙一名下崑崙飛揚又有厥陽名附陽一作付陽寫僕參安邪同一稱環跳一名爲髀骨申脈又有陽蹻名湧泉地冲同一穴此爲一穴有二名

問　一穴三名呢

答　絡郄強陽腦蓋名禾髎長顪禾窌同客主人上關客主瞳髎前關太陽名頰車機關曲牙號聽會聽河後關名肩髃偏肩肩中井脊中脊兪神宗名膻中亶中稱元見鳩尾尾翳髃骬名上脘上管即胃脘中脘太倉胃募名中府肺募府中

兪勞宮五里掌中名大赫陰維陰關號長强氣郄撅骨名日月神光名膽募承筋腨腸眞陽名溫溜池頭逆注號復溜呂腸伏勾名陽關陽陵關陵號陽交別陽足髎名神門銳中中都號然谷然骨龍淵稱天泉少濕天濕號此爲一穴三個名

問　一穴四名呢

答　舌橫舌厭瘖瘂門攢竹員柱始光光明關元丹田大中極小腸募穴四個名中極玉泉氣原同膀胱之募共四名天樞長谿穀門號大腸之募共四名京門氣腹與氣府腎募一穴共四名承山魚腹內柱腸山承扶內郄皮部陰關此皆一穴四名號大共三十二個名

問　一穴五名呢

答　百會三陽五會稱巔上天滿五個名章門長平和季脇脇髎髀募五個名

問　一穴六名呢

答　腰俞背解腰戸稱髓孔髓府腰柱名石門利機三焦募丹田精露俞門稱

問　名同穴異呢

答　臨泣臨泣頭足分竅陰竅陰頭足名通谷通谷分足腹陽關陽關足背分三里五里分手足此乃穴異名號同

第六十七章　全身取寸歌

問　全身取寸歌呢

答　前髮際至後髮際一尺二寸君須記或從眉心上三寸大椎至髮尺八計頭橫量眼內外眥中庭至臍八寸是中庭膻中下寸六膻中平兩乳間覔天突至膻直八寸臍下曲骨五寸係橫量兩乳橫八寸手足背橫中指取

問　背部直寸歌呢

答　上七一寸四分一中七一六零一釐下七一寸二分六共爲三尺廿一椎

第六十八章　禁鍼灸穴道歌

問　禁鍼穴歌呢。

答　腦戶、顖會及神庭、玉枕絡郄到承靈。顱息、角孫、承泣穴、神道、靈臺、膻中明。水分、神闕、會陰上。橫骨、氣衝鍼莫行。箕門、承筋、手五里。三陽絡穴到青靈。姙婦不宜鍼合谷。三陰交內亦通論。石門鍼灸應須忌。女子終身孕不成。外有雲門並鳩尾。缺盆客主深暈生。肩井深時亦暈倒。急補三里人還平。刺中臟腑人皆死。衝陽血出投幽冥。海泉、顴髎、乳頭上。脊間中髓傴僂形。手魚腹陷陰股內。膝臏筋會及腎經。腋股之下各三寸。目眶關節皆通評。

問　禁灸穴歌呢。

答　瘂門、風府、天柱擎。承光、臨泣、頭維平。絲竹、攢竹、睛明穴。素髎、禾髎、迎香程。顴髎、下關、人迎去。天牖、天府到周榮。淵液、乳中、鳩尾下。腹哀、臂後尋肩貞。陽池、中衝、少商穴。魚際、經渠一順行。地五、陽關、脊中膂。隱白、漏谷、通陰陵。條口、犢鼻、上陰市。伏兎、髀關、申脈迎。委中、殷門、承扶上。白環、心俞同一經。

第六十九章　禁忌鍼灸日期

問　鍼灸禁忌如何。

答　禁忌之說。多與素問不合。乃後世術家所言。惟四季避忌。與素問相符。只避此及逐日人神可耳。然急病亦可不避也。

問　四季人神避忌日呢。

答　春秋左右脇。冬夏在腰臍。四季人神處。鍼灸莫妄施。

又歌。春逢甲乙戊。夏逢丙丁己。秋逢庚辛戊。冬逢壬癸己。

問　逐日人神禁鍼灸歌呢。

答　初一十一廿一。起足拇鼻柱手小指。初二十二二十二。外踝髮際外踝位。初三十三二十三。股內牙齒足及肝。初四十四廿四。有腰間胃脘陽明手。初五十五廿五。并口內遍身足陽明。初六十六廿六。同手掌胸前又在胸。初七十七二十七。內踝氣衝及在膝。初八十八廿八。辰腕內股內又在陰。初九十九二十九在

尻在足膝脛後初十二十三十日腰背內踝足跗覓

第七十章　製備鍼灸法

問　鍼有幾種

答　內經靈樞九鍼之名各不同形一曰鑱鍼又名箭頭鍼頭大末銳長一寸六分廣半寸二曰員鍼身員鋒如卵形長一寸六分三曰鍉鍼其鋒如黍粟之銳長三寸五分四曰鋒鍼其刃三隅又名三稜鍼長一寸六分五曰鈹鍼一作錍鍼亦名劍鍼末如劍鋒長四寸廣二分半六曰員利鍼尖如氂且圓且銳中身微大長一寸六分七曰毫鍼尖如蚊蝱喙長三寸六分八曰長鍼鋒利身薄長七寸九曰火鍼一曰燔鍼尖如梃其鋒微圓長四寸又按素問九鍼論其文皆繫稱遠引後人莫測其倪容園曾於滬上訪問鍼師劉雲階輩僉謂古鍼雖有九種某等屢造總不如法用亦不靈後得眞傳只用毫鍼及三稜鍼兩種毫鍼醫百病有手法三稜鍼不去鋒便出血無手法毫鍼去鋒遇筋筋躲縫骨骨頂取

其不傷人也。

問　造鍼用何材料？

答　本草云，馬啣鐵無毒，以馬屬午屬火，火尅金，解鐵毒，故用此。

問　製鍼法呢？

答　先將馬啣鐵，造成鐵絲，放火中煆紅，次截之，或二三五寸不等，以蟾酥塗鍼上，仍入火中微煆，不可令紅，取起照前塗蟾酥，連煆三次，至末次乘熱挿入臘肉皮之裏，肉之外，將後藥先用水三碗煎沸，次入鍼肉在內，煮至水乾，傾入冷水中待冷，將鍼取出，於黃土中挿百餘下，以去火毒，次以銅絲纏其首，其針鋒要磨圓，不可用尖刃，煮針藥列後。

眞麝香五分　膽礬一錢　石斛一錢　甲珠一錢　川芎三錢　歸尾三錢　硃砂三錢

沒藥三錢　鬱金三錢　細辛三錢　草節五錢　沉香一錢　磁石一兩即吸鐵石

問　灸病用何材料？

答 本草云艾味苦氣微溫陰中之陽無毒主灸百病丹溪云艾性至熱入藥服則下行入火灸則上行又潮州鎭軍范培蘭留心灸法因得異人傳授製爲藥鍼藥皆純正每遇風寒暑濕痼疾沉疴治無不效灸藥列後

艾絨三兩　硫磺二錢　眞麝一錢　乳香　沒藥　松香　桂支　杜仲　枳壳　皀甲　細辛　川芎　獨活　甲珠　雄黃　白芷　全蝎　牛黃

以上十四味各一錢共爲細末和勻裁定皮紙將藥鋪上厚分許層紙層藥凡三層捲緊再以桑皮紙厚糊數層以鷄蛋淸通刷外層勿令洩氣陰乾備用

第七十一章　行鍼法

問 何謂行鍼八法

答 即揣爪搓彈搖捫循撚是也

問 何謂揣而尋之

答 凡點穴以手指揣摸其處在陽部筋骨之側陷者爲眞在陰部郄膕之間動脈

相應其肉厚薄或伸或屈或平或直以法取之按而正之以左手大指爪切掐其穴於中庶得進退方有準也難經曰刺榮無傷衛者乃掐按其穴令氣散而直刺之是不傷其衛氣也刺衛無傷榮者乃撮起其穴以鍼臥而刺之是不傷其榮血也此陰陽補瀉之大法也

問　何謂爪而下之

答　此即鍼賦所謂左手重而切按欲令氣血宣散右手輕而徐入欲其不痛此乃下鍼之祕法也

問　何謂搓而轉之

答　如搓綫之狀勿轉太緊轉者向左爲補向右爲瀉此即迎隨之祕法也故經曰迎奪右而瀉凉隨濟左而補煖正謂此也

問　何謂彈而努之

答　此即先彈鍼頭待氣至却進一豆許先淺而後深自外推内補鍼之法也

問 何謂搖而伸之。

答 此乃先搖動鍼頭。待氣至却退一豆許。乃先深而後淺。自內引外。瀉鍼之法也。故又曰。鍼頭補瀉。

問 何謂捫而閉之。

答 經曰。凡補必捫而閉之。故補於方出鍼時。就捫閉其穴。使血氣不瀉。乃爲眞補。

問 何謂循而通之。

答 經曰。凡瀉鍼必以手指於穴上。四旁循之。使血氣宣散。方可下鍼。故出鍼時。不閉其穴。乃爲眞瀉。

問 何謂外撚內撚。

答 凡治上大指向外撚。治下大指向內撚。外撚者。令氣向上而治病。內撚者。令氣向下而治病。如出鍼內撚者。令正氣行至病所。外撚者。令邪氣至鍼下而出也。此行鍼八法之祕訣也。

問　持鍼法呢。

答　先將穴認眞。醫以左手大指甲、或食指甲。用力掐定。右手大指次指持鍼刺之。新鍼先以口溫而後刺。熟鍼不必溫。

問　何謂定神。

答　當刺之時。醫言勿驚。慮點幾鍼。病者不懼而後刺之。醫家氣象從容。目無旁視。心無別營。手如握虎。勢若擒龍。用鍼自無不妙。

問　暈鍼治法。

答　暈鍼者。神氣虛也。古云。色脈不順而莫鍼。並忌大風、雨雪、陰天。及醉勞、房後、驚飢、居喪之人。容園以鍼刺病者不下數千。而暈鍼不過數人。但以指甲掐病者人中。醒方鬆手。然暈鍼者必獲大效。以血氣交泰故也。語云鍼不傷人。又法。暈鍼不可起鍼。宜以別鍼就旁刺之。用袖掩病人口鼻。鼓動其氣。以熱水飲之。即醒。良久再鍼。或者掐病人十指甲蓋上一分肉處。甚者鍼手膊上側、筋骨陷

中卽蝦蟆肚肉上名醒醒穴或鍼足三里穴必醒其病必愈

問　折鍼治法

答　折鍼用磁石引出或用象牙末水和塗之亦出或用車脂油攤紙上如錢大貼患處日換三五次亦出或用硫黃細末調塗以紙花貼上覺癢時卽出或用雙仁杏仁搗爛以鮮豬脂調勻貼上亦出倘經絡傷膿血出用耆歸肉桂木香沉香乳香研末以菉豆粉糊丸每小丸五十粒熱水吞之自愈

第七十二章　用灸法

問　何病宜用灸法

答　鍼之所不能爲者則以灸法施之又鍼雖捷不如灸穩如氣血兩虧年高少小之人並頭胸腹背咽喉各處均宜用灸補勿吹其火須待自滅瀉速吹其火以開其孔也經曰灸不三分是謂徒然但小兒一週以內炷如雀屎可也又頭面炷須小手足可大取火用麻油點燈

問　灸後宜發瘡否。

答　凡灸後瘡發。其病易愈。故灸瘡不發者。以鞋底燒熱熨之。三日即發。或用赤皮葱放炭灰中煨熱。拍破。乘熱熨瘡上下。十餘遍。其瘡亦發。或以生麻油漬之。或用皂角煎湯頻點之。亦有因血氣衰弱不發。必服四物湯。滋養血氣者。不可一概論也。要在人設法助之。不可任其不發。

問　灸瘡如何治法。

答　古人貼灸瘡。不用膏藥。要使膿出多而疾除耳。故春用柳絮。夏用竹膜。秋用新棉花。冬用兎腹下白細毛。或用貓腹毛亦可。以上諸法均須用眞蔴油浸濕。輕貼患處。不可令其枯乾。致增痛苦。

問　灸後調攝法呢。

答　灸後不可就吃茶水食物。恐解火氣。而滯經氣。須少停一二時。宜靜養安臥。遠人事。忌色慾。平心靜氣。凡百俱要寬解。尤忌大怒大勞大飢大飽受熱冒寒生冷瓜果亦當忌之惟食淸淡養胃之物使氣血流通艾火逐出病氣若貪厚味酗酒必生痰涎阻滯病氣灸至鮮魚鷄羊雖能發灸但可施於初灸數日之內不可加於十日之外今人多不知調攝雖灸何益故因灸而反致害者此也徒責灸法不效何耶

第七十三章　補瀉法

補瀉之法各家異辭究當何如

博約不同各具其理愈轉愈深莫衷一是如內經補瀉難經補瀉神應經補瀉南豐李氏補瀉四明陳氏補瀉三衢楊氏補瀉類皆連篇累牘令人嘆起望洋故此書於行鍼法章已發其凡因集隘難以備述且原文具在無需蛇足之添今將生平經驗詳著於篇以爲開關救危之用

按手陰從胸行於手鍼芒從內往下爲隨鍼芒從外往上爲迎手陽從手行於頭鍼芒從外往上爲隨鍼芒從內往下爲迎足陽從頭行於足鍼芒從內往下

爲隨鍼芒從外往上爲迎足陰從足行於腹鍼芒從外往上爲隨鍼芒從內往下爲迎左爲陽（陽主進）右爲陰（陰主退）手爲陽（左手爲純陽）足爲陰（右足爲純陰）左手陽經爲陽中之陽左手陰經爲陽中之陰右手陽經爲陰中之陽右手陰經爲陰中之陰右足陰經爲陰中之陰右足陽經爲陰中之陽左足陰經爲陽中之陰左足陽經爲陽中之陽如鍼病者左手陽經以醫者右手大指進前呼之爲隨退後吸之爲迎（進前卽經之從外 退後卽經之從內）如鍼病者左手陰經以醫者右手大指退後吸之爲隨進前呼之爲迎如鍼病者右手陽經以醫者右手大指進前呼之爲隨退後吸之爲迎如鍼病者右手陰經以醫者右手大指退後吸之爲隨進前呼之爲迎如鍼病者右足陽經以醫者右手大指退後吸之爲隨進前呼之爲迎如鍼病者右足陰經以醫者右手大指進前呼之爲隨退後吸之爲迎如鍼病者左足陽經以醫者右手大指退後吸之爲隨進前呼之爲迎如鍼病者左足陰經以醫者右手大指進前呼之爲隨退後吸之爲迎蓋手上陽進陰退足上陽退

陰進合六經起止故也

問　午前補瀉與午後相反男子補瀉與女人相反何故

答　蓋以午前爲陽午後爲陰男子之氣早在上而晚在下女人之氣早在下而晚在上之故耳

問　呼吸男女人我皆同何亦有陰陽之判耶

答　蓋有自然之呼吸有使然之呼吸入鍼出鍼使然之呼吸也轉鍼如待貴人如握虎尾候其自然呼吸若左手足候其呼而先轉則右手足必候其吸而後轉之若右手足候其吸而先轉則左手足必候其呼而後轉之此陰陽一升一降之消息也

問　補瀉必資呼吸假令尸厥中風不能使之呼吸奈何

答　候其自然之呼吸而轉鍼若當吸不轉令人以手掩其口鼻鼓動其氣可也

問　鍼背面腹面呢

答　凡鍼背腹兩面穴亦分陰陽經補瀉鍼男子背上中行左轉爲補右轉爲瀉腹上中行右轉爲補左轉爲瀉女人背中行右轉爲補左轉爲瀉腹中行左轉爲補右轉爲瀉以男子背陽腹陰女人背陰腹陽故也

問　補瀉之法有以淺深言者有以虛實言者何謂也

答　經言春夏刺淺秋冬刺深又云從衛取氣從榮置氣蓋補則從衛取氣鍼宜輕淺從其衛氣隨之於後而濟益其虛也瀉則從榮置氣刺宜重深取其榮氣迎之於前而瀉奪其實也但補亦不可太實瀉亦不可過虛要當以平爲度耳又凡鍼逆而迎奪卽實則瀉其子也如心經熱病必瀉脾胃凡鍼順而隨濟卽虛則補其母也如心經虛病必補肝膽之類是也

問　九數六數多少不同提鍼插鍼分寸互異何關補瀉

答　凡補皆用九數有用三九者有用六九者有用九九者卽子陽少陽老陽之數凡瀉皆用六數有用二六者有用四六者有用六六者卽午陰少陰老陰之數

此補瀉之常法也。至於瀉實鍼疾出。補虛鍼久留。以及提插捫循諸用。則又補瀉之活法耳。

問　鍼形至微。何能補瀉。

答　如氣毬然。方其未有氣也。則懨塌不堪蹴踢。及從竅吹之。則氣滿起胖。此虛則補之之義也。去其竅之所塞。則氣從竅出。復懨塌矣。此實則瀉之之義也。

問　迎奪隨濟補瀉之義何在。

答　迎者。迎其氣之方來。如寅時氣來注肺。卯時氣注大腸。此時肺與大腸氣盛。而奪瀉之也。隨者。隨其氣之方去。如卯時氣去肺。辰時氣去大腸。肺與大腸此時正虛。而濟補之之類是也。

謹按補瀉分男女早晚。其理幽深。原爲奇經。不拘十二經。常度。故參互錯綜如是。若流注穴。仍以分左右、陰陽、爲宜。嘗憶雪心歌云。如何補瀉有兩般。蓋是經從兩頭發。古人補瀉陰陽分。今人乃爲男女別。男女經脈一般生。晝夜循環無

暫歇此訣出自長桑君我今授汝心已雪錄之以爲行鍼定法

第七十四章　編輯古今鍼灸歌賦

問　玉龍歌呢

答　扁鵲授我玉龍歌玉龍一試起沉痾玉龍之歌眞罕得流傳千載無差訛我今歌此玉龍訣玉龍一百二十穴看者行鍼殊妙絕但恐時人自差別補瀉分明指下施金鍼一刺顯明醫傴者立伸僂者起從此名揚天下知傴補曲池人中瀉僂瀉絕骨補風池

中風不語最難醫髮際頂門穴要知更向百會明補瀉卽時甦醒免災危頂門上星後一寸上星髮際一寸推頂門禁鍼灸五壯百會七壯補瀉施

鼻流淸涕名鼻淵先瀉後補疾可痊若是頭風并眼痛上星穴內刺無偏

頭風嘔吐眼昏花穴取神庭始不差孩子慢驚何可治印堂刺入艾還加神庭禁鍼二七壯印堂沿皮攢竹斜

頭項强痛難回顧，牙疼並作一般看。先向承漿明補瀉，後鍼風府卽時安。

頭風偏正痛難醫，絲竹金鍼亦可施。沿皮向後透率谷，一鍼兩穴世間稀。

偏正頭風有兩般，有無痰飲細推觀。若然痰飲風池刺，痰飲均無合谷安。

口眼喎斜最可嗟，地倉妙穴連頰車。喎左瀉右依然正，喎右瀉左莫令斜。

不聞香臭從何治，迎香兩穴是堪攻。先補後瀉分明效，一鍼未出氣先通。

耳聾氣閉痛難言，須刺翳風穴始痊。亦治項上生瘰癧，一鍼瀉動卽安然。

耳聾之症不聞聲，痛癢蟬鳴不快情。紅腫生瘡須用瀉，宜從聽會把鍼行。

偶爾失音言語難，瘂門一穴兩筋間。若知此穴莫深刺，言語音和照舊安。

眉間疼痛苦難當，攢竹沿皮刺不妨。若是眼昏皆可治，頭維鍼刺更安康。

兩睛紅腫痛難熬，怕日羞明心自焦。只刺睛明魚尾穴，太陽出血自然消。

眼痛忽然血貫睛，羞明更澀最難睜。須得太陽鍼血出，不用金刀疾自平。

心火上炎雙眼紅，迎香穴內刺爲通。若將毒血搐出後，目內清涼始見功。

強痛脊背瀉人中。挫閃腰疼亦可攻。更有委中之一穴。腰間諸病任君攻。

腎弱腰疼不可當。施爲行止甚非常。若識腎俞二穴處。艾灸頻加體自安。

環跳能治腿股風。居髎二穴認眞攻。委中毒血更出盡。愈見醫科神聖功。

腿膝無力身立難。原因風濕致傷殘。倘知二市穴能刺。步履悠然漸自安。

環跳能醫兩腿疼。膝頭紅腫不能行。必鍼膝眼膝關穴。功效須臾病不生。

寒濕脚氣不可熬。先鍼三里及陰交。再將絕骨穴兼刺。腫痛登時立見消。

腫紅腿足草鞋風。須把崑崙二穴攻。申脈太谿如再刺。神醫妙訣起疲癃。

脚背疼起丘墟穴。斜鍼出血即時輕。解谿再與商丘識。補瀉行鍼要辨明。

行步艱難疾轉加。太衝二穴效堪誇。更鍼三里中封穴。去病如同用手抓。

膝頭紅腫鶴膝風。陽陵二穴亦堪攻。陰陵鍼透尤收效。紅腫全消見異功。

腕中無力痛艱難。握物難移體不安。腕骨一鍼須見效。莫將補瀉等閑看。

急疼兩臂氣攻胸。肩井分明穴可攻。此穴原來眞氣聚。補多瀉少應其中。

肩背風寒連臂疼背縫二穴用鍼明五樞亦治腰間痛得穴方知病頓輕

（背縫二穴在背肩端骨下直腋縫尖二寸七壯）

兩肘拘攣筋骨連艱難動作欠安然只把曲池鍼瀉動尺澤兼行見聖傳（尺澤禁灸瀉針）

肩端紅腫痛難當寒濕相爭氣血狂若向肩髃明補瀉管君多灸自安康

筋急不開手難伸尺澤從來要認眞頭面縱有諸般症一鍼合谷便通神

腹中氣塊痛難當穴法宜向內關防八法有名陰維穴腹中之疾永安康

腹中疼痛亦難當大陵外關可消詳若是脇疼幷閉結支溝奇妙效非常

脾家之症最堪憐寒熱相爭兩苦煎間使二穴鍼瀉動熱寒瀉補病俱痊

九般心痛及脾疼上脘穴中用神鍼若還脾敗中脘補兩鍼神效免災侵

痔漏之疾亦可憎表裏急重最難禁或痛或癢或下血二白穴在掌中尋（五分二七壯）

三焦熱氣壅上焦口苦舌乾豈易調鍼刺關衝出毒血口生津液病俱消

手臂紅腫連腕疼液門穴內用鍼明更鍼一穴名中渚多瀉中間疾自輕

中風之症症非輕　中衝二穴可安寧　先補後瀉如無應　再刺人中立便輕

膽寒心戰病如何　少衝二穴最功多　刺入三分不着艾　金鍼用後自平和

時行瘧疾最難禁　穴法由來未審明　若把後谿穴尋得　多加艾火即時輕（熱瀉寒補）

牙疼陣陣苦相煎　穴在二間要得傳　若患胃翻並吐食　中魁奇穴莫教偏

乳蛾之症少人醫　必用金鍼疾始除　如若少商出血後　即時安穩免災危

於今癮疹疾多般　好手醫人治亦難　天井二穴多着艾　縱生瘰癧灸皆安（灸宜瀉）

寒痰咳嗽更兼風　列缺二穴最堪攻　先把太淵一穴瀉　多加艾火即收功（針灸宜瀉）

癡呆之症不堪親　不識尊卑亂罵人　神門獨治癡呆病　轉手骨開得穴眞

連日虛煩面赤粧　心中驚悸亦難當　若將通里穴尋得　一用金鍼體便康（虛煩瀉驚恐補）

風眩目爛最堪憐　淚出汪汪不可言　大小骨空皆妙穴　多加艾火疾應痊（七壯瀉之）

婦人吹乳痛難消　吐血風痰稠似膠　少澤穴中明補瀉　應時神效氣能調

滿身發熱痛爲虛　盜汗淋淋漸損軀　須得百勞椎骨穴　金鍼一刺疾俱除

忽然咳嗽腰背疼。身柱由來灸便輕。至陽亦治黃疸病。先補後瀉效分明。

腎敗腰虛小便頻。夜間起止苦勞神。命門若得金鍼助。腎俞艾灸起邅迍。

九般痔漏最傷人。必刺承山效若神。更有長強一穴妙。呻吟大痛穴爲眞。

傷風不解嗽頻頻。久不醫時勞便成。咳嗽須灸肺俞穴。痰多宜向豐隆鍼。

膏肓二穴治病強。此穴原來難度量。斯穴禁鍼多着艾。二十一壯亦無妨。

腠理疏兮咳嗽頻。鼻流淸涕氣昏沉。須知噴嚏風門穴。咳嗽宜加艾火深。

膽寒由是怕心驚。白濁遺精實不禁。夜夢鬼交心俞治。白環俞治一般鍼。

肝家血少眼昏花。宜補肝俞力便加。更將三里頻瀉動。還先益血自無差。

脾家之症有多般。食吐胃翻種切難。黃疸必須尋腕骨。金鍼一定奪中脘。

無汗傷寒瀉復溜。汗大宜將合谷收。若然六脈皆微細。金鍼一補脈還浮。

大便閉結不能通。照海分明在足中。更把支溝來瀉動。方知妙穴有神功。

小腹脹滿氣攻心。內庭二穴要先鍼。兩足水多臨泣瀉。無水方能病不侵。

七般疝氣取大敦，穴法由來指側間。諸經具在三毛際，不遇師傳隔萬山。

傳尸勞症最難醫，湧泉出血免災危。痰多須向豐隆瀉，氣喘丹田亦可施。

渾身疼痛疾非常，不定穴中細審詳。有筋有骨宜淺刺，灼艾臨時要度量。

勞宮穴在掌中尋，滿手生瘡痛不禁。心胸之病大陵瀉，氣攻胸腹一般鍼。

喘哮之症最難當，夜間不睡氣邉邉。天突妙穴宜尋得，膻中着艾便安康。

鳩尾獨治五般癎，此穴須當仔細看。若然着艾宜七壯，多則傷人鍼亦難。

氣喘急急不可眠，何當日夜苦憂煎。若得璇璣鍼瀉動，更兼氣海自安然。先瀉後補

腎強疝氣發頻頻，氣上攻心似死人。關元兼刺大敦穴，此法親傳始得眞。

水病之疾最難熬，腹膨虛脹不能消。先灸水分兼水道，後鍼三里及陰交。

腎氣衝心得幾時，須用金鍼疾自除。若得關元兼帶脈，四海誰不仰名醫。

赤白婦人帶下難，只因虛敗不能安。中極補多宜瀉少，灼艾還須着意看。赤瀉白補

吼哮之症嗽痰多，若用金鍼疾自和。俞府乳根同一刺，氣喘風痰漸漸磨。

傷寒過經猶未解。須向期門穴上鍼。忽然氣喘攻胸膈。三里瀉多須用心。

脾瀉之症別無他。天樞二穴刺休差。此是五臟脾虛疾。艾灸多添病不加。

口臭之疾最可憎。勞心只爲苦多情。大陵穴與人中瀉。心得清凉氣自平。

穴法原來在指中。治病須臾顯神通。勸君要治諸般疾。何不當初記玉龍。

勝玉歌呢。

勝玉歌兮不虛言。此是楊家眞祕傳。或鍼或灸依法語。補瀉迎隨隨手撚。

頭痛眩暈百會好。心疼脾痛上脘先。後谿鳩尾及神門。治療五癇立便痊。

脾疼要鍼肩井穴。耳閉聽會莫遲延。胃冷下脘却爲良。眼痛須覓清冷淵。

霍亂心疼吐痰涎。巨闕着艾便安然。脾疼背痛中渚瀉。頭疼眼痛上星專。

頭項强急承漿保。牙腮疼緊大迎前。行間可治膝腫病。尺澤能醫筋拘攣。

若人行步苦艱難。中封太衝鍼便痊。脚背痛時商邱刺。瘰癧小海天井邊。

筋疼閉結支溝穴。頷腫喉閉少商前。脾心痛急尋公孫。委中驅療脚風纏。

瀉却人中及頰車。治療中風口吐沫。五瘧寒多熱亦多。間使大杼眞妙穴。
經年或變勞怯者。痞滿臍旁章門決。噎氣呑酸食不投。膻中七壯除膈熱。
目內紅腫苦皺眉。絲竹攢竹亦堪醫。若是痰涎并咳嗽。治却須當灸肺俞。
更有天突與筋縮。小兒吼閉自然甦。兩手酸痛難執物。曲池合谷共肩髃。
臂痛背疼鍼三里。頭風頭痛灸風池。腸鳴大便時泄瀉。臍旁兩寸灸天樞。
諸般氣症從何治。氣海鍼之灸亦宜。小腸氣痛歸來好。腰痛中髎穴最奇。
腿股轉痠難移步。妙穴說與後人知。環跳風市及陰市。瀉却金鍼疾自除。
熱瘡臁內年年發。血海尋來可治之。兩膝無端腫如斗。膝眼三里艾當施。
兩股轉筋承山治。脚氣復溜不須疑。踝眼骨痛灸崑崙。更有絕骨與邱墟。
灸罷大敦除疝氣。陰交鍼入下胎衣。遺精白濁心俞治。心熱口臭大陵驅。
腹脹水分多得力。黃疸至陽便能離。肝血盛兮肝俞治。痔疾腸紅長强醫。
腎敗腰疼小便頻。督脈兩旁腎俞除。六十六穴施應驗。故成歌訣顯鍼奇。

問　肘後歌呢？

答　頭面之疾鍼至陰。腿脚有疾風府尋。心胸有病少府瀉。臍腹有病曲泉鍼。肩背諸疾中渚下。腰膝強痛交信憑。脇肋腿疼後谿妙。股膝腫起瀉太衝。陰核發來如升大。百會妙穴眞可駭。頂心頭痛眼不開。湧泉下鍼足安泰。鶴膝腫疼難移步。尺澤能舒筋骨疼。更有一穴曲池妙。根尋源流可調停。其患若要便安愈。加以風府可用鍼。更有手臂拘攣急。尺澤刺深去不仁。腰背若患攣急風。曲池一寸五分攻。五痔原因熱血作。承山須下病無蹤。哮喘發來寢不得。豐隆刺入三分深。狂言盜汗如見鬼。惺惺間使可下鍼。骨寒髓冷火來燒。靈道妙穴分明記。瘧疾寒熱眞可畏。須知虛實可用意。間使宜透支溝中。大狂七壯合聖治。連日頻頻發不休。金門刺深七分是。瘧疾三日得一發。先寒後熱無他語。寒多熱少取復溜。熱多寒少用間使。或患傷寒熱不收。牙關風壅藥難投。項強反張目直視。金鍼用意列缺求。

傷寒四肢厥逆冷脈息無時仔細尋神奇妙穴眞有二復溜踝上二寸行

四肢冋還脈氣浮須曉陰陽倒換求寒則須補絕骨是熱則絕骨瀉無憂脈若浮洪當瀉解沈細之時補自瘳

百合傷寒最難醫妙法神鍼用意推口噤眼合藥不下合谷一鍼效甚奇

狐惑傷寒滿口瘡須用黃連犀角湯蟲在臟腑食肝肉須要神鍼刺地倉

傷寒腹痛蟲尋食吐蚘烏梅丸難攻十日九日必定死中脘冋還胃氣通

傷寒痞氣結胸中兩目昏黃汗不通湧泉妙穴三分許速使周身汗自通傷寒痞結脇脊痛宜刺期門見異功

當汗不汗合谷瀉自汗發黃復溜憑支溝一穴通痞氣驅風引氣使安寧

剛柔二痙最乖張口噤眼合面紅粧熱血流入心肺臟須要金鍼刺少商

中滿如何去得根陰包一刺效如神不論老幼依法用須教患者便安身

打撲傷損破傷風先於痛處下鍼攻後向承山立作效甄權留下意無窮

問

腰腿疼痛十年春應鍼不了便惺惺太都引氣探根本服藥尋方枉費金

脚膝經年痛不休內外踝邊用意求穴號崑崙並太谿應時消散即時瘳

風痺痿厥如何治大杼曲泉眞是妙兩足兩脇滿難伸支溝神鍼七分到腰輭

如何去得根神妙委中立見效

天星祕訣歌呢

答

天星祕訣少人知此法專分先後施若是胃中停宿食後尋三里始璇璣

脾病血氣先合谷後刺三陰交莫遲如中鬼邪先間使手臂攣痺取肩髃

脚若轉筋並眼花先刺承山後內踝脚氣痠疼肩井先次尋三里陽陵泉如若

小腸連臍痛先刺陰陵後湧泉

耳鳴腰痛先五會後刺耳門三里內小腸氣痛先長强後刺大敦不用忙足緩

難行先絕骨後尋條口及衝陽

牙疼頭痛兼喉痺先刺二間後手三里胸膈痞滿先陰交鍼到承山飲食喜肚

腹浮腫脹膨先瀉水分後建里傷寒過經不出汗期門通里先後看寒瘧面腫及腸鳴先取合谷後內庭冷風濕痺鍼何處先取環跳後陽陵指痛攣急少商刺依法鍼之無不靈此是商君眞口訣時醫莫作等閑輕

問 四總穴呢

答 肚腹三里留腰背委中求頭項尋列缺面口合谷收

問 千金穴呢

答 三里內庭穴肚腹中妙訣曲池與合谷頭面病可撤腰背痛相連委中崑崙穴頭項如有痛後谿並列缺環跳與陽陵膝前兼腋脇可補即久留當瀉即疏泄三百六十名不外千金穴

問 天星十二穴歌呢

答 三里膝眼下三寸兩筋間善通心腹脹又治胃中寒腸鳴並瀉泄腿腫膝胻痠

傷寒羸瘦損氣蠱及諸般年過三旬後鍼灸眼重觀取穴當審的八分三壯安

其二

內庭次指外本屬足陽明能治四肢厥喜靜惡聞聲癮疹咽喉痛數欠及牙疼瘧疾不能食針着便惺惺三分三壯

其三

曲池拱手取屈骨陷中求善治肘中痛偏風半不收挽弓開不得筋緩怕梳頭喉閉促欲死發熱更無休遍身風癬癩鍼着即時瘳

其四

合谷在虎口兩指岐骨間頭疼並面腫瘧疾熱還寒齒齲鼻衄血口噤不開言鍼入五分深令人卽便安灸三壯亦可

其五

委中曲䐐裏橫紋脈中央腰疼不能舉沉沉引脊梁痠痛筋莫展風痺復無常

膝頭難伸屈鍼入即安康五分

其六、

承山名魚腹腨腸分肉間善治腰疼痛痔疾大便難脚氣並膝腫展轉戰疼痠

霍亂及轉筋穴中刺便安七分三壯

其七

太衝足大指節後二寸中動脈知生死能醫驚癇風咽喉並心脹兩足不能行

七疝偏墜腫眼目似雲朦亦能療腰痛鍼下有神功一分或三分

其八

崑崙足外踝跟骨上邊尋轉筋腰尻痛暴喘滿中心舉步行不得一動即呻吟

若欲求安樂須於此穴鍼五分三壯

其九

環跳在髀樞側臥屈足取折腰莫能顧冷風並濕痺脖胯連腨痛轉側重欷歔

若入鍼灸後頃刻病消除（二寸五壯）

其十

陽陵足膝下外廉一寸中膝腫並麻木冷痺及偏風舉足不能起坐臥似衰翁

針入六分止神功妙不同（三壯）

其十一

通里腕側後去腕一寸中欲言聲不出懊憹及怔忡實則四肢重頭腮面頰紅

虛則不能食暴瘖面無容毫鍼微微刺方信有神功

其十二

列缺腕側上次指手交叉善療偏頭患遍身風痺麻痰涎頻壅上口噤不開牙

若能明補瀉應手即如拿（三分三壯）

問　十三鬼穴歌呢

答　一鍼鬼宮穴人中二鍼鬼信少商通三鍼鬼壘即隱白四鍼鬼心乃大陵五鍼

鬼路爲申脈六鍼鬼枕風府尋七鍼鬼牀頰車瀉八鍼鬼市承漿中九鍼鬼窟勞宮穴十鍼鬼堂即上星十一鬼藏會陰穴女玉門頭刺三分十二鬼腿曲池捷十三鬼封舌下中此是先師眞妙訣猖狂惡鬼走無踪

問　囘陽九鍼歌呢

答　瘂門勞宮三陰交湧泉太谿中脘接環跳三里合谷並此是囘陽九鍼穴

問　囘生艾火歌呢

答　命門尾閭陰交穴中衝艾火灸即活臍之上下均可燒艾炷大小宜斟酌

問　行鍼指要呢

答　鍼風先向風府百會中鍼水水分在臍上邊取鍼結鍼着大腸泄水穴鍼癆鍼着膏肓及百勞鍼虛氣海丹田委中奇鍼氣膻中一穴分明記鍼嗽肺俞風門須用灸鍼痰先鍼中脘三里間鍼吐中脘氣海膻中補翻胃吐食一般醫鍼中奇妙少人知

問　衝脈主治呢（西江月）

答　九種心疼延悶結胸翻胃難停酒食積聚胃腸鳴水食氣疾膈病臍痛腹疼脇脹腸風瘧疾心疼胎衣不下血迷心泄瀉公孫立應

問　陰維脈主治呢

答　中滿心胸痞脹腸鳴泄瀉脫肛食難下膈酒來傷積塊堅橫脇搶婦女脇疼心痛結胸裏急難當傷寒不解結胸膛瘧疾內關獨當

問　督脈主治呢

答　手足拘攣戰掉中風不語癎癲頭疼眼腫淚漣漣腿膝背腰痛遍項强傷寒不解齒牙腮腫喉咽手麻足木破傷牽盜汗後谿先砭

問　陽蹻脈主治呢

答　腰背屈强腿腫惡風自汗頭疼雷頭赤目痛眉稜手足麻攣臂冷吹乳耳聾鼻衄癎癲肢節煩憎遍身腫滿汗頭淋申脈先鍼有應

問　帶脈主治呢。

答　手足中風不舉。痛麻發熱拘攣。頭風痛腫項腮連。眼腫赤疼頭旋。齒痛耳聾咽腫。浮風搔癢筋牽。腿疼脇脹肋肢偏。臨泣鍼時有驗。

問　陽維脈主治呢。

答　肢節腫疼膝冷。四肢不遂頭風。背胯內外骨筋攻。頭項眉稜皆痛。手足熱麻盜汗。破傷眼腫睛紅。傷寒自汗表烘烘。獨會外關爲重。

問　任脈主治呢。

答　痔瘧便腫瀉痢。唾紅溺血咳痰。牙疼喉腫小便難。心胸腹疼噎嚥。産後發强不語。腰疼血疾臍寒。死胎不下膈中寒。列缺乳癰多散。

問　陰蹻脈主治呢。

答　喉塞小便淋瀝。膀胱氣痛腸鳴。食黃酒積腹臍幷。嘔瀉胃翻便緊。難産昏迷積塊。腸風下血常頻。膈中不快氣核侵。照海有功必定。

問　八穴配合歌呢。

答　公孫偏與內關合。列缺能消照海疴。臨泣外關分主客。後谿申脈正相和。左鍼右病知高下。以意通經廣按摩。補瀉迎隨分逆順。五門八法是眞科。

問　八穴配八卦歌。

答　乾屬公孫艮內關。巽臨震位外關還。離居列缺坤照海。後谿兌坎申脈聯。

問　八法五虎建元日時歌呢。

答　甲己之辰起丙寅。乙庚之日戊寅生。丙辛起自庚寅始。丁壬壬寅亦順尋。戊癸甲寅定時候。日時得合是原因。

問　八法逐日干支歌呢。

答　甲己辰戌丑未十。乙庚申酉九爲期。丁壬寅卯八成數。戊癸巳午七相宜。丙辛亥子亦七數。逐日支干卽得知。

問　八法臨時干支歌呢。

答　甲己子午九宜用乙庚丑未八無疑丙辛寅申七作數丁壬卯酉六順知戊癸辰戌各有五巳亥單加四共齊陽日除九陰除六不及零餘穴下推

問　八法九宮歌呢

答　坎一聯申脈照海坤二五震三屬外關巽四臨泣數乾六是公孫兌七後谿府艮八爲內關離九列缺主

問　推定六十甲子日時穴開圖例呢

答　圖例列左

甲　丙寅臨卯照　乙　戊寅申卯臨　丙　庚寅外卯申　丁　壬寅照卯外

戊辰列巳外　庚辰照巳公　壬辰內巳公　甲辰公巳臨

子　庚午後未照　丑　壬午臨未照　寅　甲午公未臨　卯　丙午照未公

日　壬申外酉申　日　甲申照酉外　日　丙申照酉外　日　戊申臨酉申

戊　甲寅公卯臨　己　丙寅申卯照　庚　戊寅申卯臨　辛　庚寅照卯公

辰 丙辰照巳列
戊午臨未後
日 庚申照酉外
壬 壬寅外卯申
申 甲辰臨巳照
丙午公未臨
日 戊申照酉照
丙 庚寅照卯列
子 壬辰後巳照
甲午照未外
日 丙申申酉內
庚 戊寅臨卯後

巳 戊辰外巳公
庚午臨未照
日 壬申公酉臨
癸 甲寅照卯公
酉 丙辰臨巳照
戊午公未外
日 庚申申酉照
丁 壬寅申卯照
丑 甲辰照巳公
丙午臨未照
日 戊申公酉外
辛 庚寅照卯外

午 庚辰照巳列
壬午照未臨
日 甲申照酉外
甲 丙寅後卯照
戌 戊辰外巳公
庚午申未內
日 壬申公酉臨
戊 甲寅臨卯照
寅 丙辰列巳後
戊午照未照
日 庚申外酉申
壬 壬寅甲卯內

未 壬辰臨巳照
甲午照未外
日 丙申申酉照
乙 戊寅臨卯申
亥 庚辰照巳外
壬午申未照
日 甲申照酉公
己 丙寅照卯公
卯 戊辰臨巳申
庚午照未外
日 壬申申酉照
癸 甲寅外卯申

辰 庚辰照巳外 巳 壬辰申巳照 午 甲辰照巳列 未 丙辰照巳外

壬午後未照 甲午照未公 丙午臨未照 戊午申未臨

日 甲申內酉公 日 丙申照酉照 日 戊申列酉外 日 庚申照酉公

甲 丙寅公卯臨 乙 戊寅公卯外 丙 庚寅照卯外 丁 壬寅臨卯照

申 戊辰照巳照 酉 庚辰申巳照 戌 壬辰申巳後 亥 甲辰照巳外

庚午列未後 壬午外未申 甲午內未公 丙午申未照

日 壬申照酉外 日 甲申臨酉照 日 丙申臨酉照 日 戊申外酉公

戊 甲寅外卯申 己 丙寅臨卯照 庚 戊寅照卯照 辛 庚寅公卯臨

子 丙辰丙巳公 丑 戊辰公巳外 寅 庚辰外巳申 卯 壬辰照巳公

戊午申未臨 庚午臨未照 壬午照未外 甲午外未申

日 庚申照酉列 日 壬申外酉申 日 甲申公酉臨 日 丙申照酉外

壬 壬寅臨卯照 癸 甲寅公卯臨 甲 丙寅臨卯照 乙 戊寅申卯臨

辰 日 丙 申 日 庚 子 日 甲

甲辰照巳外
丙午後未照
戊申申酉公
庚寅臨卯照
壬辰列巳後
甲午後未照
丙申外酉申
戊寅申卯臨
庚辰照巳列
壬午臨未照
甲申照酉外
丙寅後卯照

巳 日 丁 酉 日 辛 丑 日 乙

丙辰照巳公
戊午臨未申
庚申臨酉外
壬寅公卯臨
甲辰申巳照
丙午外未申
戊申照酉照
庚寅照卯公
壬辰臨巳照
甲午照未外
丙申申酉照
戊寅臨卯申

午 日 戊 戌 日 壬 寅 日 丙

戊辰列巳外
庚午照未臨
壬申外酉申
甲寅公卯臨
丙辰照巳列
戊午臨未後
庚申照酉外
壬寅照卯列
甲辰外巳申
丙午照未外
戊申申酉臨
庚寅照卯列

未 日 己 亥 日 癸 卯 日 丁

庚辰臨巳公
壬午臨未照
甲申照酉外
丙寅申卯照
戊辰外巳公
庚午臨未照
壬申公酉臨
甲寅申卯照
丙辰外巳申
戊午照未照
庚申公酉臨
壬寅申卯照

辰		(日	戊	申		(日	壬	子		(日	丙
戊辰外巳公	庚午申未內	壬申公酉臨	甲寅照卯外	丙辰申巳內	戊午外未公	庚申臨酉照	壬寅申卯內	甲辰照巳列	丙午臨未照	戊申列酉外	庚寅照卯外

巳		(日	己	酉		(日	癸	丑		(日	丁
庚辰照巳外	壬午申未照	甲申照酉公	丙寅外卯申	戊辰照巳照	庚午公未臨	壬申照酉公	甲寅外卯申	丙辰照巳外	戊午申未臨	庚申照酉公	壬寅臨卯照

午		(日	庚	戌		(日	甲	寅		(日	戊
壬辰後巳照	甲午照未外	丙申申酉內	戊寅臨卯後	庚辰照巳外	壬午後未照	甲申內酉公	丙寅照卯外	戊辰申巳臨	庚午內未公	壬申臨酉照	甲寅外卯申

未		(日	辛	亥		(日	乙	卯		(日	己
甲辰照巳公	丙午臨未照	戊申公酉外	庚寅照卯外	壬辰申巳照	甲午照未公	丙申臨酉照	戊寅照卯照	庚辰公巳臨	壬午照未公	甲申外酉申	丙寅臨卯照

壬辰申巳內。 甲辰照巳外。 丙辰內巳公。 戊辰公巳外。
辰 巳 午 未
甲午內未公。 丙午申未照。 戊午申未臨。 庚午後未照。
日 丙申臨酉照。 日 戊申外酉公。 日 庚申照酉列。 日 壬申外酉申。
庚 戊寅外卯公。 辛 庚寅申卯照。 壬 壬寅臨卯照。 癸 甲寅公卯臨。
庚辰臨巳照。 壬辰外巳申。 甲辰照巳外。 丙辰照巳公。
申 壬午公未臨。 酉 甲午臨未照。 戌 丙午後未照。 亥 戊午臨未申。
日 甲申後酉照。 日 丙申公酉臨。 日 戊辰外酉公。 日 庚申照酉外。

右圖乃預先推定六十甲子。逐日逐時。遇穴所開。以便用鍼。庶臨時倉卒之際。不致有差誤之失也。其法如甲丙戊庚壬爲陽日。乙丁己辛癸爲陰日。以日時支干算計。共得何數。陽日除九數。陰日除六數。剩下若干。同配卦數。即知何穴開矣。如甲子日。戊辰時。以日上甲得十數。子得七數。以時上戊得五數。辰得五數。共成二十七數。此是陽日。以九數除去二九一十八。餘下九數。合離卦。即列缺穴開也假如乙丑日壬午時以日上乙爲九丑爲十以時上壬爲六午爲九共成三十四數此是陰日以六數除去五六三十零下四數合巽卦卽臨泣穴開也餘倣此此燕山徐鳳廷瑞氏之法也

問 五募五俞八會歌

答 中府肺募巨闕心肝期脾章腎京門此爲五臟之募穴均在明堂正面尋肺三椎下心俞五肝九脾十一腎十四各開寸半兩邊尋均在明堂背面取臟會章門腑中脘髓會絶骨筋陵泉血會膈俞骨大杼氣會膻中脈太淵

問 經穴起止總歌呢

答 手肺少商中府起大腸商陽迎香二足胃頭爲厲兌三脾部隱白太包四手心極泉少衝來小腸少澤聽宮去膀胱睛明至陰間腎經湧泉俞府位心包天池中衝隨三焦關衝耳門繼膽家瞳子髎竅陰肝經大敦期門至十二經穴始終歌學者銘於肺腑記

問　十二經氣血多少歌呢

答　多氣多血惟陽明。少氣太陽同厥陰。二少太陰常少血。六經氣血要分明。

問　十二經納天干歌呢

答　甲膽乙肝丙小腸。丁心戊胃己脾鄉。庚屬大腸辛屬肺。壬屬膀胱癸腎藏。三焦亦向壬中寄。包絡同歸入癸方。

問　十二經納地支歌呢

答　肺寅大卯胃辰宮。脾巳午心小未中。申膀酉腎戌包絡。亥焦子膽丑肝通。

問　十二經原穴歌呢

答　肺原太淵包大陵。肝原太衝脾太白。膽邱墟兮胃衝陽。腎原太谿心銳骨。三焦陽池膀京骨。大腸合谷小腕骨。

問　十二經補瀉歌呢

答　肺瀉尺澤補太淵。大腸二間曲池前。胃瀉厲兌解谿補。脾在商邱大都邊。心先

神門後少衝小腸小海後谿連膀胱束骨補至陰腎瀉湧泉復溜焉包絡大陵中衝補三焦天井中渚痊膽瀉陽輔補俠谿肝瀉行間補曲泉

問　各經補瀉捷祕總訣呢

答　手陰進上瀉退補手陽進上補退瀉足陽進上瀉退補足陰進上補退瀉督後進上補退瀉督前進上瀉退補任脈進上補退瀉衝帶蹻維經外穴仍按各經分陰陽此是補瀉捷祕訣

問　六腑募俞穴名呢

答　大腸天樞小關元胃募中脘膽日月三焦石門膀中極此爲六腑之募穴膽俞十椎胃十二三焦十三大十六小腸十八膀十九此乃六腑之俞穴

問　天元太乙歌呢

答　先師祕傳神應經太乙通玄法最靈句句言詞多妙典萬兩黃金學也輕切切不忘多效驗治病如神記在心口內將鍼多溫煖更觀患者脈浮沉陰病用陽

陽用陰分明更取陰陽補虛則宜補實宜瀉氣應鍼時病絕根氣至如擺獨龍尾未至停鍼待氣臨凡屬行鍼先得訣席弘玄妙分明說氣刺兩乳求太淵未應之時鍼列缺列缺頭疼及偏正重瀉太淵無不應耳聾氣閉喘塡胸欲愈須尋三里中手攣脚痺疼難忍合谷仍須瀉太衝曲池舉手不如意合谷鍼時宜仔細心疼手顫少海間欲便除根刺陰市若是傷寒兩耳聾耳門聽會疾如風五般肘痛鍼尺澤冷淵一刺有神功手三里兮足三里食痞氣塊兼能治鳩尾獨治五般癎若刺湧泉人不死大凡痃痞最宜鍼穴法須從着意尋以手按痃無轉動隨深隨淺向中心胃中有積取璇璣三里功深人不知陰陵泉主胸中滿若刺承山飲食宜大椎若連長強取小腸氣滿可立愈氣衝妙手要推尋管取神鍼人見許委中穴主腰疼痛足膝腫時尋至陰乾濕風毒并滯氣玄機如此義尤深氣攻腰痛不能立橫骨大都宜救急留血攻注若醫遲變爲風證從此得氣海偏能治五淋補從三里效如神冷熱兩般皆治得便濁痼疾可除根

期門穴主傷寒患七日過經猶未汗但於乳下雙肋間刺入四分人得健耳內蟬鳴腰欲折膝下分明三里穴若能補瀉五會中切莫逢人容易說牙風頭痛何所調二間妙穴莫能逃更有三間神妙處能袪肩背感風勞合谷下鍼順流注脾內迎隨使氣朝冷病還須鍼合谷又宜脚下瀉陰交背脊俱疼鍼肩井不瀉三里令人悶兩臂兩痺痛難當金鍼一刺立便安脚疼膝痛委中穴若兼攣急亦堪醫陰陵泉穴如尋得健步輕行疾似飛腰腹脹滿何難治足三里兮及承山更向太衝行補瀉指頭痲木一時安再有妙穴陽陵泉腿疼筋急效如神腸中疼痛陰陵取耳內蟬鳴聽會招更尋妙穴太谿是此中行瀉最爲高腹脹浮沉瀉水分喘麤三里亦須鍼更從膝下尋陰谷小便淋漓腫自平環跳能除腿股風冷風膝痺瘧皆同最好風池尋的穴間使相隨始見功傷寒一日調風府少陽二穴風池取三五七日病過經依此鍼之無不應心疼嘔吐上脘宜豐隆兩穴更無疑蚘蟲幷出傷寒病金鍼直刺顯明醫男子痃癖取少商女子血

氣陰交當虛汗盜汗須宜補委中妙穴可傳揚項強腫痛屈伸難體重還兼腰背癱束骨更加三里刺教君頃刻便開顏脊因閃挫腰難轉舉動多艱步履難腰背連臍痛不休手中三里穴堪求神鍼未出急須瀉得氣之時不用留小腹便澼最難醫間使鍼同氣海宜中極也同三里刺須明補瀉察毫釐

問

玉龍賦呢

答

夫博參以爲約要輯簡而舍繁總玉龍以成賦信金鍼而獲安原夫卒暴中風頂門百會連延脚氣里絕三交頭風鼻淵上星可取耳聾腮腫聽會偏高攢竹頭維治目疼頭痛乳根俞府療氣嗽痰哮風市陰市驅腿脚之乏力陰陵陽陵除膝腫之難熬膏肓補虛損大敦除疝氣痔漏須尋太白痎瘧當求間使天井醫瘰癧癮疹神門治癲癇失意欬嗽風痰太淵列缺宜刺尫羸喘促璇璣氣海當知期門大敦能治堅痃疝氣勞宮大陵可療心悶瘡痍心悸虛煩刺三里時疫痎瘧尋後谿絕骨三里陰交脚氣宜此睛明太陽魚尾目症宜之老者便多

命門兼腎俞着艾婦人乳腫少澤於太陽可推身柱蠲嗽能除脊痛至陽郄疸善治神疲長强承山灸痔最妙豐隆肺俞痰嗽稱奇風門主傷冒寒邪之嗽天樞理感患脾泄之危風池絕骨而療乎傴僂人中曲池可治其痿仆期門刺傷寒未解經不再傳鳩尾鍼癇癲巳發愼其妄施陰交水分三里蠱脹宜刺商坵解谿坵墟脚氣堪追尺澤理筋急之不用腕骨療手腕之難移肩脊痛兮五樞兼於背縫肘攣疼兮尺澤合於曲池風濕搏於兩肩肩髃可療壅熱盛於三焦關衝最宜手臂紅腫中渚液門要辦脾虛黃疸腕骨中脘何疑傷寒無汗攻復溜宜瀉傷寒有汗取合谷當隨欲調飽滿之氣逆三里可勝要起六脈之沉匿復溜稱奇照海支溝通大便之秘內庭臨泣理小腹之膜天突膻中喘嗽者當覓地倉頰車口喎者宜尋迎香攻鼻窒爲最肩井除臂痛難擎二間治牙疼中魁理翻胃而即愈百勞止虛汗通里療心驚而即寧大小骨空治眼爛能止冷淚左右太陽除血翳兩目不明心俞腎俞治腰痛腎虛之夢遺人中委中除腰

脊閃痛之難制太谿、崑崙、申脈最療足腫之迍湧泉、關元、豐隆爲治尸勞之例印堂可治驚搐神庭專理頭風大陵人中頻瀉口氣全去帶脈關元多灸腎敗堪攻脚腿腫疼鍼環跳膝眼行步艱楚灸三里中封取內關於照海醫腹疼之塊搐迎香於鼻內消眼熱之紅肚疼結閉大陵合外關於支溝腿風濕痛居髎兼環跳於委中上脘中脘治九種之心痛赤帶白帶求中極之異同又若心虛熱壅少衝明其濟奪目昏血溢肝俞辨其實虛慕心傳之玄秘究手法之疾徐或値挫閃疼痛之不定此爲難擬俞穴之莫拘輯管見以便讀幸高明無哂諸

問 靈光賦呢

答 黃帝岐伯鍼灸訣依他經裏分明說三陰三陽十二經更有兩經分八脈靈光典註極幽深偏正頭疼瀉列缺睛明治目弩肉攀耳聾氣閉聽會間兩鼻齀衄鍼禾髎鼻窒不聞迎香專滯氣上壅足三里天突宛中治喘痰心痛手顫鍼少海少澤應除心下寒兩足拘攣覓陰市五般腰痛委中安髀樞疼痛坵墟瀉復

溜治腫效如神犢鼻能療風邪濕止喘脚氣刺崑崙後跟痛在僕參求轉筋久痔承山居足掌下去尋湧泉妙法千金莫妄傳此穴多治婦人疾男蠱女孕兩能痊百會龜尾治痢疾大小腸俞大小便氣海血海五淋取中脘下脘治腹堅傷寒過經期門愈氣刺兩乳求太淵大敦二穴主偏墜水溝間使治邪癲吐血定喘補尺澤地倉能止口流涎勞宮醫得身勞倦水腫水分灸即安五指不便中渚取頰車可鍼牙齒疼陰蹻陽蹻兩踝邊脚氣四穴先尋取陰陽陵泉亦主之陰陽二蹻和三里諸穴一般治脚氣在要玄機宜正取膏肓豈止治百病灸得精良病俱愈鍼灸一穴數病除學者尤宜加仔細鍼分補瀉明呼吸穴應五行順四時欲解人身中造化此歌端的是筌蹄

問　席弘賦呢

答　凡欲行鍼須審穴要明補瀉迎隨訣胸背左右不相同呼吸陰陽男女別氣刺兩乳求太淵未應之時瀉列缺列缺頭疼及偏正重瀉太淵無不應耳聾氣閉

聽會鍼迎香穴瀉功如神天突可治喉風症虛喘須尋三里中手連肩脊痛難忍合谷鍼時又太衝曲池兩手不如意合谷下鍼宜仔細心痛手顫少海間若要除根覓陰市但患傷寒兩耳聾耳門聽會疾如風五般肘痛尋尺澤冷淵鍼後却收功手足疼痛鍼三里食癖氣塊憑此取鳩尾能治五般癇若下湧泉人不死胃中有積刺璇璣三里功多人不知陰陵泉治心胸滿鍼到承山飲食思大杼若連長強尋小腸氣痛即行鍼委中專治腰間痛脚膝腫時刺至陰氣滯腰疼不能立橫骨大都堪救急氣海專能治五淋更鍼三里隨呼吸期門穴主傷寒患七日過經猶未汗但向乳根二肋間又治婦人生產難耳內蟬鳴腰欲折膝下明存三里穴若能補瀉五會間且莫向人容易說睛明治眼未效時合谷光明安可缺人中治癲功最高十三鬼穴不須饒水腫水分兼氣海皮內隨鍼氣自消冷嗽先宜補合谷却須鍼瀉三陰交牙痛腰疼并咽痺二間陽谿疾怎逃更有三間腎俞妙善除肩背及風勞若鍼肩井須三里不刺之時氣未調

最是陽陵泉一穴膝間疼痛用鍼高委中腰痛脚攣急取得其經血自調脚疼膝腫鍼三里懸鍾二陵三陰交更向太衝須引氣指頭麻木自輕飄轉筋目眩鍼魚際承山崑崙立便消肚疼須是公孫妙內關相應如吹毛冷風冷痺疾難愈環跳腰俞鍼用燒風府風池尋得到傷寒百病絕根苗陽明二日尋風府嘔吐休言上脘遙婦人心痛豐隆穴男子癥痃三里高小便不禁關元好大便閉澀大敦燒腕骨腿疼三里瀉腹溜氣滯便離腰從來風府最難鍼須用工夫度淺深倘若膀胱氣未散更宜三里穴中尋若逢七疝和陰痛陰交照海曲泉鍼仍不應時求氣海關元同瀉更如神小腸氣結痛連臍速瀉陰交莫待遲良久湧泉鍼取氣此中玄妙豈人知小兒脫肛患多時先灸百會次尾骶久患傷寒肩背痛但鍼中渚得其宜肩上痛連臍不休手中三里更須求下鍼麻重即須瀉得氣之時不用留

百證賦呢

問

答

百證俞穴再三用心顖會連於玉枕頭風療以金鍼懸顱頷厭之中偏頭痛止强間豐隆之際頭痛難禁原夫面腫虛浮須仗水溝前項耳聾氣閉全憑聽會翳風面上蟲行迎香可取耳中蟬噪聽會堪攻目眩兮支正飛揚目黄兮陽綱膽俞攀睛攻少澤肝俞淚出刺臨泣頭維眼中漠漠即尋攢竹三間目視䀮䀮急取養老天柱雀目汗氣睛明行間而細推項强傷寒溫溜期門而可主廉泉中衝舌下腫痛堪取天府合谷鼻中衄血宜追耳門絲竹空治牙疼於頃刻頰車地倉穴正口喎於片時喉痛兮液門魚際轉筋兮金門丘墟陽谷俠谿頷腫口噤並治少商曲澤血虛口渴同施通天去鼻塞無聞之苦復溜祛舌乾口燥之悲啞門關衝舌緩不言爲要緊天鼎間使失音囁嚅之休遲太衝瀉唇㖞以速愈承漿住牙疼而即移項强多惡風束骨相連於天柱熱病汗不出大都更接於經渠且如兩臂頑麻少海就傍於三里半身不遂陽陵遠達於曲池建里內關掃盡胸中之苦悶聽宮脾俞祛除心下之悲悽脇肋痛疼氣戶華蓋有驗

腸鳴腹內下脘陷谷能平膈疼蓄飲巨闕膻中宜取胸脇肢滿章門不用細尋痞滿更加噎塞中府能治胸膈停留瘀血腎俞當行膈滿項强神藏璇璣已試背連腰痛白環委中堪攻脊强兮水道筋縮目眩兮顴髎大迎痓病非顱息不愈臍風必然谷方瘳委陽天池腋腫鍼而即散後谿環跳腿疼刺之即輕夢魘不寧厲兌相諧於隱白發狂奔走上脘同起於神門驚悸怔忡取陽谿解谿勿誤反張悲哭仗天衝大横須精癲疾取本神身柱發熱仗曲池少衝濕熱濕寒下髎定厥熱厥寒湧泉清寒慄惡寒二間疎通陰郄暗煩心嘔吐幽門開撤玉堂明行間湧泉主消渴之腎竭陰陵水分去水腫之臍盈勞瘵傳尸趨魄戶膏肓之路中邪霍亂尋陰交三里之程治疸消黃向後谿勞宮而看倦言嗜臥往通里大鍾而行欬嗽連聲肺俞須迎天突穴小便赤澀兌端獨瀉太陽經刺長强與承山善主腸風新下血鍼三陰與氣海專司白濁久遺精且如肓俞横骨瀉五淋陰郄後谿治盜汗脾虛穀以不消脾俞膀胱俞覔胃冷食而難化魂門

胃俞堪尋鼻痔必取齦交瘿氣須求浮白大敦照海患寒證而善蠲五里臂臑生瘰癧而能愈至陰屋翳治遍身風癢之疼多肩髃陽谿消肌膚癮風之熱極婦人經事改常自有地機血海女子少氣漏血不無交信合陽帶下產崩衝門氣衝宜審月潮違限天樞水泉細詳肩井乳癰而極效商邱痔漏而尤良脫肛趨百會尾骶之所無子收陰交石關之鄉中脘主乎積痢外坵收乎大腸寒瘧兮商陽太谿驗痃癖兮衝門血海強夫醫乃人之司命非智士而莫爲鍼又理之玄微須高人之指教先究其病源後詳其穴道隨手見功應鍼取效

摘錄治症要訣

問　中風不語不省人事當取何穴

答　人中　承漿　印堂　瘂門　中衝　百會

問　中風口眼喎斜半身不遂當取何穴

答　人中　承漿　地倉　頰車　風府　合谷　曲池　肩髃　足三里　風市

陽陵泉　陽輔　絕骨　坵墟　崑崙　肩井　環跳　陰市

問　偏正頭風眉間疼痛當取何穴

答　絲竹　攢竹　風池　風府　頭維　列缺　合谷　百會

問　目生翳膜及內障外障當取何穴

答　睛明　瞳髎　大骨空　小骨空　拳尖　合谷　足三里　光明

問　迎風冷淚攀睛努肉當取何穴

答　絲竹　攢竹　大骨空　拳尖　小骨空　睛明　陽白　臨泣　合谷

問　火眼暴痛怕日羞明當取何穴

答　太陽　睛明　攢竹　絲竹　內迎香　合谷

問　鼻流清涕及不聞香臭當取何穴

答　迎香　禾髎　上星　人中　風府　風池　風門　百會

問　鼻瘜鼻鼽鼻衄鼻瘡當取何穴

答　迎香　禾髎　內關　外關　少商　中衝　關衝

問　舌腫難言口內生瘡當取何穴

答　廉泉　玉液　金津　天突　少商　海泉　承漿　人中　合谷

問　牙齒疼痛口臭難聞當取何穴

答　二間　三間　合谷　承漿　金津　玉液　大陵　大迎　人中

問　耳聾耳鳴聤耳生瘡當取何穴

答　合谷　翳風　聽會　頰車　耳門　聽宮　腎俞　足三里　和髎　下關

問　頭項強痛頸難回顧當取何穴

答　人中　承漿　風府　風池　瘂門　扶突　天窗　天容　翳風

問　肩臂酸疼腫脹麻木拘攣當取何穴

答　肩髎　肩井　肩髃　臑會　背縫　五里　曲池　尺澤　合谷

問　肘腕骨疼手背紅腫當取何穴

答　天井　肘髎　曲池　尺澤　曲澤　支正　外關　陽池　後谿　中渚
液門　合谷　上都

問　五指拘攣疼痛捉物不得當取何穴

答　陽池　腕骨　後谿　中渚　液門　合谷　八邪　上都

問　胸腹疼痛脇肋脹滿當取何穴

答　上脘　中脘　天樞　關元　章門　內關　外關　支溝　內庭　足三里

問　腿膝無力痠痛拘攣風寒濕痺屈伸維艱當取何穴

答　環跳　居髎　風市　陽陵泉　曲泉　委中　足三里

問　脚背紅腫步履艱難當取何穴

答　委中　承山　絕骨　足三里　三陰交　坵墟　商邱　照海　崑崙　太
谿　申脈　臨泣

問　腰脊強痛挫閃骨疼當取何穴

答　人中　委中　中髎　居髎　承山　崑崙

問　腎敗腰痛不可俯仰當取何穴

答　腎俞　命門　中髎　交信　足三里　太谿　崑崙

問　渾身浮腫肚腹蠱脹當取何穴

答　曲池　合谷　中渚　液門　足三里　行間　三陰交　臨泣　崑崙　太谿　氣海　關元

問　小便不通小便滑數當取何穴

答　陰陵泉　陰谷　氣海　三陰交　滑數　命門　腎俞　陰陵泉

問　大便閉結及大便泄瀉當取何穴

答　支溝　照海　章門　泄瀉　中脘　天樞　氣海　中極　內庭　足三里

答　赤白痢疾裏急後重當取何穴

問　內庭　天樞　隱白　照海　關元　內關　足三里

問　久痔脫肛腸風下血當取何穴
答　二白　長强　承山　承筋　脾俞
問　寒熱瘧疾日久不愈當取何穴
答　内關　照海　復溜　間使　後谿　曲池　合谷　百勞　絕骨
問　哮喘咳嗽吐唾痰沫當取何穴
答　雲門　氣戶　俞府　璇璣　天突　膻中　乳根　氣海　關元　肺俞
問　膏肓　腎俞　風門　足三里　豐隆
問　吐血内傷肺癰咳嗽當取何穴
答　膻中　中脘　氣海　乳根　支溝　足三里　肺俞　腎俞　肝俞　心俞
關元　大陵
問　傳尸骨蒸癆瘵羸瘦當取何穴
答　膻中　中脘　肺俞　膏肓　中極　湧泉　百會　足三里　鳩尾　四花

問　腎水枯竭致成消渴當取何穴

答　金津。玉液。承漿。海泉。人中。廉泉。氣海。腎俞。

問　遺精白濁七疝五淋當取何穴

答　心俞。腎俞。關元。中極。命門。三陰交。足三里。太敦。行間。

問　經事不調赤白帶下當取何穴

答　氣海。中極。腎俞。三陰交。

問　婦人難產胎衣不下當取何穴

答　公孫。三陰交。照海。列缺。

問　血崩漏下產後血塊作痛當取何穴

答　氣海。中極。三陰交。絶骨。腎俞。

問　月經斷絶當取何穴

答　中極。腎俞。合谷。三陰交。

問　癰疽發背瘡毒當取何穴

答　肩井　曲池　合谷　委中　足三里　行間

問　咽喉癰腫單雙乳蛾當取何穴

答　金津　玉液　少商　天突　合谷

問　傷寒頭痛當取何穴

答　合谷　攢竹　太陽　列缺　絲竹

問　傷寒胸脇痛當取何穴

答　期門　膻中　章門　支溝　大陵　陽陵泉　委中出血

問　傷寒大熱不退當取何穴

答　大椎　曲池　合谷　絕骨　風門　足三里　行間俱宜瀉

問　傷寒無汗當取何穴

答　內庭　合谷補　復溜瀉　百勞

問　傷寒汗多當取何穴

答　內庭　合谷瀉　復溜補　百勞

問　傷寒發狂譫語當取何穴

答　期門　氣海　曲池

問　失志癡呆五癎當取何穴

答　百會　上星　鳩尾　心俞　巨闕　神門　照海　湧泉

問　膽寒心戰健忘當取何穴

答　少衝　少海　神門　風府

問　小兒慢驚及猢猻癆當取何穴

答　印堂　少商　人中　中衝　合谷　尺澤　崑崙　太谿　四縫

問　瘰癧氣癭當取何穴

答　翳風　天井　小海　肩柱　肘尖　大椎

問　黃疸氣脹。當取何穴。

答　至陽。腕骨。中脘。太衝。

問　盜汗自汗。當取何穴。

答　百勞。合谷。間使。外關。

問　腹中氣塊。當取何穴。

答　內關。大陵。外關。帶脈。天樞。內庭。足三里。

問　一切痧症。當取何穴。

答　人中。承漿。印堂。瘂門。肩井。尺澤。委中。曲澤。承山。崑崙。及各井穴出血。

附治疔要訣。

問　治疔歌呢。

答　鶴頂疔生督脈經。宜刺百勞與天庭。印堂人中與尾骶。委中兩穴保安寧。

按。鶴頂在前髮際直上三寸半。天庭即神庭。

天庭疔從尾骶刺肩井面巖百勞治。揷花頰車與地合。中衝一穴須刺至。

按。揷花在額兩旁上入髮際一寸半。面巖在顴骨下。

天門疔刺尾骶穴肩井地倉又龍舌。地合面巖與揷花。百勞一二至三節。

按。天門即日月兩額角。龍舌即俗名老鼠肉。

太陽生疔關衝刺百勞七節須挑至。地合肩井與印堂。大敦竅陰穴當誌。

前髮際疔尾骶決。環跳竅陰是要穴。地合百勞與曲池。肩井兩穴又龍舌。

揷花疔屬肝膽經。髮際印堂刺甚靈。百勞七節與地合。竅陰大敦保安寧。

大頭疔發頭腫大。急刺尾骶可安泰。天庭地合與百勞。中衝一決可無害。

按。此疔起於印堂上寸許。毒重則頭腫大。

印堂疔刺尾骶穴。關衝百勞人中決。更刺兩顴並面巖。心肺火毒可療滅。

山根疔刺尾骶穴。百勞挑至第四節。人中地合與印堂。兩顴骨上亦須決。

眉中生疔肝脾熱須刺隱白大敦穴地合刺後覓商陽百勞七節與龍舌

眉燕眉稍兩處疔牙咬龍舌曲池經百勞大敦與隱白肩井一決保安寧

按（眉燕即眉頭牙咬在顴髎下頰車上）

上下眼胞若生疔隱白厲兌與天庭更尋曲池並龍舌中衝穴與委中靈

鼻節疔向印堂決百勞關衝尾骶穴天庭地合與承漿兩口角旁地倉穴

鼻環疔向尾骶決百勞一節至四節地合印堂兩頰車關衝穴與外龍舌

穿鼻疔須刺關衝地合天庭地倉逢面巖印堂與厲兌尾骶一決最能鬆

迎香疔刺商陽穴合谷曲池尾骶決地合百勞與天庭陽明熱毒即除滅

散笑穴疔刺尾骶唇內齒根（即斷交穴）證可除百勞關衝與地合天庭印堂刺即舒

按（散笑穴離迎香三分）

鼻尖疔向人中決地合印堂兩龍舌

顴骨疔刺厲兌穴小指外側少澤決內外龍舌與大敦髮際左右看分別（左決左右決右）

顴髎疔又名對齒。小指外側少澤使。合谷一穴左右分。（左決左右決右）中衝一穴刺乃至。

牙咬疔刺合谷穴。手三里與曲池決。疔旁上下左右刺。地合中衝兩顴泄。

頰車疔刺合谷穴。地倉少商肩井決。

上反唇疔中衝決。委中面巖是要穴。唇內齒根名斷交。印堂關衝與龍舌。

下反唇疔加地合。其餘俱照上反唇。（照上反唇各穴刺之再刺地合）

人中疔刺尾骶穴。斷交委中是要訣。天庭地合與印堂。百勞刺至第三節。

弔角疔刺承漿穴。十指尖與地倉決。委中隱白與耳湧。肩井巨骨是要訣。

按。此疔又名鎖井。弔角在下嘴兩角。耳湧即耳尖。

鎖口疔刺地合穴。天庭印堂與龍舌。耳湧耳垂與委中。面巖中衝是宜泄。

地合疔向臍骨決。承漿兩顴天庭穴。中指尖根各一鍼。男左女右有分別。

按。中指尖。即中衝穴。指根在中指第三節近掌處。

耳下項疔合谷治。插花肩井面巖使。再兼環跳與竅陰。百勞印堂俱宜刺。

耳門疔屬三焦火◎肩井合谷刺甚妥◎腕後外關與關衝◎中衝穴內刺亦可◎
耳湧疔刺合谷穴◎更兼肩井又龍舌◎中指尖根各一鍼◎百勞七節亦須決◎
耳後生疔屬膀胱◎肩井至陰面巖當◎中指尖根各一刺◎百勞委中與印堂◎
後髮際疔刺至陰◎尾骶骨上三節尋◎肩井百勞委中決◎數處挑泄患無侵◎
正對口疔屬督脈◎須刺尾骶是上策◎天庭地合與印堂◎百勞委中可解厄◎
偏對口疔刺至陰◎印堂尾骶委中鍼◎地合百勞二節刺◎膀胱毒解患無侵◎
舌尖生疔心火熾◎中指中衝須一刺◎百勞承漿與印堂◎少衝少府爲之使◎
喉內患證鎖喉癧◎兩少商穴刺即鬆◎
手背疔屬手少陰◎腕骨外關龍舌鍼◎四圍微微細鍼刺◎雄黃敷解患無侵◎
肩井生疔刺龍舌◎後谿竅陰是要穴◎地合缺盆與曲池◎髮際印堂尾骶決◎
腋下生疔名挾癧◎肩井巨骨與少衝◎
臥胸疔又名井疽◎中脘關元氣海居◎百勞三節又七節◎初起即刺可消除◎

手掌疔生勞宮穴。腕骨內關中衝決。臏骨曲澤與印堂。六處刺之毒自泄。

紅絲疔從脈門起。先斷絲頭刺可止。寸寸挑至近疔頭。中衝穴與龍舌使。

按。紅絲疔。亦有從合谷發者。再刺商陽穴。亦有從脚上發者。挑法俱先從紅絲延處當頭先刺。寸寸挑至近根者。有白泡先挑破之。

螺紋疔生大指頭。雲門尺澤有來由。食指生疔刺合谷。曲池龍舌不須憂。

中指生疔刺曲澤。內關龍舌細推求。無名指生關衝刺。肩髎外關可參謀。

小指生疔刺腕骨。後谿前谷穴須搜。初起俱將豬膽套。指根一決證可瘳。

按。凡手指生疔。不論何指。初起。速將豬苦膽連汁套於手指上。即能消腫。或用黃連蜈蚣研末。雞子清調敷患處。指根者。患疔之指根第三節近掌處。如患大指卽刺大指根。如患食指卽刺食指根。餘倣此。

臏骨生疔刺厲兌。膝眼委中刺無害。

背脊疔屬督脈經。尾骶委中百勞靈。

湧泉穴中百勞刺。陰谷太谿爲之使。脚虎口中須一鍼。前後隱珠俱可治。

按。前後隱珠。在湧泉穴之前後。

肉龜疔生脚背上。其形似龜痛難量。急用金鍼刺四圍。艾灸疔頭可無恙。

問　附診脈要訣

切脈扼要歌呢。

答　微茫指下最難知。條緒尋來悟治絲。三部分持成定法。八綱易見是良規。胃資水穀人根本。土具冲和脈委蛇。臟氣全憑生尅驗。天時且向逆從窺。陽浮動滑大兼數。陰濇沈弦弱且遲。外感陰來非吉兆。內虛陽現實堪悲。須知偏盛皆成病。忽變非常卽弗醫。要語不煩君請記。脈書舖叙總支離。

問　診脈部位歌呢。

答　左寸外心內膻中。左關外肝內候膈。左尺外腎內候腹。此部小腸膀胱附。右寸外肺內胸中。右關內脾外候胃。右尺外腎內候腹。此部大腸命門附。不言三焦之謂何。上中下部分診妙。

問　七表八裏九道脈歌呢。

答　浮按不足舉有餘。芤脈中空兩畔居。滑體如珠中有力。實形逼滿與長俱。弦如始按弓弦狀緊若牽繩轉索初洪舉按之皆極大以上七表脈須知　若問八裏脈何似微來如有又如無遲脈一息凡三至沈舉都無按有餘濇脈如刀輕括竹緩脈呼吸來徐徐伏甚於沈須切骨弱脈沈微舉卽無濡脈輕得重則散斯爲八裏之脈歟　又有所謂九道者長脈流利三部敷短脈本位尚不及虛脈遲大而力柔促脈來數而急促代脈不還眞可虞結脈時止而遲緩動脈鼓動無定居牢脈如弦沈更實細脈雖有但如絲

問　反關脈歌呢

答　反關不行於寸口由肺列缺入臂側大腸陽谿上食指一手兩手非病脈

問　無脈候歌呢

答　久病無脈氣將脫暴病無脈不忌刻或因六鬱或折傷關格不應斯無忒惟有肌肉大脫者九候雖調多不測

問　緩代脈歌呢

答　五十動不止身無病。數內有止皆知定。四十動一止一臟絕。四年之後多亡命。三十一止即三年。二十一止二年應。十動一止一年亡。更觀氣色與形證。

問　急代脈歌呢？

答　兩動一止三四日。三四動止應六七。五六一止七八朝。次第推之自無失。

問　七怪脈歌呢？

答　雀啄連連。止而又作。屋漏水流。半時一落。彈石沈弦。按之指搏。乍密乍疏。亂如解索。本息未搖。魚翔相若。蝦遊冉冉。忽然一躍。釜沸空浮。絕無根脚。七怪一形。醫休下藥。肝胃腎脾心腸肺絕。

問　婦科診脈歌呢？

答　婦人之脈。尺大於寸。尺脈濇微。經愆定論。三部如常。經停莫恨。尺若有神。得胎如應。婦人有胎。亦取左寸。若知神門。占之不遁。月斷病多。六脈不病。體弱未形。有胎可慶。婦人停經。脈來滑疾。按有散形。三月可必。按之不散。五月是實。和滑面代二月爲率婦人有孕尺內數弦內奔血下革脈亦然將産之脈名曰離經內動胎氣外變脈形新産傷陰出血不止尺不上關十有九死尺弱而濇腸冷惡寒年少得之受孕良難年大得之絕産血乾

小兒驗紋按額診脈歌呪

五歲以下脈無由驗食指三關脈絡可見熱現紫紋傷寒紅像青驚白疳直同影響隱隱淡黃無病可想黑色曰危心爲怏怏若在風關病輕勿忌若在氣關病重留意若在命關危急須記脈紋入掌內鉤之始彎裏風寒彎外積滯五歲以上可診脈位指下推求大率七至加則火門減則寒類餘照脈經求之以意更有變蒸脈亂身熱不食汗多或吐或瀉原有定期與病有別疹痘之初四肢寒微面赤氣粗涕淚弗輟半歲小兒外候最切按其額中病情可晰外感於風三指俱熱內外俱寒三指冷冽上熱下寒食中指熱設若夾驚名中指熱設若食停食指獨熱

問　八大綱脈歌呢。

答　浮爲主表屬腑屬陽。輕手一診。形象彰彰。浮而有力洪脈。火揚。浮而無力虛脈氣傷。浮而虛甚散脈。靡常。浮如葱管芤脈。血殃。浮如按鼓革脈。積亡。浮而柔細濡脈。濕妨。浮兼六脈。疑似當詳。

沈爲主裡屬臟屬陰。重手尋按。始了於心。沈而着骨伏脈。邪深。沈而砥硬牢脈寒淫。沈而細輭弱脈。虛尋。沈兼三脈。須守規箴。

遲爲主寒。臟病亦是。三至二至。數目可擬。遲而不愆緩脈。最美。遲而不流濇脈血痞。遲而偶停結脈。鬱實。遲止定期。（在三四至中）代脈。多死。遲兼四脈。各有條理。

數爲主熱。腑病亦同。五至以上。七八人終。數而流利滑脈。痰滯。數而牽轉緊脈。寒攻。數而有止促脈。熱烘。數見於關。動脈。崩中。數見四脈。休得朦朧。（緊者熱爲寒束。）

細主諸虛。蛛絲其象。脈道屬陰。病情可想。細不顯明微脈。氣殃。細而小浮濡脈濕長。細而小沈。弱脈失養。細中之脈。須辨朗朗。

大主諸實。形闊易知。陽脈爲病。邪實可思。大而湧沸。洪脈熱司。大而堅硬。實脈邪持。大兼二脈。病審相宜。

短主素弱。不由病傷。上下相準。縮而不長。諸脈兼此。宜補陰陽。動脈屬短。治法另商。（多爲酒食所傷）

長主素强。得之最罕。上魚入尺。迢迢不短。正氣之至。長中帶緩。若是陽邪。指下湧沸。中見實脈。另有餘欸。（多爲陽明熱鬱）

鍼灸問答卷下終

非賣品

针灸学讲义（黄仲平）

提 要

一、作者小传

黄仲平，生卒年不详，湖南国医专科学校（现湖南中医药大学）针灸教师，承淡安的弟子。

二、 版本说明

该书分为“中国针灸治疗学讲义”和“中国针灸经穴学讲义”两部分，由黄仲平编写，于民国二十五年（1936）由湖南国医专科学校刊印。

三、内容与特色

该书卷首为引言，简要介绍了讲义的编写经过及作者的师承脉络。

“中国针灸治疗学讲义”部分共分为5章。第一章为配穴治疗精义，共31节。第二章为论证治疗法，共37节，主要介绍内科、妇科、儿科、五官科等疾病的针灸治疗方法。第三章为治疗总诀，共4节，包括十二经井荥俞经合治症主要诀、行针指要诀、四总穴治疗诀、看部取穴治疗诀。第四章为五募八会原络治疗诀，共3节，包括五募治疗、八会治疗、十二经原络治疗。第五章为前贤治疗法，共9节，记录了前贤的歌诀，如《马丹阳天星十二诀》《百症赋》《席弘赋》等。

“中国针灸经穴学讲义”部分共分为6章。第一章为十二经之分野起止，共12节。第二章为奇经八脉之分野起止，共8节。第三章为经穴之名称次序，共14节。第四章为经穴之分寸，共14节。第五章为经穴功用，共14节。第六章为总诀，共8节，包括同身取寸总诀解、行针宜慎解、补泻手术解、禁针总诀解、禁灸总诀解、络穴总诀解、井荥俞原经合解、十三鬼穴总诀解。

现将该书特色介绍如下。

（一）重视配穴治疗、论证治疗，机制详明，应用广泛

“中国针灸治疗学讲义”详细论述单穴与配穴的功用，借鉴名家经验，遵循医理，引经据典，强调辨证配穴。作者对经穴功用极为注意，因为经穴功用与治疗有密切联系。书中选择临床典型症状和证型，列出针灸配穴处方，按部位详述，紧密结合临床实际。论证治疗法部分介绍了内科、妇科、儿科、五官科等疾病的针灸治疗方法，对37个病的病名、病性和病因病机一一进行介绍，强调辨证治疗与穴位补泻方法。

（二）重视经穴功用，绘有经脉图，化繁为简

“中国针灸经穴学讲义”的内容以十二经并任、督二脉为主。该书取用《灵枢》条文，介绍治疗总诀、五募治疗诀、八会治疗诀、原络治疗诀和前贤治疗法。另配经脉循行图并新编歌诀：在经脉部分绘有经脉循行图，并在相应部位注明重要条文，具有事半功倍之效；将经穴功用编成七言歌，除以每穴名称冠以首句外，附加介绍穴位解剖、部位、主治、性质和手术。对于禁针穴、禁灸穴、险穴、正穴和针灸两禁穴，该书采用不同符号进行标注。

中國鍼灸治療學講義

引言

上古之時。藥物未備。民有疾苦。皆賴鍼灸以治療之。故鍼灸之學至爲昌明。而黃帝內經靈樞經中。備詳臟腑經脈俞穴之義。以及灸刺方法。後世奉爲圭臬。是爲鍼灸學之始祖也。自後秦越人刺虢太子之屍厥。俄項卽慶更生。狄仁傑療富家兒之鼻瘤。立時應手而落。於是揚名天下。實爲鍼灸學中之一段光榮歷史也。漢張仲景來宰吾邑。始採湯液。纂立經方。提倡藥物治療。雖然猶賴鍼灸之輔助。是故吾道前賢而于湯藥之道接踵而下。未有不知鍼灸而成名者。惜乎後學之士。以其義理深奧。手術煩難。不若方藥之易習。遂舍難就易。而鍼灸則日形荒蕪矣。其後鍼經甲乙明堂銅人等書相繼而出。此學賴以不絕。自唐宋而後。斯道又復昏盲。直至明末始有神應節要聚英等書。相繼發明。是乂爲斯道開一線曙光也。復有楊繼洲家傳集之玄機祕要。及其所纂之鍼灸大成。尤稱傑搆。其於臨症取穴。多有獨出心裁之處。可見其家學淵源。經驗宏富也。比年以來。此書已風行海內。無如斯道荒蕪已久。潛心究研者故屬寥寥。且皆不得其要領。或更視爲畏途。當此歐風東漸。西學盛興。匪特斯學殆將絕傳。卽方藥同道。亦有旦不保夕之慮。實緣國人喜新厭舊。忽視古道。崇尚異學。置國粹於不顧。甚有倡言實行廢除漢醫者。甯不可悲。自首都中央國醫館成立以來。醫界同志漸自覺悟。羣起研究。各貢所長。是以各地亦有國醫分館之組織。國醫學校之成立也。數年來首都國醫館。北平公安局。且已實行考取鍼灸醫士。是數千年行將湮沒之國粹。又漸次日見振興矣。且鍼灸之學。不但國人應當研習。卽外邦醫界。猶注目焉。德國醫師克禮。曾偕醫士多人。往觀北平古物陳列所之宋代銅人。並攝影以資參考。更以銅人鍼灸圖經三卷。譯成德文。以資研究。日醫某某等。亦將我國四庫全書中之鍼灸一門。翻印日文。設校授課。現在東京大阪長崎蓬萊等處。鍼灸醫社學院林立。曾往該處者。無不知之。由是觀之。針灸之貴重可知矣。希望有志同道。羣起直追。庶幾日新月異。精益求精。以免落人之後。而貽天下之大譏也。仲平習醫有年。深以不知針灸爲憾。以此不辭跋涉。求師友于四方。始獲斯道之微旨。用是編成針灸經穴學講義一卷。針灸經穴圖一卷。及本書壹卷。搜羅針灸之祕訣。貢獻于有志斯道者採納焉。

中華民國二十五年孟秋月吳平黃仲平自識于湖南國醫專科學校

目錄

第一章　配穴治療精義

第二章 論證治療法

中國鍼灸治療學講義

第一章　配穴治療精義

第一節　大椎曲池合谷

大椎手足三陽督脈之會。純陽主表。故凡外感六淫之在於表者。皆能疏解也。佐以曲池合谷者。以陽從陽。助大椎而幹旋營衞清裏以達表也。審其身熱自汗。則泄大椎以解肌。無汗惡寒。則補大椎以發表。或先補而後瀉。或先瀉而後補。神而明之。存乎其人矣。至於外感變症。至繁且雜。兼他症者。尤必兼而治之。是以邪在於經。頭項强痛者。則加風池。(透風府)熱甚而心煩溺赤者。則加內關。譫語便燥胃家實者。則加豐隆三里。脅痛嘔吐見少陽症者。則加支溝三陵泉。氣逆喘嗽則加魚際。傷風鼻塞。則加上星。又若瘧疾之病。雖有陰陽表裏之別。而其寒往熱來。無不關於營衞。故是法亦能兼治。再於骨蒸潮熱盜汗等症。雖係陰虛癆損之候。茲採用此法。亦大有養陰清熱之功。誰謂個中無活潑之天機耶。

第二節　合谷復溜

二穴止汗發汗。書有明文。鍼家皆知之。而其所以能止汗發汗之理。則多未知也。試申言之。夫止汗補復溜者。以復溜屬腎。能溫腎中之陽。升膀胱之氣。使達於周身而外衛自實也。瀉合谷者。卽所以清氣分之熱。熱解則汗自止矣。發汗補合谷者。則以合谷屬陽。清輕走表。故能發表托邪。隨汗出而解也。佐以瀉復溜者。疏外衛之陽。而成其開皮毛之作用也。至若陽虛之自汗。陰虛之盜汗。固與外邪有別。而合谷復溜亦能止之者。蓋又以復溜匪特能溫腎中之陽。亦且以滋腎中之陰也。尤有進者。寒飲喘逆水腫等症。亦可用復溜。以振陽行水。合谷以利氣降逆。頗有奇效。可見此中變化無窮。學者當一隅三反之。

第三節　曲池合谷

二穴屬手陽明經主氣。曲池走而不守。合谷升而能散。二穴相合。清熱散風。爲清理上焦之妙法。以輕清之氣上浮故也。頭者諸陽之會也。耳目口鼻咽喉者。淸竅也。故凡淸陽之氣者。皆能上走頭面諸竅也。以合谷之輕。載曲池之走。上升於頭面諸竅。而實行其清散作用。故能掃蕩其一切邪穢。消弭一切障礙也。雖然二穴之上行也。漫無定所。苟欲其專達某處。勢必再取某穴。以爲嚮導。則其徑捷。其力專。其收效也亦速。故頭痛頭暈。取風池頭維。目赤目翳。

加絲竹晴明。鼻痔鼻淵配迎香禾髎。耳鳴耳聾。選聽會翳風。目鼻舌裂。針水溝勞宮。咽腫喉痺。刺魚際頰車。齦腫齒痛。則有下關，口眼喎斜。則參地倉。君臣合力。標本兼施。何患疾之不瘳也乎。

第四節　水溝風府

風者百病之長也。善行而數變。金匱曰。邪入於臟。舌卽難言。口吐涎沫。蓋少陰腎經挾舌本。太陰脾脈絡舌本。散舌下。心之別絡亦繫舌本。故風邪中於此三臟。則令人舌强難言。口吐涎沫。而神昏不省人事也。又三陽之經。幷絡入頷頰挾於口。今諸陽爲風寒所客。故經急而口噤不開也。是法補水溝以開關解噤。通陽安神。瀉風府搜舌本之風。舒三陽之經。加補合谷之升散。凡一切卒中急症。牙關不開。不省人事。施之關竅立開。隨卽甦醒。語言自和。轉危爲安。誠針科之首選。起死回生之寶筏也。他如口眼喎斜。偏枯不遂等症。雖有中經中絡之別。然異流同源。亦其所宜矣。

第五節　肩顒曲池

二穴皆屬于陽明大腸經。大腸爲肺之腑。故是法有調理肺氣之特効。尤妙在肩顒臥針。有舒通之象。而曲池更走而不守。擅能宣氣行血搜風逐邪。二者相配。真可謂之珠聯璧合。舉凡一切經絡客邪。氣血阻滯之病。無不能舒暢調和之。而尤以中風偏枯諸痺等症爲對工。所謂一通百通也。昔仲景有云。客氣邪風。中人多死。預料此法風行後。其或能減少客氣邪風中人之死率歟。

第六節　環跳陽陵泉

二穴皆屬足少陽胆經。厥性舒通宣散。善能理氣調血驅風袪溼。且陽陵泉又爲筋之所會。尤有舒筋利節之功。故凡中風偏枯不遂諸痺不仁。以及瘓瘲筋攣腰痛瘻癈等症。皆其傑奏。針家常以環跳擬肩髃。陽陵泉擬曲池。以彼此上下相應。形性相仿。而功又雷同者也。

第七節　曲池委中下廉

痺者。風寒溼三氣合而爲病也。風氣勝者爲行痺。以風性遊走也。寒氣勝者爲痛痺。以寒性凝結也。溼氣勝者爲著痺。以溼性重著也。主以是法者。曲池搜風以行溼。委中疏風以利溼。下廉通陽以滲溼。其寒氣勝者。則補瀉兼行。散寒袪風而燥溼，并兼以各舒其經。各通其絡。邪去而經絡亦通。何痺之有哉。

第八節　曲池陽陵泉

曲池居於肘內。陽陵泉位於膝下。同爲大關節要。曲池行氣血通經絡。陽陵泉舒經利節。皆具有宣通下降之功。以之配合相得益彰。百症賦列其治半身不遂。是舉其要。餘如痿躄歷節。諸痺等症。可一望而知矣。且也二穴尤有降濁瀉火之功。曲池清肺走表。陽陵泉瀉肝胆平裏熱。茲因推廣其用。凡肝肺鬱抑。胸脅作痛。或熱結腸胃。腹脹便濁等症。借其清利疏泄之力。靡不獲効。由是可見穴法之妙。全在善用者之配合也。

第九節　曲池三陰交

一陰一陽恰相配偶。曲池性游走通導。擅能清熱搜風。三陰交乃三陰之會。爲肝脾腎三經之樞紐。亦即血科之主穴。二者相合。曲池入三陰之分。故能清血中之熱。搜血中之風。而瘀自行血自通矣。是以諸般腫痛。得之而腫消痛止。花柳毒瘡。得之而毒消瘡平。餘如風濕諸痺。腰痛脚氣痿躄。以及婦女崩帶瘕聚經閉等症。尤能著手成春也。

第十節　三里三陰交

三里升陽益胃。三陰交滋陰健脾。陰陽相配。爲脾胃虛寒氣血虧薄之主法。虛損門所不可少者也。亦有胃濁脾弱陽亢陰虧者。則補陰之中。勢必兼行淸導。補三陰交瀉三里是也。更有陽虛氣乏。風溼客邪成痺。腿胻麻木疼痛者。則一以振陽氣。一以和陰血。合而舒經理痺。其功效尤卓著者也。

第十一節　陽陵泉三里

陽陵泉爲胆經之關鍵。三里爲胃腑之樞紐。二穴相合。瀉陽陵泉以肅淸淨之腑。平肝火之橫。導上逆之勢。輸胆汁入胃。從木疏土而完成其中精之府之吏能也。再瀉三里以導胃中之濁。通胃之陽。於是淸陽得升。濁陰得降。凡木土不和之病。如中消停痰吞酸口苦泄瀉嘔吐等症。得之自然烟消瓦解。而飲食亦因之暢利矣。且陽陵泉爲筋之所會。大有舒筋利節搜風祛溼之特效。三里亦有通陽活血燥溼散寒之功能。再進而治諸痺膝痛筋攣歷節痿躄足氣等症。亦未始非針法之妙用也。

第十二節　四關

四關者合谷太衝四穴也。經外奇穴以之名關。蓋有精義存焉。夫合谷原穴也。太衝亦原穴也。以形勢言。合谷位於兩歧之間。而太衝亦位於兩歧之間。是二者相同之處也。再以性質言。合谷屬陽主氣。而太衝則屬陰主血。是又二者同中之異也。然二者之同。正所以成其虎口衝要之名。二者之異。亦正所以竟其斬關破巢之功。觀其開關節以搜風理痺。行氣血以通經行瘀。及乎配豐隆陽陵泉以墜痰瀉火而治癲狂。配百會神門以鎮頂安神而療五癇。是明證矣。

第十三節　豐隆陽陵泉

二穴爲通大便之主法。何以言之。夫豐隆爲足陽明胃經之絡。別走太陰。其性通降。從陽明以下行也。得太陰溼土以潤下也。陽陵泉性亦沉降。斜針向下透三里。從木以疏土也。昔賢嘗以此法擬承氣。有承氣之功。而不若承氣之猛峻。其治癲狂等症。非但瀉其實。亦且折其痰也

第十四節　氣海天樞

氣海者。氣血之會。呼吸之根。藏精之所。生氣之海。下焦至要之穴也。補之益臟真。同生氣。益下元。振腎陽。有如釜底添薪。故能蒸發膀胱之水。使化氣上騰而布於周身也。天樞乃大腸之募。胃經之穴。其分理水穀糟粕。清導一切濁滯。實有特效。以之與氣海相配。取氣海振下焦之陽以散羣陰。取天樞調腸胃之氣。以利運行。故擅治腹寒疝瘕奔豚脫陽失精陰縮厥逆脹滿疞痛氣喘小便不利婦女轉胞崩帶月事不調等症。爲虛勞羸瘦積寒痼冷之首法。較諸天雄散腎

氣丸等方。猶且過之無不及也。

第十五節　中脘三里

經云陽明之上。燥氣治之。燥者陽明之本氣也。胃腑稟此燥氣。故能消腐水穀。若此燥氣不足。則水穀停矣。太過則又爲中消噎膈等症。燥氣之關乎胃者於此。是法專理胃腑。兼治腹中一切疾病。君以中脘者。以中脘爲六腑之會。胃之募也。臣以三里者。正所以應中脘而安胃也。審其胃中虛寒飲食不下。脹痛積聚。或停痰蓄飲者。則補中脘即所以壯胃氣、散寒邪也。瀉三里者。引胃氣下行。降濁導滯而襄助中脘以利運行也。其或胃腑燥化太過。消穀引飲。嘔吐反胃者。則中脘亦可酌瀉也。至於霍亂爲病。總由夏秋之時。飲食不節。暑溼汚穢。擾亂中宮。以致清濁不分。陰陽混淆。上吐下瀉。腹中疞痛。而揮霍變亂。治之先刺出惡血。以去暑穢。然後補中脘以升清。瀉三里以降濁。中氣調暢。陰陽接續。斯愈矣。再者胃病而兼有其他症候者。兼治必須加減。如下元虛寒補氣海。上焦鬱熱瀉通谷。臟氣微補章門。腸中滯瀉天樞。或取上脘。或針三里等是也。

第十六節　合谷三里

二穴皆屬陽明。一手一足。上下相應。合谷爲大腸經原穴。能升能降。能宣能通。三里爲土中真土。補之益氣升清。瀉之通陽降濁。二穴相合。腸胃幷調。若淸陽下陷。胃氣虛弱。納穀不暢者。則補三里應合谷。以升下陷之陽。俾胃氣充而食自進。若溼熱壅塞。濁滯中宮。或蓄食停飲而痞脹噫噦者。則瀉三里引合谷下行。以導濁降逆。斯中宮利而氣自暢矣。昔賢調理中宮。以宣通胃腑爲立法。信不誣也。

第十七節　三里（二穴）

五臟六腑。皆賴胃氣以爲營養。有胃氣則生。無胃氣則死。蓋以胃氣爲後天之本。水穀之海。主消納者也。胃氣盛則納穀自暢。營養自周。否則臟腑失養。而生氣絕矣。夫胃者戊土也。三里者合土也。是三里爲土中真土。胃之樞紐。後天精華之所根也。秦承祖（宋時人）云。諸病皆治。蓋又以胃爲五臟六腑之海也。茲取之以壯人身之元陽。補臟腑之虧損。凡寒氣積聚之癥瘕。皆得而溫之化之。溼濁瀰漫之腫脹。亦得而燥之消之。至其升淸降濁之功。導痰行滯之力。補中升陽等方。不能擅美於前矣。

第十八節　勞宮三里

勞宮屬心包絡。性清善降。功能理勞役氣滯。開七情鬱結。尤擅淸胸膈之熱。導膻火下行之路。與三里相合。大瀉心胃之火。挫上逆之勢。凡結胸痞悶嘔吐乾噦噫氣呑酸煩倦嗜臥等症。無不效若桴鼓。用針者其勿忽諸。

第十九節　三陰交(二穴)

李東垣(金元間人)治病。以脾爲主。宗之者頗不乏人。惟立方皆升提辛燥。與陰虛體質大相違背。自唐容川氏滋脾陰說提倡以來。深得醫林多數人信仰。蓋脾陽虛陷。運化失司。誠宜益氣升陽。若脾陰枯槁。津液不行者。則溫燥之法斷斷乎不可嘗試。而當滋陰潤燥者也。考三陰交爲肝脾腎三經之交會。故其補脾之中。間接可補肝陰腎陽。是三陰交獨有氣血兩補之功。不特爲女科之主穴。亦且爲內傷虛勞雜病門中之要法也。其治腹痛瀉痢疝瘕轉胞崩帶經閉絕嗣等症。較之理中建中八寶腎氣等方。實不可同日而語也。

第二十節　隱白(二穴)

脾主運化。全賴陽氣爲之旋轉。苟脾陽不運。則腹脹泄瀉倦怠少氣崩帶等症作矣。東垣立補中調中升陽等方。卽本此意。茲取隱白亦復如是。緣隱白爲太陰之根。補之大益脾氣。升舉下陷之陽。溫散沉痼之寒。直如統馭中州之主帥。內傷虛勞門中之良相。正所謂擁護中央。卽可以固四方也。

第二十一節　大敦（二穴）

肝主筋。前陰爲宗筋所聚。而足厥陰之經。又環陰器抵小腹。故諸疝皆屬於肝。大敦爲肝經井穴。設取其直接舒筋調肝袪邪。寒則補之。熱則瀉之。兼風溼者加曲池委中。寒甚卵縮引小腹痛者加隱白。見效後。再取三陰交太衝行間中封蠡溝曲泉諸穴繼之。卽可痊癒。又若婦女寒瘕下墜。痛引小腹。陰挺腫痛等症。與男子諸疝無異。故此法亦爲對症。學者其細參可也。

第二十二節　大椎內關

水飲水邪也。水停于胸膈之間。氣道壅塞。則作喘咳胸滿吐逆等症。然水何以能停也。是又當責之於三焦。經云三焦者決瀆之官。水道出焉。蓋三焦卽人身之油膜。水之道路全在油膜之中。人飲之水。由三焦而下膀胱。則決瀆通暢水自無停留之患。如三焦之油膜不利。於是水道閉塞。氣化不行。而飲症作矣。此法大椎爲督脈手足三陽之會。取之以調太陽之氣。氣行則水自利也。內關爲手厥陰心主之絡。別走少陽三焦。取之宣心陽以退羣陰。利油膜以通其淤塞。則決瀆暢而飲症自蠲矣。是說本自內經。參之唐氏。又與仲景青龍苓桂諸方吻合。其亦愚者之千慮一得歟。

第二十三節　內關三陰交

內關手厥陰心主之絡。別走少陽三焦。能清心胸中鬱熱。使從水道下行。配以三陰交滋陰養血。交濟坎離。爲陰虛勞損之要法。蓋下焦之陰精一虧。則上焦之陽獨亢。而骨蒸盜汗咳嗽失血夢遺經閉等症作矣。內關清上。三陰交滋下。一以和陽。一以固陰。陰陽和合。斯可滋生化育矣

第二十四節　魚際太谿

虛勞之病。現咳嗽吐血骨蒸潮熱者。十居八九。皆緣近世之人。溺於酒色。沉於思慾。脾腎兩虧。陰液枯涸。不能上滋心肺。以致火炎肺萎。柔金遭尅。遂現損症。施治大法。宜倣喻氏清燥救肺湯之意。清火勢以減金刑。滋陰液以潤肺燥。水火交濟。子母相生。庶幾有一線生機也。是法君太谿補水中之土。潤燥而生金。臣魚際瀉金中之火。逐邪而扶正。理腎者兼理色慾。清肺者亦清酒傷。絲絲入扣。宜其累奏奇功也。

第二十五節　天柱大杼

東垣曰。五臟氣亂於頭者。取之天柱大杼。不補不瀉。以導氣而已。旨哉斯言。夫膀胱者。州都之官。氣化所出。故統周身之陽氣。而名太陽經也。且五臟之俞穴皆在於背。是五臟之氣又皆通於太陽也。若夫氣亂於頭者。則頭暈目眩者有之。頭重者有之。頭中鳴者亦有之。治者當然以導氣下行爲定律。今考天柱大杼二穴。皆屬足太陰經。而大杼更爲督脈別絡。手足太陽少陽之會。其能調理氣道可知。至云不補不瀉者。蓋又以氣既亂矣。補之瀉之。皆足以益其亂。故不必操之過急。但覓得其頭緒。徐徐導之。使循太陽經而下。則無紊亂之弊矣。再如風寒客於太陽之經。頭項脊背强痛。是法亦所當用。惟邪之所在。勢不得不行瀉法。以舒經散邪也。

第二十六節　巨骨（二穴）

巨骨屬於手陽明大腸經穴。在肩端兩叉骨罅中。刺之居高臨下。宛如左右各樹一鎮壓物然。且其性沉降。大能開胸鎮逆。宣肺利氣。舉凡胸中瘀滯。及一切上逆之邪。均能推之使下。故爲定喘之無上妙法。他如咳逆上氣。肝火上沖。嘔血吐血等症。亦能挫其上逆之勢。急切收效也。

第二十七節　俞府雲門

咳嗽喘息。本至普通之症。而施治每多不效何也。一言以蔽之。要皆未澈底認識其標本原因也。夫咳嗽喘息。固是肺病。然屬近因也。標病也。其根本原因。固不在肺而在腎也。以腎司收納。衝脈又交乎腎經。至胸中而散。若下元空虛。收納失司。則濁陰之氣隨衝脈上逆入胸。鼓動肺葉。故咳嗽喘息也。今人不問來源。只知治肺。一味宣散清利。輕者或可取效一時。重則不啻隔靴搔癢。毫無所覺。良以肺部未遑廓清。而衝氣已上逆。前仆後繼。倘夢想咳止嗽甯喘定耶。宜取此法。君俞府以降衝氣之逆。理腎氣之源。佐雲門以開胸順氣。導痰理肺。標本兼施。則諸症悉愈矣。亦有陰火隨衝脈上逆。以致胸中結悶。煩熱嗆咳者。此法亦有奇效。是又在學者之遴選耳。

第二十八節　氣海關元中極子宮

方書求嗣之方。不勝枚舉。而有應與不應者何也。蓋未得其癥結所在故耳。經云女子二七天癸至。任脈通。太衝脈盛。月事以時下。男子二八腎氣盛。天癸至。精氣溢瀉。又云陰陽和故有子。夫推其陰陽和始能有子之義。而以女子月事以時下。男子精氣溢瀉。陰陽斯之謂和。否則陰陽既不和。則子嗣又烏從而得哉。是以求嗣之道。男子首在調精。女子首在經行。在男子有淫慾過度。陰精虧竭。稀簿散淡者。亦有先天不足。腎氣不充。精不注射者。至女子月經不調之外。更有子宮寒冷。胞門閉塞者。凡此等等。皆無成孕之可能。求嗣之士。可知着眼所在矣。至於男子之陽不和者。取氣海以振陽氣。取關元以滋陰精。蓋以氣海爲男子生氣之海。關元爲三陰任脈之會。藏精之所也。其於女子之陰不和者。則取中極以調經。取子宮以開胞。蓋又以中極亦爲三陰任脈之會。胞宮之門戶也。子宮二穴在中極旁三寸。位居小腹。正當胞宮之處。胞宮今亦名子宮。此穴此名其義可知。補之者正所以暖胞開胞。俾其直接受孕也。育嗣之穴。固不止此。然苟能如此法此理融會貫通之。則求嗣之道。思過半矣。

第二十九節　合谷三陰交

二穴安胎墮胎之理。已詳于針灸大成中。故不再贅。玆所欲言者。不過引伸其義而已。夫三陰交補脾養血。固爲妊娠要穴。然其安胎之力尤賴乎合谷之清熱也。何以言之。觀乎徐靈胎先生之言曰。婦人懷孕中一點真陽。日吸母血以養。故陽日旺而陰日衰。凡半產滑胎。皆火盛陰衰。不能全其形體故也。又讀葉天士先生胎得涼而安一語。益信其真。故昔賢安胎。皆主黃芩以清熱也。脾主後天生化。故又佐白朮以補脾而養胎也。再參之是法。合谷亦猶黃芩也。三陰交亦猶白朮也。白朮慮其燥。而黃芩適以平之。三陰交慮其溫。而合谷適以和之。是法與是方吻合者如此。且三陰交爲三陰之會。中寓肝陰腎陽。能溫補而又能滋潤者也。昔賢常借用是法。取合谷以淸上中之熱。取三陰交以滋中下之陰。故凡陽亢陰虧。上熱下寒者。皆所宜也。

第三十節　少商商陽合谷(刺出血)

此三穴醫家多取以爲喉科之主法。以其淸肺瀉熱也。茲因推廣其用。以爲兒科之主。以小兒稟質純陽。內熱最盛。肺爲嬌臟。首當其衝。且小兒衞氣未充。感邪尤易。肺合皮毛。故見症輒多咳嗽喘逆發熱。由是觀之。採用此法。不無相當理由也。惟加減之法。他書未詳。茲特分別述之。夫咽喉見症。固由內熱蟠結。然熱有臟腑之殊。輕重之別。取之必絲絲入扣。方能見效。今是法僅瀉太陰陽明之熱。爲力有限。故必再取關衝少衝中衝少澤等穴配之。以竟全功。至於小兒外感時邪。兼停食積滯。以致吐瀉者。加四縫四穴。腹痛者。加隱白厲兌大敦。熱甚喘逆煩燥者。酌加少衝中衝少澤。熱極生風驚癇瘈瘲目直色青。或角弓反張者。必再取手足諸井十宣穴以應之。若邪熾病危。險象叢生。諸治不效者。則必及水溝風府百會前頂素髎瘈脈湧泉崐崙身柱命門等穴盡取之。庶幾能挽回一二也。尤有進者。此法不但爲兒科之主。卽成人內熱外感見症。先刺之出血。重者亦可見效。輕者能使立愈。裨益殊多也。

第三十一節　曲澤委中

曲澤委中二穴。皆大經動脈所在。故能出血。爲霍亂吐瀉之妙法。其出血之能力。非只放出暑溼風熱毒穢即已。他如暴絕厥逆陰陽氣不相接續等閉症。亦有起死回生之功。蓋邪之卒中于人也。內外爲之閉絕。有如河道爲淤泥阻塞。則水無去路。上下斷隔。苟決以出口。則河流通行。瘀塞自去也。且曲澤通於心。有清煩熱滌邪穢之力。故凡心亂神昏。皆其所宜。委中位於下。有祛風溼解暑穢清血毒之功。政善治瀉痢。而花柳惡瘡之未潰者。刺之血出即消。尤具特效也。惟金鑑針科。以曲澤改用尺澤亦有意義。因該處有靜脈可出血毒。且尺澤爲手太陰合穴。取之以通調肺氣。亦爲痧閉暴卒等急症之要穴也。或有誤爲曲池者。蓋曲池可以透尺澤也。至於加減之法。亦當審慎。如霍亂嘔吐不止者。可加金津玉液天突中脘。心煩亂者。再加內關中衝少衝百會。不瀉痢者。去委中。如刺之後。腹痛吐痢仍不止者。可再取中脘天樞三里。脚轉筋者加承山崑崙以繼之。始克竟其全功也

第二章　論證治療法

第一節　中風

風之中于人也。有由于痰熱內盛。外衛偶疎。邪乘虛而入者。有由于體肥淫溢。腠理緻密。氣道壅塞爲邪所中者。有氣虛風漸。肢體麻木。蔓延日久。忽然暴發者。其內因雖各有不同。然其由于衛陽失固。邪從虛入者則一。輕則中于經絡。偏廢弛重。半身爲之不遂。或口眼喎斜。肌膚爲之不仁。重則入於臟腑。神爲之昏。舌爲之强。口吐涎沫。語言難出。而不識人矣。治此惟鍼灸最捷。可度其輕重緩急以施治焉。

風中臟腑。不省人事。口噤不開。舌强難言。口吐涎沫。此時急宜開其關竅。通其閉塞。否則危殆立至。先刺百會十宣十二井(俱出血)。再取水溝(補)風府(瀉)。瘖瘂或言語蹇澀。再取瘂門承漿(灸亦良)天突(俱瀉)。

風中於經。肢體弛重。半身不遂。先鍼無病之手足肩髃曲池(俱瀉)環跳陽陵泉(俱瀉)再取足三里懸鐘(俱瀉)。

風中於絡。口眼喎斜。面頰不仁。先鍼未喎之面部頰車(灸亦良)地倉(灸亦良)。再取曲池 合谷(俱瀉)。再取水溝承漿聽會翳風下關迎香顴髎絲竹空足三里(俱瀉)諸穴以應之。

第二節 傷寒 溫病

寒爲陰邪。其得也首必惡寒。寒束衞氣。故脈緊而體痛。溫爲伏邪。其發也先必發熱。熱耗精液。故脈數而口渴。此傷寒溫病之分別也。傷寒初起。宜發汗透表。汗出則寒邪自解。溫病初起。宜清熱解肌。熱清則溫病自除。此其大法也。若其餘傳變諸症。則又在臨時變通耳

傷寒無汗惡寒發熱體痛。取大椎（補）曲池　合谷（俱瀉）後谿（補）。

傷寒久不得汗解。或心下有水氣喘逆者。取合谷（補）復溜（瀉）。

傷寒溫病汗出不止者。取合谷（瀉）復溜（補）。

溫病身熱自汗口渴。取大椎　曲池　合谷（俱瀉）。

傷寒溫病胃家實大便燥。取陽陵泉豐隆三里（俱瀉）。

傷寒溫病頭項强痛眩暈。取風池（瀉）

心中懊憹小便黃赤。取內關　通里（俱瀉）。

譫語煩渴。取神門　三里（俱瀉）。

熱入血室。取期門（瀉）。

咽痛。取頰車（瀉）。

第三節　溫疫

瘟疫爲時行病之一種。最易傳染。由邪穢從口鼻深入心肺。壅遏伏熱不得外出所致。其症發熱惡寒。口渴心煩。頭暈咽痛。面赤。舌上隱起紅點。脘悶身倦。周身俱紅若雲霞。一二日內卽起痧疹。甚則神昏譫語。舌黑唇焦。咽喉腫爛。轉瞬卽形危殆矣。此症由內發外。治宜先去毒熱。然後淸解使達於外。方可無虞。亦有毒熱鬱結於內。大便閉結。數日不通者。亦可相機下之。惟當審證明澈。然後施行。愼勿妄下而致毒熱內陷也。

先刺少商　商陽　合谷　少衝　中衝　關衝　少澤　十宣(俱出血)以去毒熱。則無內陷譫妄咽喉腫爛之虞。復刺大椎　曲池　合谷　神門　內關(俱瀉)。

若熱入血分發爲斑疹。諸症仍不見減。可急用三稜鍼刺曲澤出血。甚則更刺委中尺澤出血卽解。

其有受病人傳染者。可刺曲池　委中(俱出血)。

毒熱下洩下痢不止。刺委中(出血)。

此病總以毒熱外出爲順。故得痧疹透發。是良好現象。若諸症悉痊。而痧疹猶未褪減。可刺後穴以清血熱。曲池　三陰交（俱瀉）。

此病見咽痛咽腫咽爛皆爲逆候。最宜注意。除刺手指諸井穴出血外。再取後穴爲應。頰車　天容　陽谿　三里　豐隆　通里　尺澤（俱瀉）。

熱結於內大便閉結。宜下之。取支溝　陽陵泉　豐隆（俱瀉）。

第四節　內傷虛勞

內傷由於飲食失節。勞役過度。傷損脾胃。運化失司。以致清陽不升。濁陰不降。溼滯中宮。納穀不暢。消化力薄。肌肉消瘦。正氣遂日漸虧損矣。虛勞則由於五臟虧損日久。始而氣血不足。津液乾枯。繼而神爲之疲。精爲之乏。生氣乃絕矣。

內傷虛勞症象不一。茲分別條陳論治。

內傷　脾胃俱虛。食少難化。飽脹。面色痿黃。肌肉消瘦。倦怠無力。取三里　三陰交（俱補）。

清陽下陷。濁滯中宮。腹脹泄瀉。氣息短促。困倦力乏。取隱白（二穴補）。

脾陽失運。寒邪侮中。腹痛泄瀉。腸鳴面青黃。取三陰交（補）。

寒溼瀰漫。腹脹溏瀉。多溺。脈腰痛。取三陰交　上廉（俱補）。

脾陰不足。燥熱太過。四肢發熱。倦怠形消。取商丘(瀉)陰陵(補)。

胃强脾弱。能食難化。飽滿噫氣。取陽陵(瀉)(針透三里)太白(補)

勞傷形氣。溼熱壅滯。腹脹便秘。口瘡。取勞宫(瀉)下廉(瀉)隱白(補)。

傷食痞脹。嘔噦吞酸噫氣。取中脘(補)陽陵　三里(俱瀉)。

虚勞

陰虚火動。骨蒸潮熱。咳嗽吐痰。汗出煩躁。不寐少氣。取大椎　曲池　合谷　內關(俱瀉)復溜(補)。

腎虚午後發熱。咳嗽痰多。盜汗失精。淋濁消渴。取然谷(補)復溜(補)陰郄(瀉)。

陽虚自汗。氣促倦怠。取三里　復溜(俱補)。

肺虚葉萎。咳嗽吐涎沫。取肺俞　太淵(俱補)。

火炎肺躁。咳嗽吐血。取魚際(瀉)太谿(補)。

思慮傷心。驚悸怔忡健忘。火擾心神不安。多夢失眠。取神門(瀉)通里(補)內關(瀉)。

脾虚飲食不化。腹痛泄瀉。取隱白　三陰交(俱補)。

肝虚目䀮䀮不明。血虧。取曲泉　太衝(俱補)。

腎虛水道不利。陽氣虛弱。遺精失溺。取氣海　關元(俱補)。

腎精不足。元氣虛弱。取中極(補)曲骨(補)。

氣血俱虛。取三里(補)三陰交(補)曲泉(補)。

第五節　痿痺

痿病因溼熱傷筋。致腿足痿軟無力。足不任地。步履維難。惟不疼不痛。是其特徵耳。治宜清溼熱。舒筋節。故取陽明經爲主。痺則由風寒溼三邪雜合爲病。其風氣勝者。爲行痺。遍身走注痛無定處。寒氣勝者。爲痛痺。發有定處。其痛特甚。溼氣勝者。爲著痺。腫痛沉著。舉動難移。此外尚有皮脈肌筋骨五痺之分。周痺者。痛無歇止。上下流行而左右不移也。諸痺治法。首宜宣通經絡。舒調氣血。然後風勝者搜逐之。寒勝者溫散之。溼勝者清利之。自可應手而起矣。

諸痺通治　肩顒(瀉)曲池(瀉)環跳(瀉)陽陵(瀉)委中(瀉)下廉(瀉)合谷(瀉)太衝(瀉)。

行痺　曲池　三陰交(俱瀉)陽陵泉(瀉)風市(瀉)。

痛痺　三里　三陰交(俱補)復溜　懸鐘(俱補)。

著痺　下廉（寒溼補）（溫熱瀉）委中（瀉）三里（寒補）（熱瀉）陽陵泉（瀉）。

諸痺隨患處再取下穴應之。

肩背　肩井　肩貞　巨骨　肩外俞　肩中俞。

腰脊　風門　大杼　合陽　白環俞　中髎。

脅肋　支溝　陽陵泉。

腿股　曲泉　陰市　中瀆。

足胻　崑崙　陽交　飛揚　上廉　中都　太谿　解谿　邱墟。

膝臏　陽關　犢鼻　委中　陰交　三里。

肘臂　手三里　支正　外關　天井。

手腕　陽谷　列缺　陽池　大陵。

手指　合谷　後谿　八邪　五虎。

第六節　脚氣

脚氣之病。皆因於溼氣下注。然有溼熱溼寒之別。其見症腿脚紅腫痛且熱者。是溼而熱盛也。

若不腫不熱而痛者。是溼而寒盛也。熱盛者宜清熱利溼。寒盛者宜散寒燥溼。亦有脚氣日久轉成鶴膝瘋者。兩膝腫大。舉步痛楚。膝下至脛足枯細異常。但存皮骨。有如鶴膝。故名。此由於溼兼風邪聚於關節使然。當以舒筋利節。搜風祛溼爲治。

溼熱脚氣取曲池　三陰交（俱瀉）。

寒溼脚氣取三里　三陰交（俱補）。

脚氣再取下穴繼之。上廉　下廉　風市　陰市　委中　懸鐘　太谿　陽陵泉　崐崘　八風　丘墟　解谿　陽輔　太衝。

鶴膝瘋先宜舒通關節。取肩顒　曲池（俱瀉）或取曲池　陽陵（俱瀉）。繼取下穴應之。三里　犢鼻　膝關　陽關　委中　梁丘　陰陵　陰谷。

第七節　失血

失血有吐衄便溲之異。而吐出又分吐，（吐出純血而無聲響）嘔，（嘔血從脅腹上逆冲嘔而出漉漉有聲）唾，（氣無所阻而隨唾出）咯，（痰中夾血）咳，（咳嗽無痰而血出）五種。衄則包括腦鼻耳目諸竅之衄也。論吐血以心胃爲主。以心火上炎。逼血妄行。從胃氣上逆而吐出也。嘔血以肝爲主。以肝主藏血。中挾胆火。肝氣橫逆。則暴肆侮胃。氣血雜亂。故逆而嘔血也。咯血是痰中帶血絲。由心經火旺。血脈不得安靜而隨痰帶出也。唾血責之腎與脾。腎主唾。脾統血。有火鬱於脾。陰液虧損而唾血者。有思慮傷損而唾血者。是皆熱灼津液。脾腎失於統攝之過也。欬血屬肺。得之火化太過。肺中津液不潤。節制不行。氣逆而欬。震動血管。遂隨咳而出矣。諸衄皆由陽熱過盛。逼血妄行而上走清竅也。便血先血後便爲近血。有腸風藏毒之別。腸風由風熱內陷所致。臟毒則由溼熱結毒而成。先便後血爲遠血。此血自胃中來。去肛門較遠。多因脾胃氣虛。中州不固。血失統攝而下陷也。尿血有虛實二症。實症由熱結膀胱。或心經遺熱於小腸所致。虛症則由於血室不固。鮮血如尿之長流而出也。治血症先當調氣舒經。以血之妄行。實緣氣之先亂。氣亂而後血始離經。如嘔血吐血必先肝胃氣逆。便血必先中氣虛陷。是治吐血嘔血衄血又當以降火爲主。以其陽熱太過。氣火交實。而後始逼血妄行也。餘如咯唾咳血尿血等。地宜清熱。方能寧血。惟虛損者。別當兼治耳。

吐血嘔血。先宜降火下氣。挫其上逆之勢。取巨骨(瀉)神門　郄門　曲池　合谷　三里(俱瀉)

咯血取肩顒　曲池　合谷　內關(俱瀉)

再取下列各穴應之。神門　魚際（俱瀉）太谿（補）。

唾血取內關　魚際（俱瀉）三陰交　太谿（俱補）。

咳血取魚際（瀉）太谿（補）內關　列缺（俱瀉）三陰交（補）又肺俞　太淵　大陵　曲池　合谷　尺澤（俱瀉）。

腦衄鼻衄取上星　風府　曲池　合谷（俱瀉）又迎香　二間（俱瀉）。

目衄取曲池　合谷　絲竹空　攢竹（俱瀉）。

耳衄取曲池　合谷　聽會　翳風（俱瀉）。

齒衄取曲池　合谷　頰車　下關（俱瀉）。

舌衄刺中衝　少衝　關衝　金精　玉液（俱出血）。

腸風下血取曲池　委中　內關　太谿（俱瀉）。

臟毒下血取曲池　太衝　三陰交　下廉（俱瀉）。

糞後下血取隱白　三里　（俱補）三陰交（亦補）。

小便尿血淋瀝不通。取肩顒　曲池　合谷　內關（俱瀉）又勞宮　三陰交　復溜（俱瀉）。

虛症小便尿血鮮血長流。取關元　三陰交(俱補)又中極　復溜(俱補)。

第八節　神病

心爲一身之主宰。凡語言舉動。意志思慮。無不受心之支配。或云腦髓司知覺運動。不知腦髓亦同受心之策動也。心之所以如此靈敏者。以其爲君主之官。主藏神者也。神卽心中之一團陰精。此陰精乃腎之精氣上合於心者。正如盞中之膏油。故心火得以光明朗潤。燭照事物也。神藏於心。心病卽是神病。若心血不足。則虛煩不眠。心火太過。則心悸懊憹。心中氣鬱。則憂愁不樂。失志傷神。則呆癡健忘。心火不足。則神怯恐怖。風痰入心。則神昏不省。凡此種種皆神病也。治此取神門爲主。以其爲心經之原穴。虛則補之。實則瀉之。隨症施宜可也

虛煩不眠。宜調氣養血安神。取肩顒　曲池　神門(俱瀉)三陰交(補)。

心悸懊憹怔忡。宜清心安神。取神門　內關　曲池　合谷(俱瀉)。

心亂無主。宜鎮心定神之法。取百會　神門　巨骨(俱瀉)

悒悒不樂。宜理氣解鬱。取肩顒　曲池　合谷　神門　內關(俱瀉)。

呆癡健忘宜調神益智。取神門　百會(俱瀉)湧泉(補)。

恐怖怵惕。宜壯火安神。取神門(補)湧泉(瀉)少府(瀉)然谷(補)神昏不省人事。急用開關通竅調神之法。刺十宣　少衝　中衝　百會(俱出血)。再取後穴　水溝(補)神門　四關(俱瀉)。

第九節　癲狂癇

癲狂癇雖爲三症。其實皆不外痰火風氣。驚實邪爲病也。狂則邪入於陽。故兇狂暴跳。目直罵詈。不識親疎。狂歌狂笑。多怒不臥。甚欲操刀殺人也。癲則邪入於陰。故精神呆癡。語無倫次。意志不樂。悲哀欲哭。而多酣睡也。癇則風痰結於胸膈。發則上襲心包。閉塞關竅。故神昏口噤卒倒吐涎沫而抽搐也。治癲狂以墜痰利氣降火安神爲主。治癇則以破痰開關搜風鎭心爲主也。

癲狂取豐隆　陽陵(俱瀉)又百會　神門　後谿(俱瀉)再取下穴繼之。　神庭　陽谷　陽谿　僕參　少海　水溝　攢竹(俱瀉)。

發癇取水溝　百會　神門　四關(俱瀉)再取下穴　後谿　豐隆　陽陵泉　神庭　身柱(俱瀉)又巨闕　上脘　天井　眉沖(俱瀉)。

痫正發時灸鬼眼四穴最效。

第十節　痰飲

痰飲之生。責之於胃。胃燥氣濁。稠質膠結。則熱痰聚。胃陽虛冷。水飲不化。則寒飲生。然此又關乎脾與三焦也。脾主運化。三焦司決瀆。運化不行。則溼聚。決瀆失暢。則水停。水溼交泛。痰飲乃成矣。治法先當理脾以祛溼。通三焦以利水。然後再行化痰。寒則溫之。熱則清之。其痰實者。則折之下之。飲逆者。則攻之降之。是又在臨症之隨機應變也。

諸般痰飲。取中脘（寒補）（熱瀉）　三里（瀉）又上脘（寒補）（熱瀉）　通谷（瀉）。

實痰結滯。取豐隆　腸陵泉（補再瀉）。

痰飲成癖。取巨闕　不容（俱瀉）。

水停不化。取復溜　陰陵（俱補）。

消導痰滌飲。取肩顒　曲池　內關　合谷（俱瀉）。

第十一節　咳嗽

有聲曰咳。有痰曰嗽。咳由氣逆。責之於肺。嗽因痰壅。責之在胃。關於肺者。或風寒外束。

或痰熱內干。或水飲上淩。或衝氣上冒。以致失其清肅下降之令。氣因上逆而咳也。關於胃者。胃濁淫聚而生痰。痰積胃脘。遂隨咳聲而咯出也。治法風寒外束者。取大椎曲池合谷(俱瀉)之解邪。加魚際(瀉)以清肺利氣。痰熱內干者。取肩顒曲池(俱瀉)以順氣導痰。取內關魚際(俱瀉)以清熱。水飲淩肺者。取大椎內關(俱瀉)通決瀆之路以行水。瀉列缺逐肺中之水而利氣。衝氣上逆者。瀉俞府雲門以平衝理肺。瀉巨骨以降氣挫逆。若痰盛咳嗽者。則瀉陽陵泉三里以降濁化痰。瀉尺澤以清肺利氣。痰清氣順。咳自止而嗽自甯矣。其有咳嗽日久。以致肺氣虛損者。則取肺俞太淵以補之。更有火熱薰蒸。津液乾枯而成虛勞咳嗽者。則瀉魚際以降火。補太谿以養陰。是又當從虛勞兼治也。總之咳嗽是標症。其致咳嗽之由是本病。治肺卽是治標。故於清肺理氣之外。尤當究其來源兼治其本也。

第十二節　喘哮

喘是呼吸急促。哮則喘急而兼喉中作響。故又謂之哮吼。喘有虛實之別。哮則兼痰涎壅塞。虛喘氣乏息微。呼吸不能接續。由下元空虛。真氣不足。腎失收納。肺失統攝所致。治以益氣固下元爲主。調肺理氣爲佐。實喘氣粗。胸中滿硬。或由寒邪外束。或由痰火內鬱。或由衝氣挾水飲上犯。以致肺失清肅。壅遏氣道。不能布息而上逆也。治以散風寒。瀉痰火。利水飲為主。降氣清肺利膈為佐。亦有上盛而下虛喘者。則又當虛實兼治也。

喘哮虛症。取氣海 復溜 太淵（俱補）。

外寒侵肺作喘。取大椎 曲池 合谷 魚際（俱瀉）。

痰火鬱結作喘。取內關 魚際 尺澤 肩顒 曲池 合谷（俱瀉）。

衝逆水飲作喘。取中脘（補）承滿 俞府（俱瀉）。

上盛下虛喘逆。取復溜（補） 列缺 內關（俱瀉）。又三陰交（補）俞府 雲門（俱瀉）。

降逆定喘。取巨骨（瀉）。

喘哮宜灸膻中 俞府。

哮吼取天突 扶突（俱瀉）。

第十三節 脹滿水腫

脹滿初起。多因溼氣壅滯中焦。結於膈膜之中。阻礙運化而生。日久則脾氣虛損。運化失職。遂益形脹大。甚則波及三焦。油膜不利。決瀆不行。泛流周身而成水腫矣。治之初起以消導為主。補脾爲佐。宜淸熱利溼升淸降濁之法。勿令其腹大成患。其脾氣漸敗。腹已脹大者。則以補脾爲主。消導爲佐。得脾氣日旺。運化復職。可望脹減滿消。若水腫已成。四肢面目俱腫。則惟有利水化氣益腎補脾諸法兼行。苟施治期早。倘有轉機。以此病最難於根本肅淸也。

脹滿初起。取勞宮(瀉)隱白(補)又內關　三里　陽陵泉(俱瀉)

已形脹滿。取公孫　上廉(俱補)又氣海(補)天樞(瀉)又中脘　章門(俱補)　又三里　三陰交(俱補)。

水腫利水道。取肩顒　曲池　合谷　內關(俱瀉)又大椎　偏歷(俱瀉)。

水腫利小便。取關元(先瀉後補)水道(瀉)。

水腫化氣行水。取氣海　復溜(俱補)又三陰交　上廉(俱補)。

面目浮腫取水溝　頰車(俱瀉)。

水腫最宜灸水分(不宜針)

第十四節　瘧疾

瘧由風暑合邪爲病。以夏傷於暑、秋復感冒風邪。舍於榮衛之間。一旦爲外邪所束。不得汗解。遂發爲瘧疾也。凡瘧疾晝發者輕。以邪在三陽也。夜發者重。以邪在三陰也。日作者衛行。

未失常度。邪猶淺也。間日作者。病久邪深。衛行漸遲。已失常度也。治瘧疾以調和榮衛爲主。榮衛通利。則邪氣自解。其寒多無汗者。當發汗以解表。熱多汗出者。當清熱以和裏。若病久脾胃氣虛者。則又以益氣扶脾爲主也。

瘧疾當其未發前。取大椎（寒無汗者補）（熱多寒少瀉） 曲池（瀉）合谷（瀉）（寒甚者補）寒甚加後谿（補） 熱甚加神門（瀉）。

瘧不已刺委中出血。

久瘧氣虛。取三里 三陰交（俱補之）。

諸瘧再取下穴應之。神門 間使 前谷 公孫 經渠 中封 解谿 太谿 金門 俠谿（寒補）（熱瀉）

第十五節 霍亂

霍亂有乾溼之分。腹痛兼吐瀉者。爲溼霍亂。但腹中絞痛。不吐不瀉者。爲乾霍亂。皆由風寒暑溼。水食雜邪滯於中焦。混於腸胃。淸濁相干。氣血錯雜。以致揮霍變亂。倉猝危急也。大抵乾霍亂最重。溼霍亂較輕。以邪氣穢物得由吐瀉而出也。治此先宜刺出惡血。以解邪穢而通氣血。輕者卽愈。重者更以調理腸胃。升淸降濁之法治之。則吐瀉痛楚自止矣。

霍亂心腹大痛心亂。取曲澤 百會 十宣 中衝 少商 商陽 合谷 少衝 少澤 關衝（俱刺出血）甚則更刺至陰　隱白　厲兌　大敦　竅陰（俱出血）。

乘惡心嘔吐者。更刺金津　玉液（俱出血）。

乘瀉痢者更刺委中出血。

出血後不愈。再取中脘（補）天樞　三里（俱瀉）。

霍亂中寒甚腹痛不止。取氣海　三陰交　陰陵泉（俱補）。

霍亂轉筋於腨上紫筋刺出血。不愈再取下穴繼之。陽陵泉　承山　金門（俱瀉）。

第十六節　噎膈翻胃

經曰三陽結。謂之膈。三陽者。指胃大腸小腸而言也。三者皆人之主要消化器官。胃之上口曰賁門。小腸之口曰幽門。大腸之下口曰魄門。若三腑熱結不散。灼傷津液。則三門乾枯。水穀出入之道路不得通暢。而消化阻滯矣。賁門乾枯則納入水穀之道路狹隘。故食不能下爲噎膈也。幽門乾枯則放出腐化之道路狹隘。故食入反出爲翻胃也。二症日久失治。則魄門乾枯。大腸傳導之路亦因之狹隘。於是大便更燥濇難行矣。治之先清結熱。以養津液。然後再以利膈理腸胃開關門之法繼之。此症少壯可愈。若年高氣弱。則難於奏功也。

噎膈反胃。取中脘（補）上脘　下脘　天樞（俱瀉）　又天突　中魁（俱瀉）　又勞宮　膈俞（俱瀉）。

第十七節　嘔吐噦

嘔吐噦雖屬胃病。然推究其因。則有自動被動之不同。屬於自動發生者。則有胃寒胃熱與胃中停痰蓄食之殊。屬於被動而發者。或肝胆賊邪犯胃。或衝氣上逆入胃。或水飲淩胃。是皆此症之間接原因也。總之無論其為自動被動。或直接間接。要皆不外胃氣上逆可知。故治之以降逆順氣為主。逆降則邪勢挫。氣順則痰水行。然後再依其寒熱虛實。或攻。或清。或溫。或化痰飲。或降衝逆。因症施治可也。

胃腸熱甚嘔吐噦逆。先刺金津　玉液　少商　商陽　合谷　中衝（俱出血）繼取勞宮　三里（俱瀉）

積寒痰飲結滯中宮。嘔吐噦逆。取中脘（補）三里（瀉）。

肝胆邪火犯胃。嘔吐噦逆出苦汁者。取陽陵　三里　太衝（俱瀉）。

蓄食停水嘔吐噦逆。取中脘（補）天樞　三里（俱瀉）。

衝氣上逆。胃陽不宣。嘔吐噦逆。取中脘（補）通谷（瀉）。

第十八節　泄瀉

泄瀉有水瀉寒瀉飧瀉脾瀉腎瀉食瀉火瀉暑瀉之別。水瀉亦名濡瀉。卽水溼作瀉。其瀉多稀水而腸鳴。寒瀉亦名洞瀉。以其直傾而下也。由中焦寒溼過盛而作。故瀉如鴨溏。清冷異常而腸鳴腹痛也。飧瀉由脾虛肝旺。鬱遏淸陽之氣不能上升化物所致。故瀉而完穀不化也。脾瀉純由脾氣虛損。運化失職。故食後卽瀉而腹滿也。腎瀉早晨作瀉。由腎氣不足。下元虛寒。收攝失司所致。食瀉得之傷食。瀉多稠黏臭穢而腹痛噫噦也。火瀉得之心遺熱於小腸。故瀉時陣陣作痛。而思冷飲也。暑瀉得之暑熱下陷。其症面垢煩渴而汗出也。治法水瀉宜利水行溼。寒瀉宜溫中燥溼。飧瀉宜升淸補脾。脾瀉宜益脾理氣。腎瀉宜固腎煖下。食瀉宜降濁行滯。火瀉宜淸火利小便。暑瀉宜解穢淸熱祛溼。此其綱要也。

水瀉取下脘（補）天樞　內關　下廉（俱瀉）。

寒瀉取三陰交（補）三里（補）。

飧瀉取隱白　陰陵泉（俱補）。

脾瀉取三陰交（補）。

腎瀉取氣海　復溜（俱瀉）。

食瀉取中脘(補)天樞　三里(俱瀉)。

火瀉取內關　委中　曲池(俱瀉)。

暑瀉先刺委中出血。繼取大椎　曲池　合谷　內關　上廉(俱瀉)。

第十九節　痢疾

昔賢論痢。議論紛紜。莫衷一是。彭縣唐容川先生。從內經金匱悟出。力主痢屬於肝熱氣滯。以肝主疏泄。其疏洩太過。則裏急暴注。魄門爲肺之司。肺氣不利。則大腸收濇。彼注此濇。不獲直瀉而下。遂發爲裏急後重也。治宜清肝熱。開肺氣。肝清則不裏急暴注。氣利則大腸通快而不復重矣。此說誠足以發前人所未發。爲後世開一大法門。然僅爲局部之貢獻。不足以例治全部。緣痢疾不僅一肝熱爲病也。其他尚有感受風暑溼熱而發者。或內傷飲食而發者。是又不可一概抹殺也。且此症初起。多屬熱屬實。久則屬寒屬虛。更當甄別論治也。

下痢裏急後重。取曲池　陽陵　太衝(俱瀉)。

暑溼下痢赤白汚穢。刺委中(出血)。

溼熱下痢。取內關　委中　太谿　上廉(俱瀉)。

噤口痢水穀痢。取中脘(補)天樞　三里(俱瀉)。

下痢膿血。取下廉　曲泉(俱瀉)太白(補)。

久痢虛寒當溫補升固。取三陰交(補)　又三里　隱白(俱補)。

第二十節　黃疸

病黃疸者。周身面目俱黃。小便亦呈渾黃色。但欲安臥。有穀疸酒疸女勞疸之分。穀疸卽胃疸。以食穀入胃。脾氣不輸。穀氣不消。胃氣壅遏。溼熱相併。遂蒸發成黃。其初起寒熱不食。食卽頭眩。心胸不安。是其候也。酒疸因過飲之人。溼熱相蒸而成。溼熱上薰心包。故心中懊憹。溼熱蓄結。故足心熱。而小便不利也。女勞疸由色慾過度。瘀熱結於胞宮所致。其候額上黑。薄暮手足中熱。膀胱急。小便自利也。治法穀疸酒疸以利小便爲主。女勞疸以攻結熱降濁滯爲主。且黃之發。乃溼熱鬱於肌膚。故又可從淸熱解表之法以發之。諸疸裏實者。亦可下之。所謂釜底抽薪卽不薰蒸而發黃也。

穀疸取中脘(補)　上脘　三里(俱瀉)。

酒疸取魚際　內關　陰陵泉(俱瀉)。

女勞疸取湧泉　勞宮(俱瀉)　又曲池　三陰交　太衝(俱瀉)。

諸黃取大椎　曲池　合谷　內關(俱瀉)　又水溝　商邱(俱瀉)。

諸黃裏實者。取豐隆　陽陵　三里(俱瀉)。

第二十一節　消症

消分上中下三消。上消屬肺。飲水多而小便如常。中消屬實。或消穀善飢。或飲水多而小便短赤。下消屬腎。飲水多而小便渾濁。三消皆由燥熱太過。津液枯涸有以致之。惟下消間有由於腎陽虛寒者。則飲一溲二。小便清白者是也。治法上消宜清熱潤肺。中消宜瀉胃中燥火。上消屬於熱者。以通利小便爲主。屬於虛寒者。以補腎化氣爲主。是當分別施治之。

上消取曲池　合谷　內關　魚際(俱瀉)。

消穀善飢。取三里　陽陵　大陵(俱瀉)。

中消飲水多。小便短赤。取內關　三里　委中(俱瀉)。

下消飲水多。小便渾濁。取內關　太谿　陽陵　委中(俱瀉)。

飲一溲二。取三陰交(補)　又關元　復溜(俱補)。

第二十二節　積聚

積聚卽癥瘕痃癖之類。皆由寒邪凝結而成。有形體可捉摸。阻滯運化。常令人腹痛不下飲食。甚則煩滿嘔吐逆亂悸動。其寒與脂膜血汁結成者。謂之積。其體牢堅發有定處。毫不移動。故難治。寒與水氣結成者。謂之聚。其體柔軟。發無根本。時上時下。忽聚忽散。較爲易治。大法以溫化爲治療之主體。惟年深日久。塊堅腹脹大者。則難於痊癒矣。

積聚。取中脘(補)三里(瀉)又氣海(補)天樞(瀉)又章門(補)府舍(瀉)又上脘(補)不容(瀉)又中極(補)水道四滿(俱瀉)又關元(補)商曲(瀉)又三里　三陰交(俱補)。

肝積肥氣瀉行間　心積伏梁瀉神門　脾積痞氣瀉商丘
肺積息賁瀉缺盆　腎積賁豚瀉湧泉　此瀉五臟之實積也

第二十三節　疝

諸疝皆任肝二經爲病。以任脈起於會陰。循陰器而上毛際。肝之經亦過腹裏而環陰器也。主於任脈者。下元寒冷。氣血凝滯。故內結爲疝也。主於肝經者。肝主筋。前陰又爲宗筋所聚。傷於寒則卵縮滯痛。傷於熱則挺縱下墜是也。治法。寒者以溫下元散結滯爲主。熱者以清熱舒筋爲主。兼溼腫大者。更以利溼之法佐之。自可收效也。

寒疝痛引少腹或卵上入腹。取三陰交(補)又關元　歸來(俱補)。

熱疝紅腫作痛。取曲池　三陰交　太衝(俱瀉)。

㿉疝橫骨兩端約文中筋聚如瓜。取曲泉　中都(俱瀉)。

溼熱疝腫大墜重。取內關　委中(俱瀉)隱白(補)。

偏墜灸法。量患者口之兩角。依法折作三段。如三角形。以一角安臍心。其下垂兩角尖處是穴。左墜灸右。右墜灸左。左右俱患俱灸。

諸疝。取大敦(熱瀉)(寒補)

第二十四節　遺精

遺精有夢遺滑精之別。夢遺多由青年性慾發達期間。思想有感於中。心肝火旺前陰挺縱。寐中肝魂不甯。因發爲夢。因夢境而慾動。陽舉而精洩矣。滑精則由過慾之人。日慣精滑。腎失收攝。關門不固所致。故夢遺多爲實症。多因陽舉而精射出。滑精多爲虛症。多不自覺而洩出也。治法夢遺以清心火滅思慮平肝爲主。固關門爲佐。滑精則純以補腎固關門爲主。腎氣足關門固。則精自收藏矣。再者肝火旺甚之人。陰莖挺縱。睡眠之時。務側臥爲妙。若仰睡或伏臥。陰頭有所抵觸。最易發生夢遺故也。

夢遺取神門　曲泉　太冲（俱瀉）三陰交（先瀉後補）關元　蠡溝（俱瀉）然谷（先瀉後補）中封（瀉）。

滑精取中極　三陰交（俱補）關元　大赫（俱瀉）氣海　復溜　陰陵泉（俱補）。

夢遺滑精灸精宮（即志室）腎俞

第二十五節　淋濁

淋是小便淋瀝不利。莖中濇痛。甚則癃閉。點滴俱無。濁是便溺前後帶出濁物。白如米湯。二症皆由溼熱毒穢深結膀胱。壅滯水道所致。治以清熱祛溼利水解毒之法。濁滯通行。則水道自暢矣。

淋濁通治取內關　委中　太谿　陽陵泉（俱瀉）曲池　然谷　三陰交（俱補）關元　復溜（俱先瀉後補）

諸淋取肩髃　曲池　內關　合谷（俱瀉）復溜　陰陵（俱先瀉後補）

第二十六節　遺尿

遺尿一症以小兒最多。老人腎氣虛弱。亦常有之。皆由腎氣不足。下元虛寒。收納失司。不能統攝之故。觀小兒至十五六歲後。腎氣日盛。關門漸固。遂自能收攝而不復遺矣。然亦有腎氣過於薄弱。迄壯年仍遺尿如故。或中年腎氣乍虛而遺者。甚或有關門收納全失。尿出不禁。毫無知覺者。是皆腎虛不能約束膀胱而爲病也。治此以振腎陽溫下元爲主。釜底添薪。氣化行而州都知。關門自守矣。

遺尿不禁取三陰交(補)中極　陰陵泉(俱補)氣海　復溜　關元　水道(俱補)。

第二十七節　心腹胸脅諸痛

心爲君主之官。神明所出。外有包絡圍護。邪氣絶難干犯。故作痛時極尠。間有他藏之經氣逆厥上薄于心之分而作痛者。是厥心痛也。引其氣。導其逆。再淸其心。卽可痊癒。若邪氣直干心臟。傷其臟眞。而作痛者。是眞心痛。其痛甚手足青至節。旦發夕死。夕發旦死。歧骨以下作痛者。是胃脘痛也。胃脘痛。有由於胃寒氣滯者。有由於痰熱蓄結者。有由於水飲泛逆者。有由於蚘虫上干者。有由於食停濁壅者。雖各不一。然皆當先以升淸降濁通陽利氣之法。以止其痛。痛止後再探原施治可也。大腹痛屬之於脾。多由脾陽不運。寒氣積聚而作。治以溫中化滯。利氣爲主。小腹痛多由下元陽虛。寒氣結於腸膜之中。以振陽溫中之法治之。胸爲肺之部。肺下有膈膜。肺氣不宣。膈中阻滯。則胸中痛。治宜利膈而宣散肺氣。脅肋痛屬之肝胆。肝胆氣鬱。則脅痛。當隨症斟酌治之。

心痛取肩顒　曲池　內關　神門（俱瀉）巨闕（補）。

胃脘痛取上脘　中脘　下脘（俱補）三里　通谷　天樞（俱瀉）。

大腹痛取三陰交　陰陵泉　隱白（俱補）。

小腹痛取氣海　關元（俱補）天樞　四滿（俱瀉）。

挾臍腹引兩脅痛取上廉（補）。

胸痛取肩顒　曲池　大陵　魚際　雲門　風府（俱瀉）。

氣鬱脅肋作痛取支溝　陽陵　太衝（俱瀉）。

寒氣積聚脅痛取章門　氣海（俱瀉）。

瘀血作痛取曲池　三陰交　陽陵（俱瀉）。

留飲作痛取中脘（補）不容（瀉）。

第二十八節　頭痛眩暈

頭痛有虛實之分。大抵暫痛多爲實邪。久痛則兼正虛。然亦有久痛爲邪所纏。新痛因虛而發者。是又不可一概而論也。實邪痛者。風熱痰火是也。正頭痛多是風熱。偏頭痛多是痰火。治以清熱散風降痰瀉火爲主。邪去則痛自蠲也。兼虛而痛者。當視其氣虛或血虛。隨以養血之法益氣之法兼治之。自可收桴鼓之效也。眩暈亦分虛實兩端。經云上虛則眩。又云腎虛則高搖。髓海不足則腦轉耳鳴。是皆指虛而言。所謂上虛者。即腦虛也。腦爲髓海。髓生於精。精藏於腎。是所謂上虛也。髓海不足。皆腎虛之故也。因其上虛而髓海空也。故五臟厥逆之氣。得以上冒而眩暈也。由於實邪者。如肝臟火旺。痰飲內盛之人。肝陽鼓動。或偶感風邪。於是風火交煽。挾痰飲上竄於頭。故作眩暈。此即內經諸風掉眩皆屬於肝之謂。所以張仲景以痰飲立論。劉河間以風火立論也。然而此虛實兩端。又每有連帶之關係。因其腎虛也。故水不涵木。而木愈橫。因其髓海空也。故肝風胆火得以上竄。此又葉天士滋陰平肝之主張也。由是對於眩暈之治也。得一結論矣。審其陰虛而眩暈者。則滋腎益精。補髓以培其木。導逆引氣。以撫其標。其純由實邪作祟者。則瀉肝胆。搜風火。滌痰飲。除暴安良。刻不容緩也。若陳久眩暈。時作時止。因虛而又兼實者。則平肝瀉實以治其標。滋腎益精以理其本。是又活法中之定法也。

正頭痛取曲池　合谷　絲竹空　百會　風府　曲差(俱瀉)。

偏頭痛取風池　頭維　率谷　豐隆　本神　解谿(俱瀉)。

頭風眩暈取百會　風池　曲池　合谷(俱瀉)。

痰火眩暈取絲竹空　陽陵　豐隆　上星　正營　五處(俱瀉)。

厥氣亂於頭眩暈取天柱。大杼(俱平補平瀉)。

眩暈「滋髓補腎」取復溜　懸鐘(俱補)。

第二十九節　眼目

目病分內外二障。內障多因腎虛。水精不能上注。故瞳神晦暗無光。視物䀮䀮不明。治以補腎精聚神光爲主。外障則因風火上攻。或赤腫痛爛。或生翳膜。或胬肉攀毛。或淚出瘙澀。症象至多。治此以清火散風化翳膜爲主。惟眼病。其瞳子爲障膜完全遮盡。毫無所見。或瞳光過散。不能分清物件者。則難於有效也。

暴發赤腫一切外障取曲池　合谷　絲竹空　內關(俱瀉)。　又上星　內迎香(俱刺出血)。

淚出取風池　頭維　臨泣(俱瀉)。

眼毛倒睫取瞳子髎　攢竹(俱瀉)。

眼生翳取後谿　睛明　陽白　耳尖　魚腰(俱瀉)。

內外障通治取大骨空　小骨空(俱瀉)。

目視䀮䀮取目窗　光明(俱瀉)。

精光不足取水泉(補)百會(瀉)復溜　肝俞(俱瀉)。

目青盲取商陽　巨髎(俱瀉)。

第三十節　鼻

鼻通於腦。又爲肺之竅。故胆移熱於腦。則發爲鼻淵。外寒束肺。則鼻塞流涕。又督脈循脊上腦。過鼻下入齒。若諸陽熱甚。則血上溢而爲鼻衄。是以鼻科諸症。以治腦清肺降熱爲主也。肺熱爲外寒所束。鼻塞流涕。或熱甚衄血不止。取風府　曲池　合谷　魚際　二間　承光　迎香(俱瀉)又上星(刺出血)。

鼻淵鼻窒取懸鐘　禾髎　素髎(俱瀉)又神庭　通天(俱瀉)。

第三十一節　牙齒

牙爲骨之餘屬乎腎。牙齦爲陽明經所過之地。上牙齦屬足陽明胃經。下牙齦屬手陽明大腸經。平常牙痛多由陽明經風火上攻。乃牙齦作痛。非齒痛也。惟客寒犯腦。多頭連齒痛。是卽寒牙痛也。若牙齒不痛。但覺齒長鬆動者。是爲腎衰之象。治以補腎爲主。治風火牙痛。則又當瀉陽明積火。兼疏散風邪也。

風火牙痛取曲池　合谷　頰車　二間　大迎　三里(俱瀉)。

牙車急口噤取翳風　大迎　頰車(俱瀉)。

牙車脫落取聽會　下關(俱瀉)。

寒牙痛取三里　少海　太谿(俱補)。

腎虛齒搖動取太谿(補)。

第三十二節　咽喉

咽喉腫痛。多由上中焦積熱與風邪。結於咽喉所致。此症最是險急。初起但覺腫痛不利。卽宜以清熱散風之法施治。若失治邪盛。則咽喉腫閉。語言難出。是名喉痺。或於會厭兩旁生單雙乳蛾。甚或有熱與痰涎結於喉間。內外腫閉。湯水不下而成纏喉風者。是皆危急之候也。當速以瀉熱破結之法。挫其邪勢。或用針於腫處刺破出其惡血。庶有挽回之希望。若潰後膿血不出。腫閉如故。湯水仍不下咽。則不起矣。

咽喉腫痛喉痺乳蛾等症。先刺少商　商陽　合谷　中衝(俱出血)　甚則更刺關衝　少衝　少澤(俱出血)再取合谷　曲池　魚際　內關　頰車　尺澤　三里　三間　天容　然谷　翳風(俱瀉)

咽喉內外腫閉。湯水不下。前穴不效。再刺金津　玉液(俱出血)。　再取豐隆　陽陵　天突　照海　神門　氣舍(俱瀉)。

第三十三節　口舌

口爲脾之竅。舌爲心之苗。心胃火熾。則口出臭味。脾經風熱盛。則唇腫痛。胃熱絡脈弛。則唇不收。心火上炎。則發爲舌腫重舌。心氣虛。則暴瘖不能言。風痰客於舌本。則舌强急不語。當分別治之。

口臭取水溝　勞宮　三里(俱瀉)。

唇腫痛取巨髎　迎香　曲池　合谷(俱瀉)上唇卒腫取兌端(出血)。

唇緩不收取地倉　兌端　承漿(俱瀉)。

舌腫重舌。先刺手之井穴出血。及金津玉液出血。再取曲池　合谷　神門　內關　啞門(俱瀉)。

暴瘖不能言。取風府　天突(俱瀉)通里(補)。

舌强急不能言。取啞門　肩顒　曲池　中衝(俱瀉)。

第三十四節　耳

耳爲腎竅。內通於腦。故腎虛精氣不足。陰氣厥逆。上亂於頭。則耳聾而嘈嘈苦鳴也。亦有少壯之人。卒然耳聾蟬鳴者。是又爲少陽風火上煽之故。以手足少陽之脈。皆環繞於耳前後也。治法前者以補腎導逆氣爲主。後者則以瀉少陽開關竅爲主也。

腎虛耳鳴耳聾。取復溜(補)天柱　大杼(俱平補平瀉)。

風火上煽耳鳴耳聾取曲池　合谷　外關　聽會　翳風(俱瀉)天井　耳門　風池　天容(俱瀉)。

第三十五節　婦女

婦女之病。除月經崩帶胎產諸門。異於男子外。其餘禾嘗有別。玆特將月經崩帶胎產諸病一申言之。

婦人因生育有關係。故以血爲主。所謂人之生也。稟父精母血而成形是也。此血由中焦化氣。

取汁而生。與男子無異。惟女子二七之年。腎中癸水至於胞中。此血卽循衝任二脈亦下入胞中。與癸水會合。則爲經血。每月一行。以作胎孕之用。是謂月經。故女子月經調暢。乃爲常態。乃可受孕。反之月經失調。則爲經病。則不能受孕矣。故求嗣必先調經。而月經之所以不調者。則有寒熱虛實四大原因。寒症者腹中積冷結氣。積聚成塊。致經血凝滯。始則後期色黯。久則經閉。治以溫散化滯爲主。熱症者。心肝火盛。血被熬煎而沸騰。而乾枯。故多先期而來。其色紫黑。甚則經閉。身形枯槁。治當清心平肝。滋陰涼血。虛症者。或因失血過多。或因脾胃虛損。化生者少。或因內熱陽亢。灼傷津液。腎陰虧竭。以致癸水不足。經血枯涸。其經來色淡而少。漸至閉絕。是爲勞病之屬階。當速以養陰生血之法治之。實症者。或瘀血留結不去。或水與血結於血室。或淫邪阻滯。或經血過多。頻頻下行。皆當以去瘀逐邪之法爲治。凡此種種。皆月經不調之重要原因。失治則經血閉絕。他病叢生矣。崩是血崩。非經期而下血之謂。多者爲崩。少者爲漏。行經而下血過多不止者。亦是血崩。古又名崩中。謂脾虛中洲不能統血。而崩潰也。此症總因脾經虛陷而成。治以升補脾氣固中洲爲主。亦有由於肝胆火肆。橫逆侮中。血不甯靜。而崩潰者。是又當清肝瀉火也。帶是帶脈爲病。帶脈下繫胞宮。中束人身。

居身之中央。由脾所司。其帶下之汚穢赤白物。乃脾氣下陷。帶脈失其約束。溼熱下注。與胞中之血水混雜而成。治此以袪溼利水升脾氣固帶脈爲主。崩帶雖皆有關於脾。然一是血病。一是水濁。不無分別也。

婦人胎前以清熱養血爲主。以胎兒在腹。日吸母血。於是陰血不足。陽常有餘。其胎動胎漏煩熱惡阻墮胎等症。無一非陽亢陰虧。胎無以養之象。苟得熱清血足。則諸症自甯。而胎亦安穩矣。及期難產者。多由於胎前失於調攝。氣血阻滯。或交骨不開。或坐草太早。用力顚倒所致。此時急宜以催氣活血之法施治。若產後暈絕。不省人事者。姑無論其爲氣血虛脫。或惡血衝心。總以先開其關竅。通其閉塞。爲當務之急。然後再隨其虛實。或行瘀。或補虛。或舒調氣血。以善其後也。大法產後屬虛。固宜補益。然每多惡露未行。瘀留未去。通利之不遑。而竟誤施補澀。以致水與血結。轉變爲水腫臌脹者。是又不可不愼重將事也。胎產雜症尙多。不勝枚舉。可參攷各門施治。茲不贅及也。

血寒月經不調。色黯腹痛。後期。取三陰交(補)

癥瘕經阻。取氣海(補)天樞(瀉)曲池　中極　地機(俱補)水道(瀉)

血熱經血色紫黑。瘀結成塊。先期而來。取曲池 內關 三陰交 通里 太冲 陽陵泉(俱瀉)。

熱盛陰液枯涸。月經色淡。血少。取內關(瀉)三陰交(補)陰陵 曲池 水泉(俱補)

脾胃虛弱。飲食不暢。血虛經少。取隱白 三里(俱瀉)

瘀血留結。水溼雜邪阻滯。經閉不調。取四關 曲池 三陰交 內關 陽陵泉 崐崙(俱瀉)

經血過多不止。取通里 肩顒 曲池(俱瀉)

思慮鬱結經閉取肩顒 曲池 間使(俱瀉)。

經閉取關元 交信(俱補)。

脾虛帶下取隱白 三里 三陰交(俱補)。

溼熱壅滯帶下穢物。取蠡溝 太谿 合陽(俱瀉)。

帶下取關元 帶脈(俱補)。

崩漏取三陰交 氣海 交信 大敦(俱補)

肝胆火旺血不歸經。崩漏。取通里 中都(俱先瀉後補)。

婦人無子。取關元 三陰交 中極 子宮(俱補)商邱 四滿 石關(俱補)

安胎取合谷(瀉)三陰交(補)。

惡阻嘔逆取勞宮　三里(俱瀉)。

妊娠煩熱取曲池　合谷　內關(俱瀉)。

子上冲心昏悶取巨闕　三里　支溝(俱瀉)。

難產取合谷(補)三陰交(瀉)又灸至陰。

交骨不開難產取肩井(瀉)。

胎死腹中取崐崘　曲池(俱瀉)又灸獨陰。

胎衣不下取中極　崐崘(俱瀉)。

前陰下墜。取隱白　三陰交　曲骨(俱補)。

惡露不行。取曲池　三陰交　太衝　中極　四滿(俱瀉)。

惡露不止。取關元　三陰交(俱補)

無乳取前谷　內關(俱瀉)乳根　三陰交(俱補)

第三十六節　小兒

小兒發育未全。正生長之期。內無七情之擾。外惟風寒之侵。或飲食生冷不節。或積乳停痰。故其爲病也。實症多而虛症少。治之之法。淸解通利而已。且小兒不能留針。僅可出血。凡寒熱咳嗽驚癇吐瀉。蓄食停積諸症。自可應手而起。若脾胃之生氣過於戕賊。阻其發育之機。以致尫羸瘦弱。腹大食減。日超危殆者。則恐施補之無術也。

小兒一切內熱外感均取下穴爲主。　少商　商陽　合谷(俱刺出血)再取下穴應之。

如熱甚咽喉腫痛痧疹。取少衝　中衝　關衝　少澤(俱刺出血)。

驚癇瘈瘲角弓反張。更取諸井穴及十宣(俱刺出血)。甚則再取素髎　水溝　百會　印堂　風府　神門　身柱　命門　崐崘　瘈脈(俱刺出血)大哭效。

脾虛慢驚風取隱白　印堂(俱補)臍風取上穴針之。再灸臍上青經頭。

停食蓄乳久成疳積。取四縫有積出粘液。無則出血。左右共八穴。

吐瀉更刺中指兩側出血。男孩外側止汗。內側止瀉。女孩反是。

脫肛灸百會再刺長强。(出血)。

口瘡蝕爛灸勞宮。

第三十七節　救急

救急唯鍼灸最捷。以卒死溺死霍亂中風等危急之候。氣血隔絕。關竅壅閉。命在須臾。瞬息不救。若求臨時備藥餌以施治。實感不便。抑恐不能。獨針灸有開通關竅。調和氣血之速效特功。且便於攜帶。利於施行。故立可起死回生。轉危爲安也。

一切閉證不省人事。皆宜急刺手足十二井穴。百會　合谷（俱出血）

風中於臟。牙關不開。不省人事。痰涎壅塞。刺上穴後。再取水溝（補）風府（瀉）

尸厥卒死溺死。再取會陰（補）。

霍亂腹絞痛不可忍。吐瀉不止。取曲澤　委中　百會　十宣　少商　商陽　合谷　中衝　金津　玉液。（俱刺出血）

喉痺腫閉。舌腫水飲不下。急刺少商　商陽　合谷　少澤　關衝　中衝　少衝　金津　玉液（俱出血）。

痧毒偏身紅點。刺曲澤　委中（俱出血）。

陽絕欲亡。急取氣海（補）灸神闕。

第三章　治療總訣

第一節　十二經井滎俞經合治症主要訣

井之所治……皆主心下滿　滎之所治……皆主身熱

俞之所治……皆主體重節痛　經之所治……皆主喘咳寒熱

合之所治……皆主熱氣而泄

「說明」心下滿屬於肺氣鬱結者。針肺之井穴少商。屬於陽明熱結者。針陽明之井穴商陽與厲兌。餘皆類推。身熱屬於肺熱者。針肺之滎穴魚際。屬於胃熱者。針內庭。餘皆類推。茲略引其例。

第二節　行針指要訣

或針風……先向風府百會中　或針水……水分俠臍上邊取

或針結……針着大腸腸間穴　或針痨……須向膏盲及百勞

或針虛……氣海丹田委中寄　或針氣……膻中一穴分明寄

或針嗽……肺俞風門須用灸　或針痰……先針中脘三里間

或針吐……中脘氣海膻中補……翻胃吐食一般醫

「說明」針風病以風府百會爲主。再針他穴。針水病以灸水分爲主。再針他穴。餘皆類推。

第三節　四總穴訣治療訣

肚腹三里求　腰背委中留　頭項尋列缺　面口合谷收

「說明」人身上部之病多屬手陽明經病。多取其經穴針之。中部病屬足太陰經病。多取其經穴以針之。餘可類推。

第四節　看部取穴治療訣

人身上部病取手陽明經。中部病取足太陰經。下足部病取足厥陰經。前膺病取足陽明經。後背病取足太陽經。

「說明」人身上部之病多屬手陽明經病。多取其經穴針之。中部病屬足太陰經病。多取其經穴以針之。餘可類推。

第四章　五募八會及十二經原絡治療法訣

第一節　五募治療

肝募期門。心募巨闕。脾募章門。肺募中府。腎募京門。

按募者聚也結也言經氣之所聚結也六十七難曰五臟募皆在陰又金匱真言論曰言人身之陰陽則背爲陽腹爲陰是以五臟募穴皆在胸腹設認定病之屬于何臟者卽取該募穴針之卽擒賊先擒王之意也

第二節　八會治療

腑會中脘　臟會章門　筋會陽陵　髓會絕骨　血會膈俞　骨會大杼　脈會太淵　氣會膻中

按凡屬腑病先針中脘繼針別穴臟病先針章門繼針他穴餘類推會者言其氣之會於此也

第三節　十二經原絡治療

(1)肺主大腸客　肺經原……太淵　大腸絡……偏瀝

太陰多氣而少血心胸氣脹掌發熱喘咳缺盆痛莫禁咽中喉乾身漢越肩內前廉兩乳疼痰結膈中氣如缺所生病者何穴求太淵偏瀝與君說

按主客者主病與客症也何謂主病卽其本經之主症何謂主病卽其本經之主症何謂客病因本經之症而涉及標病卽爲客症譬如太陰肺與陽明大腸爲表裏太陰肺之本病而牽及陽明大腸病則肺爲主病大腸爲客症主病刺本經之原穴客症刺客經之絡穴治時感病能認識其主客按穴施治

無不應手而愈者下列各經主客解釋同

(2)大腸主肺客　大腸原……合谷　肺經絡……列缺

陽明大腸俠鼻孔面痛齒疼顋頰腫生疾目黄口亦乾鼻流清涕及血湧喉痹肩前莫敢當大指次指爲一統合谷列缺取爲奇二穴針之居病總

(3)脾主胃客　脾經原……太白　胃經絡……豐隆

脾經爲病舌本强嘔吐胃翻疼腹腸陰氣上冲噫難瘳體重脾搖心事妄瘧生振慄兼體羸秘結疸黄手執杖股膝內腫厥而疼太白豐隆取爲尙

(4)胃主脾客　胃經原……衝陽　脾經絡……公孫

腹䐜心悶意悽愴惡人惡木惡燈光耳聞響動心中惕鼻衄唇喎瘧又傷棄衣驟步身中熱痰多足痛與瘡瘍氣蠱胸腿痛難止冲陽公孫一刺傷

(5)心主小腸客　心經原……神門　小腸絡……支正

少陰心痛并乾嗌渴欲飲兮爲臂厥生病目黄口亦乾脅臂疼兮掌發熱若人欲治勿差求專在醫人心審察驚悸嘔血及怔忡神門支正何堪缺

(6)小腸主心客　小腸原……腕骨　心經絡……通里

小腸之病豈爲良頰腫肩疼兩脅傍項頸强疼難轉側嗌頷腫痛甚非常肩似拔兮臑似折熱病耳聾及目黃臑肘臂外後廉痛腕骨通里取爲强

(7)腎主膀胱客　腎經原……太谿　膀胱絡……飛揚

臉黑嗜臥不欲糧目不明兮發熱狂腰疼足痛步履難若人捕獲難躲藏心胆戰兢氣不足更兼胸結與身黃若欲治之無更法太谿飛揚取最良

(8)膀胱主腎客　膀胱原……京骨　腎經絡……大鐘

膀胱頸病目中疼項足腰腿痛難行痢瘧狂癲心胆熱背弓及手額眉稜鼻衄目黃筋骨縮脫肛痔漏腹小膨若要治之無別法京骨大鐘任顯能

(9)三焦主包絡客　三焦原……陽池　包絡絡……內關

三焦爲疾耳中聾喉痹咽乾目腫紅耳後肘疼并出汗脊間心後痛相從肩背風生連搏肘大便難閉及閉癃前病治之何穴愈陽池內關法理間

(10)包絡主三焦客　包絡原……大陵　三焦絡……外關

包絡爲病手攣急臂不能伸痛如屈胸脅滿腋腫平心中淡淡面色赤目黃善笑不肯休心煩心痛掌熱極良醫達士細推詳大陵外關痛消失

(11)肝主胆客　肝經原……太衝　胆經絡……光明

氣少血多肝之經丈夫㿗疝苦腰疼婦人腹膨小腹腫甚則咽乾面脫塵所生病者胸滿嘔腹中泄瀉痛無停癃閉難溺疝瘕痛太冲光明卽安甯

(12)胆主肝客　胆經原……邱墟　肝經絡……蠡溝

胆經之穴何病主胸脅肋疼足不舉面體不懌頭目疼缺盆腋腫汗如雨頸項癭瘤堅似鐵瘧生寒熱連骨髓已上病症欲治之須向邱墟蠡溝取

第五章　前賢治療法

第一節　八法治療

(1)公孫

(西江月)公孫乾六衝脈九種心疼延悶結胸翻胃難停酒食積聚胃腸鳴水食氣疾膈病臍痛腹疼脅脹腸風瘧疾心疼胎衣不下血迷心泄瀉公孫立應

「說明」西江月係詞調容易熟誦八法者奇經八脈之主要針穴也凡有上列各病先針公孫後刺他穴易於收效以下七穴俱同此前人以此八穴配八卦與九宮格以公孫配乾卦合六數對衝脈故曰公孫乾六衝脈以下七穴首句意皆同此

(2)內關

(西江月)內關艮八陰維中滿心胸痞脹腸鳴泄瀉脫肛食難下膈酒來傷積塊堅橫脅撐掃女脅疼心痛結胸裏結難當傷寒不解胸悶瘧疾內關獨當

(3)後谿

(西江月)後谿兌七督脈手足拘攣戰掉中風不已癇癲頭疼眼腫淚漣漣腿膝腰背痛遍項强傷寒不解牙齒顋腫喉咽手麻足麻破傷牽盜汗後谿先砭

(4)申脈

(西江月)申脈坎一陽蹻腰背屈强腿腫惡風自汗頭疼雷頭赤目痛眉稜手足麻攣臂冷吹乳耳聾鼻衄癲癇肢節煩憎偏身腫滿汗頭淋申脈先針有應

(5)臨泣(足臨泣)

（西江月）臨泣巽四帶脈手足中風不舉痛麻發熱拘攣頭風痛腫項腮連眼腫赤疼頭施齒痛耳聾咽腫浮風搔痒筋牽腿疼脅脹肋肢偏臨泣針時有驗

（6）外關

（西江月）外關震三陽維肢節腫疼膝冷四肢遂頭風背胯內外骨筋攻頭項眉稜皆痛手足熱麻盜汗破傷眼腫睛紅傷寒自汗表烘烘獨會外關爲重

（7）列缺

（西江月）列缺離九任脈痔瘧便腫泄痢唾紅溺血咳痰牙疼喉腫小便難心胸腹疼噎嚥產後發强不語腰痛血疾臍寒死胎不下膈中寒列缺乳癰都散

（8）照海

（西江月）照海陰蹻坤二五喉塞小便淋澀膀胱氣痛腸鳴食黃酒積腹臍并嘔瀉胃翻便緊產難昏迷積塊腸風下血常頻膈中快氣氣核侵照海有功必定

第二節　馬丹陽天星十二訣

（1）三里　三里膝眼下三寸兩筋間能通心腹脹善治胃中寒腸鳴并泄瀉腿腫膝胻痠傷寒羸瘦損氣

蟲及諸般年過三旬後針灸眼便寬取穴當審的八分三壯安

「説明」凡有上病須針或灸三里穴馬丹陽之十二訣頗得針灸之捷要以下十一訣倣此不贅

(2)內庭　內庭次趾外本屬足陽明能治四肢厥喜靜惡聞聲癮疹咽喉痛數欠及牙疼瘧不能食針着便惺惺

(3)曲池　曲池拱手取屈肘骨邊求喜治肘中痛偏風手不收挽弓開不得筋緩莫梳頭喉閉促欲死發熱更無休遍身風癬癩針着即時瘥

(4)合谷　合谷在虎口兩指歧骨間頭疼并面腫瘧病熱還寒齒齲及衄血口噤不開言針入五分深令人即便安

(5)委中　委中曲脷里橫紋脈中央腰痛不能舉沉沉引脊梁痠疼筋莫展風痺復無常膝頭難伸屈針入即安康

(6)承山　承山名魚腹腨腸分肉間喜治腰疼痛痔疾大便難脚氣并膝腫展轉戰疼痠霍亂及轉筋穴中刺便安

(7)太衝　太衝足大指節後二寸中動脈知生死能醫驚癇風咽喉并心脹兩足不能行七疝偏墜腫眼目似雲朦亦能療腰痛針下有神功

(8)崑崙　崑崙足外踝跟骨上邊尋轉筋腰尻痛暴喘滿中心舉步行不得一動卽呻吟苦欲求安樂須於此穴針

(9)環跳　環跳在髀樞側臥屈足取折腰莫能顧冷風并溼痺腿胯連腨痛轉側重欷歔若人針灸後頃刻便消除

(10)陽陵　陽陵居膝下外廉一寸中膝腫并痲木冷痺及偏風舉足不能起坐臥似衰翁針入六分止神功妙不同

(11)通里　通里腕側後去腕一寸中欲言聲不出懊憹及怔忡實則四肢重頭腮面頰紅虛則不能食暴瘖面無容毫針微微刺方信有神功

(12)列缺　列缺腕側上次指手交叉善療偏頭患遍身風痺痲痰涎頻壅上口噤不開牙若能明補瀉應手卽如拏

第三節　百症賦

百症俞穴。再三用心。顖會連於玉枕。頭風療以金針。懸顱頷厭之中。偏頭痛止。强間豐隆之
際。頭痛難禁。原夫面腫虛浮。須仗水溝前項。耳聾氣閉。全憑聽會翳風。面上虫行有驗。迎
香可取。耳中蟬鳴有聲。聽會可攻。目眩兮。支正飛揚。目黃兮。陽綱胆俞。攀睛攻肝俞少澤
之所。淚出刺臨泣頭維之處。目中漠漠。卽尋攢竹三間。目覺䀮䀮。急取養老天柱。觀其雀目
肝氣。睛明行間而細推。審他項强傷寒。溫溜期門而主之。廉泉中衝。舌下腫疼可取。天府合
谷。鼻中衄血宜追。耳門絲竹空。住牙疼於傾刻。頰車地倉穴。正口喎於片時。喉痛兮液門魚
際去療。轉筋兮金門邱墟來醫。陽谷俠谿。頷腫口噤並治。少商曲澤。血虛口渴同施。通天治
鼻內無聞之苦。復溜去舌乾口燥之悲。啞門關冲。舌緩不語而要緊。天鼎間使。失音囁嚅而休
遲。太冲瀉脣喎以速愈。承漿瀉牙疼而卽移。項强多惡風。束骨相連於天柱。熱病汗不出。大
都更接於經渠。且如兩臂頑麻。少海就傍於三里。半身不遂。陽陵遠達於曲池。建里內關。掃
盡胸中之苦悶。聽宮脾俞。祛殘心中之悲悽。從知脅肋疼痛。氣戶華蓋有靈。腹內腸鳴。下脘
陷谷能平。胸脅支滿何療。章門不用細尋。膈痛飲蓄難禁。膻中巨闕便針。胸滿更加噎塞。中
府意舍所行。胸膈停留瘀血。腎俞巨髎宜徵。胸滿項强。神藏璇璣宜試。背連腰痛。白環委中

會經。脊强兮六道筋縮。目弦兮顴髎大迎。痓病非顱顖而不愈。臍風須然谷而易醒。委陽天池。腋腫針而速散。後谿環跳。腿疼刺而卽輕。夢魘不安。厲兌相偕於隱白。發狂奔走。上脘同起於神門。驚悸怔忡。取陽交解谿勿誤。反張悲哭。仗天冲大橫須精。癲疾必身柱本神之令。發熱仗少冲曲池之津。歲病時行。陶道復求肺俞理。風癇常發。神道還須心俞甯。溼寒溼熱下髎定。厥寒厥熱湧泉淸。寒慄惡寒。三間疎通陰郄譆。煩心嘔吐。幽門開徹玉堂明。行間湧泉去消渴之腎竭。陰陵水分去水腫之臍盈。癆瘵傳尸。取魄門膏肓之路。中邪霍亂。尋陰谷三里之程。治疸消黃。諧後谿勞宮而看。倦言嗜臥。往里通大鐘而明。咳嗽連聲。肺俞須迎天突穴。小便赤澀。兌端獨瀉太陽經。（太陽經小海穴）刺長强於承山。善主腸風新下血。針三陰於氣海。專司白濁縱遺精。且如肓俞橫骨。瀉五淋之久積。陰郄後谿。治盜汗之多出。脾虛穀兮不消。脾俞膀胱俞覓。胃冷食而難化。魂門胃俞堪責。鼻痔必取齦交。癭氣須求浮白。大敦照海。患寒疝而善蠲。五里臂臑。生癧瘡而能治。至陰屋翳。療癢疾之疼多。肩髃陽谿。消陰中之熱極。抑又論婦人經事改常。自有地機血海。女子少氣漏血。不無交信合陽。帶下產崩。冲門氣冲宜審。月潮違限。天樞水泉須詳。肩井乳癰而極效。商丘痔瘤而最良。脫肛取百會尾翳之所。無子投陰交石關之鄉。中脘主乎積滯。外垣收乎大腸。寒瘧兮商陽太谿驗。痃癖兮衝門血海強。夫醫乃人之司命。非志立而莫爲。針乃理之淵微。須至人之指教。先究其病源。後考其穴道。隨手見功。應針取效。方知玄理之玄。始識妙中之妙。

第四節　席弘賦

凡欲行針預審穴。要明補瀉迎隨訣。胸背左右不相同。呼吸陰陽男女別。氣刺兩乳求太淵。未應之時瀉缺列。缺列頭痛及偏正。重瀉太淵無不應。耳聾氣閉聽會針。迎香穴瀉功如神。誰知天突治喉風。虛喘須尋三里中。手連肩脊痛難忍。合谷針時要太沖。曲池兩手不如意。合谷下針宜仔細。心疼手顫少海間。若要除根覓陰市。但患傷寒兩耳聾。金門聽會疾如風。五般肘痛尋尺澤。太淵針後却收功。手足上下針三里。食癖氣塊憑此取。鳩尾能治五般癇。若下湧泉人不死。胃中有積刺璇璣。三里功多人不知。陰陵泉治心胸滿。針到承山飲食思。大杼若連長强尋。小腸氣痛卽行針。委中專治腰脊痛。脚膝腫時尋至陰。氣滯腰疼不能立。橫骨大都宜救急。氣海專能治五淋。更針三里隨呼吸。期門穴主傷寒患。六日過經猶未汗。但間乳根二肋間。又治女人生產難。耳內蟬鳴腰欲折。膝下明存三里穴。若能補瀉五會間。且莫向人容易說。晴明治眼未效時。合谷光明安可缺。人中治癲功最高。十三鬼穴不須饒。水腫水分兼氣海。皮內隨針氣自消。冷嗽先宜補合谷。卻須針瀉三陰交。牙疼腰痛并咽痺。二間陽谿疾怎逃。更有三間腎俞妙。善治肩背浮風勞。若針肩井須三里。不刺之時氣未調。最是陽陵泉一穴。膝間疼痛用針燒。委中腰痛腳攣急。取得其經血自調。腳痛膝腫針三里。懸鐘二陵三陰交。更向太沖須引氣。指頭麻木自輕飄。轉筋目弦針魚腹。承山崑崙立便消。肚疼須是公孫妙。內關相應必然瘳。冷風冷痺疾難愈。環跳腰俞針與燒。風池風府尋得到。寒傷百症一時消。陽明二日尋風府。嘔吐還須上脘療。婦人心痛心俞穴。男子痃癖三里高。小便不禁關元妙。大便閉塞大敦燒。髖骨腿疼三里瀉。復溜氣滯便離腰。從來風府最難針。卻用功夫度淺深。倘若膀胱氣未散。便宜三里穴中尋。若是七疝小腹痛。照海陰交曲泉針。又不應時求氣海。關元同瀉效如神。小腸氣攝痛連臍。速瀉陰交莫再遲。良久湧泉針取氣。此中玄妙少人知。小兒脫肛患多時。先灸百會及鳩尾。久患傷寒肩膊痛。但針中渚得其宜。肩上痛連臍不休。手中三里便須求。下針麻重即須瀉。得氣之時不用留。腰連胯痛大便急。必於三里攻其溢。下針一瀉三補之。氣上攻噎只管住。噎不住時氣海灸。定瀉一時立便瘥。咽喉最急先百會。太沖照海及陰交。學者潛心宜熟

讀。席弘治病名最高

第五節　長桑君祕訣

天星祕訣少人知。此法專分前後施。若是胃中停宿食。後尋三里起璇璣。脾病痛先合谷。後針三陰交莫遲。如中鬼邪先間使。手臂攣痺取肩髃。脚若轉筋并眼花。先鍼承山次內踝。脚氣痠疼肩井先。次尋三里陽陵泉。如是小腸連臍痛。先刺陰陵後湧泉。耳鳴腰痛先五會。次針耳門三里內。小腸氣痛先長强。後刺大敦不用忙。足緩難行先絕骨。次尋條口及冲陽。牙疼頭痛兼喉痺。先刺二間後三里。胸膈痞滿先陰交。針到承山飲食喜。肚腹浮腫脹膨膨。先針水分瀉建里。傷寒過經不出汗。期門通里先後看。寒瘧面腫及腸鳴。先取合谷後內庭。冷風溼痺針何處。先取環跳次陽陵。指痛攣急少商好。依法施之無不靈。此是桑君真口訣。時醫莫作等閒輕。

第六節　玉龍歌

扁鵲授我玉龍歌。玉龍一試絕沉痾。玉龍之歌真罕得。流傳千載無差訛。我今歌此玉龍訣。玉龍一百二十穴。看者行針稱妙絕。但恐時人自差別。補瀉分明指下施。金針一刺顯明醫。傴者立身僂者起。從此名揚天下知。「凡患傴者補曲池。瀉人中。患僂者。補風池。瀉絕骨。」中風不語最難醫。髮際頂門穴要知。更向百會明補瀉。即時甦醒免災厄。鼻流清涕名鼻淵。先瀉後補疾可痊。若是頭風并眼痛。上星穴內刺無偏。頭風嘔吐眼昏花。穴取神庭知不差。孩子慢驚何可治。印堂刺入艾還加。頭項强痛難回顧。牙疼並作一般看。先間承漿明補瀉。後針風府即時安。偏正頭風痛難醫。絲竹金針亦可施。沿皮向後透率谷。一針兩穴世間稀。偏正頭風有兩般。有無痰飲細推觀。若然痰飲風池刺。倘無痰飲合谷安。口眼喎斜最可嗟。地倉妙穴連頰車。喎左瀉右依師正。喎右瀉左莫令斜。不聞香臭從何治。迎香兩穴可堪攻。先補後瀉分明效。一針未出氣先通。耳聾氣閉痛難言。須知翳風穴始痊。亦治項上生瘰癧。下針瀉動即安然。耳聾之症不聞聲。痛痒蟬鳴不快情。紅腫生瘡須用瀉。宜從聽會用針行。偶徹失瘖音語難，啞門一穴兩筋間。若知淺針莫深刺。言語音和照舊安。眉間疼痛若難當。攢竹沿皮刺不妨。若是眼昏皆可治。更針頭維即安康。兩睛紅腫痛難熬。怕日羞明心自焦。只刺睛明魚尾穴。太陽出血自然消。眼痛忽然血貫睛。羞明更澀最難睁。須得太陽針血出，不用金刀疾自平。心火炎上兩眼紅。迎香穴內刺為通。若將毒血搐出後。目內清涼始見功。强痛脊背瀉人中。挫閃腰痠亦可攻。更有委中之一穴。腰間諸疾任君攻。腎弱腰疼不可當。施為行止甚非常。若知腎俞二穴處。艾火頻加體自康。環跳能治腿股風。居髎二穴認真攻。委中毒血更出盡。愈見醫科神聖功。腿膝無力身立難。原因風溼致傷殘。倘知二市穴能灸。步履悠然漸自安。髖骨能醫兩腿疼。膝頭紅腫不能行。必針膝眼膝關穴。功効須臾病不生。寒溼脚氣不可熬。先針三里及陰交。再將絕骨穴兼刺。腫痛頓時立見消。腫紅腿足草鞋風。須把崐崙二穴攻。中脈太谿如再刺。神醫妙訣起疲癃。脚背疼起坵墟穴。斜針出血即時輕。解谿再與商丘識。補瀉行針要辨明。行步艱難疾轉加。太衝二穴效堪誇。更針三里中封穴。去病如同用手抓。膝蓋紅腫鶴膝風。陽陵二穴亦堪攻。陰陵針透尤收效。紅腫全消見異功。腕中無力痛艱難。握物難移體不安。腕骨一針雖見效。莫將補瀉等閒看。急痛兩臂氣攻心。肩井分明穴可攻。此穴原來真氣聚。補多瀉少應其中。肩背風氣連臂疼。背縫二穴用針明。五樞亦治腰間痛。得穴方知病頓輕。兩肘拘攣筋骨連。艱難動作欠安然。只將曲池針瀉動。尺澤兼行見聖傳。肩端紅腫痛難當。寒溼相爭氣血狂。若向肩髃明補瀉。請君多灸自然康。筋急不開手難伸。尺澤從來要認真。頭面縱有諸樣症。一針合谷效通神。腹中氣塊痛難當。穴法宜向內關防。八法有名陰維穴。腹中之疾永安康。腹中疼痛亦難當。大陵外關可消詳。若是脅疼並閉結。支溝奇妙效非常。脾寒之症最可憐。有寒有熱兩相煎。間使二穴針瀉動。熱瀉寒補病俱痊。九種心痛及脾疼。上脘穴內用針行。若還脾敗中脘補。兩針神效免災侵。痔漏之疾亦可憎。表裏急重最難禁。或痛或痒或下血。二白穴在掌後尋。三焦熱氣壅上焦。口苦舌乾豈易調。針刺關中去毒血。口生津液病俱消。手臂紅腫連腕疼。液門穴內用針明。更將一穴名中渚。多瀉中間疾自輕。中風之症症非輕。中衝二穴可安甯。先補後瀉如無應。再刺人中立便輕。胆寒心虛病如何。少衝二穴功最多。刺入三分不着艾。金針用後自平和。時行瘧疾最難禁。穴法由來未審明。若把後谿穴尋得。多加艾火即時痊。牙痛陣陣苦相煎。穴在二間要得傳。若患翻胃並吐食。中魁奇穴莫教偏。乳鵝之症少人醫。必用金針疾始除。如若少商出血後。即時安穩免災危。如今癮疾疾多般。好手醫人治亦難。天井二穴多著艾。縱生瘰癧灸皆安。寒痰咳嗽更兼風。列缺二穴最可攻。先把太淵一穴瀉。多加艾火即收功。癡呆之症不堪親。不識尊卑枉駡人。神門獨治癡呆病。轉手骨開得穴真。連日虛煩面赤粧。心中驚悸亦難當。若須通里穴尋得。一用金針體便康。風眩目爛最堪憐。淚出汪汪不可言。大小骨空皆妙穴。多加艾火疾應痊。婦人吹乳痛難消。吐血風痰稠似膠。少澤穴內明補瀉。應時神效氣能調。滿身發熱痛爲虛。盜汗淋淋漸損軀。須將百勞椎骨穴。金針一刺疾俱除。

忽然咳嗽腰背痛。身柱由來灸便輕。至陽亦治黃疸病。先補後瀉效分明。腎敗腰虛小便頻。夜間起止苦勞神。命門若得金針助。腎俞艾灸起邅迍。九般痔漏最傷人。必刺承山效若神。更有長强一穴是。呻吟大痛穴爲真。傷風不解嗽頻頻。久不醫時勞便成。咳嗽須針肺俞穴。痰多宜向豐隆尋。膏肓二穴治病强。此穴原來難度量。斯穴禁針多着艾。二十一壯亦無妨。胆寒由是怕驚心。遺精自遺實難禁。夜夢鬼交心俞治。白環俞治一般針。肝家血少目昏花。宜補肝俞力便加。更把三里頻瀉動。還光益血自無差。脾家之症有多般。致成翻胃吐食難。黃疸亦須尋腕骨。金針必定奪中脘。無汗傷寒瀉復溜。汗多宜將合谷收。若然六脈皆微細。金針一補脈還淨。大便閉結不能通。照海分明在足中。更補支溝來瀉動。方知妙穴有神功。小腹脹滿氣攻心。內庭二穴要先針。兩足有水臨泣瀉。無水方能病不侵。七般疝氣取大敦。穴法由來指側間。諸經俱載三毛處。不遇師傳隔萬山。傳屍勞病最難醫。湧泉出血免災危。痰多須向豐隆瀉。氣喘丹田亦可施。渾身痛疼疾非常。不定穴中細審詳。有筋有骨須淺刺。灼艾臨時要度量。勞宮穴在掌中尋。滿手生瘡痛不禁。心胸之病大陵瀉。氣攻胸腹一般針。哮喘之症最難當。夜間不睡氣遑遑。天突妙穴宜尋得。膻中着艾便安康。鳩尾獨治五般癇。此穴須當仔細觀。若然着艾宜七壯。多則傷人針亦難。奔豚疝氣發甚頻。氣上攻心似死人。關元兼刺大敦穴。此法親傳始得真。水病之疾最難熬。腹滿虛脹不肯消。先灸水分併水道。後針三里及陰交。腎氣冲心得幾時。須用金針疾自除。若得關元幷帶脈。四海誰不仰明醫。赤白婦人帶下難。只因虛敗不能安。中極補多宜少瀉。灼艾還須着意看。吼喘之症嗽痰多。若用金針疾自和。俞府乳根一樣刺。氣喘風痰漸漸磨。傷寒過經猶未解。須向期門穴上針。忽然氣喘攻胸膈。三里瀉多須用心。脾泄之症別無他。天樞二穴刺休差。此是五臟脾虛疾。艾火多添病不加。口臭之疾最可憎。勞心只爲苦多情。大陵穴內人中瀉。心得清涼氣自平。穴法深淺在指中。治病須臾顯妙功。

第七節　勝玉歌

勝玉歌兮不虛言。此是楊家真祕傳。或針或灸依法語。補瀉迎隨隨手撚。頭痛眩暈百會好。心疼脾痛上脘先。後谿鳩尾及神門。治療五癇立便痊。髀疼要針肩井穴。耳閉聽會莫遲延。胃冷下脘却爲良。眼痛須覓清冷淵。霍亂心疼吐痰涎。巨闕著艾便安然。髀疼背痛中渚瀉。頭風眼痛上星專。頭項强患承漿保。牙顋疼緊大迎前。行間可治膝腫病。尺澤能醫筋拘攣。若人行步苦艱難。中封太冲針便痊。脚背痛時商丘刺。瘰癧少海天井邊。腹疼閉結支溝穴。頷腫喉閉少商全。脾心痛亟尋公孫。委中驅療脚風纏。瀉却人中及頰車。治療中風口吐涎。五瘧寒多熱更多。間使天杼真妙穴。經年或變勞怯者。痞滿臍旁章門訣。噎氣呑酸食不投。膻中七壯除膈熱。目內紅腫苦皺眉。絲竹攢竹亦堪醫。若是痰涎并咳嗽。治法須當灸肺俞。更有天突與筋縮。小兒吼閉自然疎。兩手痠重難執物。曲池合谷共肩顒。臂痛背疼針三里。頭痛頭暈灸風池。腸鳴大便時泄瀉。臍旁兩寸灸天樞。諸般氣症從何治。氣海針之灸亦宜。小腸氣痛歸來治。腰痛中空穴最奇。腿股轉痠難移步。妙穴說與後人知。環跳風市及陰市。瀉却金針病自除。熱瘡臁內年年發。血海尋來可治之。兩膝無端腫如斗。膝眼三里艾當施。兩股轉筋承山刺。脚氣復溜不須疑。踝跟骨痛灸崑崙。更有絕骨共坵墟。灸罷大敦除疝氣。陰交針入下胎衣。遺精白濁心俞治。心熱口臭大陵驅。腹脹水分多得力。黃疸至陽便能離。肝血盛兮肝俞瀉。痔疾腸風長强欺。腎敗腰疼小便頻。督脈兩旁腎俞治。六十六穴施應驗。故成歌訣顯針奇。

第八節　雜病穴法歌

傷寒一日刺風府。陰陽分經次第取。（傷寒一日刺太陽風府。二日陽明之滎內庭。三日少陽之俞臨泣。四日太陰之井隱白。五日少陰之俞太谿。六日厥陰之經中封。在表刺三陽經穴。在裏刺三陰經穴。六日過經未汗刺期門三里古法也。惟陰經則灸關元）。一切風寒暑溼邪。頭疼發熱外關起。頭面耳目口鼻病。曲池合谷爲之主。偏正頭痛左右針。列缺太淵不用補。頭風目眩項捩强。申脈金門手三里。赤眼迎香赤血奇。臨泣太冲合谷侶。耳聾臨泣與金門。合谷針後聽人語。鼻塞鼻痔及鼻淵。合谷太冲隨手取。口噤喎斜流涎多。地倉頰車仍可舉。口舌生瘡舌下竅。三稜出血非粗魯。舌裂出血尋內關。太冲陰交走上部。舌上生苔合谷當。手三里治舌風舞。牙風面腫頰車神。合谷臨泣瀉不數。二陵二蹻與二交。頭項手足互相與。兩井兩商二三間。手上諸風得其所。手指連肩相引疼。合谷太冲能救苦。手三里治肩連臍。脊肩心後稱中渚。冷嗽只宜補合谷。三陰交瀉卽時住。霍亂中脘可深入。三里內庭瀉幾許。心痛翻胃刺勞宮。寒者少澤灸手指。心痛手戰少海求。若要除根陰市覩。太淵列缺穴相連。能住氣痛刺兩乳。脅痛只須陽陵泉。腹痛公孫內關爾。痢疾合谷三里宜。甚者必須乘中膂。（白痢合谷赤痢小腸俞赤白痢足三里中膂俞）心胸痞滿陰陵泉。針到承山飲食美。泄瀉肚腹諸般疾。三里內庭功無比。水腫水分與復溜。脹滿中脘三里揣。腰痛環跳委中求。若連背痛崑崙式。腰痛連腿腕骨升。三里降下隨拜跪。腰連脚痛怎生醫。環跳行間與風市。脚膝諸痛羡行間。三里申脈金門侈。脚若轉筋眼發花。然谷承山法自古。兩足難移先懸鍾。條口針後能步履。兩足瘦痛補太谿。僕參內庭盤跟楚。脚連脅腋痛難當。環跳陽陵泉內杵。冷風溼痺針環跳。陽陵三里燒針尾。七疝大敦與太冲。五淋血海男女通。大便虛祕補支溝。瀉足三里效可擬。熱閉氣閉先長强。大敦陽陵堪調護。小便不通陰陵泉。三里瀉下溺如注。內傷食積針三里。璇璣相應塊亦消。脾病氣痛先合谷。後刺三陰針用燒。一切內傷內關穴。痰火積塊退煩潮。吐血尺澤功無比。衄血上星與禾髎。喘急列缺足三里。嘔噎陰交不可饒。勞宮能治五般癇。更刺湧泉疾若挑。神門專治心癡呆。人中間使祛癲妖。尸厥百會一穴美。更針隱白照海效。婦人通經瀉合谷。三里至陰催孕妊。死胎陰交不可緩。胞衣照海內關尋。小兒驚風刺少商。人中湧泉瀉莫深。癰疽初起審其穴。則刺陽經不刺陰。（癰疽從背出者太陽經從鬢出者少陽經從髭出者陽明經以上各經井滎俞經合五穴治之從胸出者絕骨穴治之）熟此筌蹄手要活。得後方知度金針。

第九節　肘後歌

頭面之疾針至陰。腿脚有疾風府尋。心胸有病少府瀉。臍腹有病曲池針。肩背諸疾中渚下。腰膝强痛交信憑。脅肋腿疼後谿妙。股膝腫起瀉太冲。陰核發來如升大。百會妙穴真可駭。頂心頭痛眼不開。湧泉下針足安泰。鶴膝腫痛難移步。尺澤能舒筋骨疼。更有一穴曲池妙。根尋源流可調停。其患若要便安愈。加以風府可用針。更有手臂拘攣急。尺澤刺深去不仁。腰背若患攣風急。曲池一寸五分攻。五痔原因熱血作。承山須下病無蹤。哮喘發來寢不得。豐隆刺入三分深。狂言盜汗如見鬼。惺惺間使便下針。骨寒髓冷火來燒。靈道妙穴分明記。瘧疾寒熱真可畏。須知虛實可用意。間使宜透支溝中。大椎七壯如聖治。連日頻頻發不休。金門深刺七分是。瘧疾三日得一發。先寒後熱無他語。寒多熱少取復溜。熱多寒少用間使。或患傷寒熱未收。牙關風壅藥難投。項强反張目直視。金針用意列缺求。傷寒四肢厥逆冷。脈氣無時仔細尋。神奇妙穴真有二。復溜二寸順骨行。四肢囘還脈氣浮。須曉陰陽倒換求。寒則須補絕骨是。熱則絕骨瀉無憂。脈若浮洪當瀉解。沉細之時補便瘳。百合傷寒最難醫。妙法神針用意推。口噤眼合藥不下。合谷一針效甚奇。狐蜮傷寒滿口瘡。須下黃連犀角湯。虫在臟腑食肌肉。須用神針刺地倉。傷寒腹痛虫尋食。吐蚘烏梅可用攻。十日九日必定死。中脘還須胃氣通。傷寒痞氣結胸中。兩目昏黃汗不通。湧泉妙穴三分許。速使遍身汗自通。傷寒痞結脅積痛。宜用期門見深功。當汗不汗合谷瀉。自汗發黃復溜憑。飛虎一穴通痞氣。祛風引氣使安甯。剛柔二痓最乖張

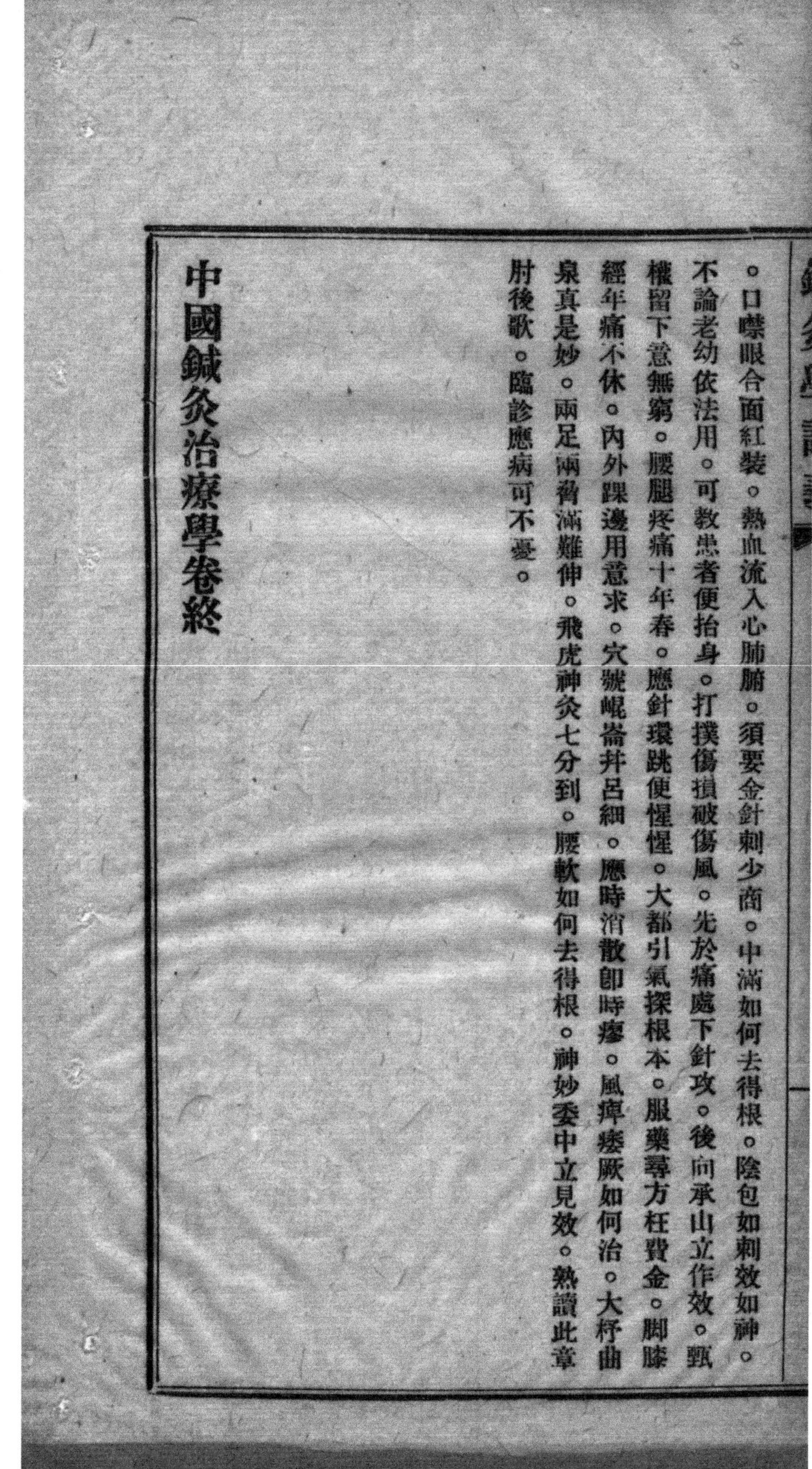

。口噤眼合面紅裝。熱血流入心肺腑。須要金針刺少商。中滿如何去得根。陰包如刺效如神。不論老幼依法用。可教患者便抬身。打撲傷損破傷風。先於痛處下針攻。後向承山立作效。甄權留下意無窮。腰腿疼痛十年春。應針環跳便惺惺。大都引氣探根本。服藥尋方枉費金。腳膝經年痛不休。內外踝邊用意求。穴號崑崙并呂細。應時消散即時瘳。風痺痿厥如何治。大杼曲泉真是妙。兩足兩脅滿難伸。飛虎神灸七分到。腰軟如何去得根。神妙委中立見效。熟讀此章肘後歌。臨診應病可不憂。

中國鍼灸治療學卷終

中國鍼灸經穴學講義

引言

鍼灸之學由來久矣上古時代治療疾病用石以砭之用艾以灸之及後物理昌明乃將砭石易以金鍼艾則仍舊耳蓋鍼之與灸皆取諸孔穴以施治是故鍼灸瘑列於一科當是之時猶祇知頭身肢三部之孔穴也自漢代以後而經穴之學乃大備焉凡治醫者藉以起沉疴而療痼疾皆賴手三陰三陽足三陰三陽並任督二脈之經穴而施治經穴者何乃吾人身體中之神經校幹耳我古代鍼書習於經緯之學而未實行剖解故不知另有神經在焉方今東西醫學雖日漸昌明猶將我國鍼書譯攝圖合其神經式其功用研究精詳不遺餘力而我自有良好文化倫不詳加研究極力闡揚必致國粹淪亡而後已仲平不揣冒昧乃將昔日承老師淡安指導學術之外復將新舊各種鍼灸書中關於學術有研究價值者靡不悉心搜羅歷時半載草率成篇學者能於此書中專心研究雖不敢謂從此入室升堂當亦不致宮牆外望也仲平知識淺鮮遺漏必多尚冀先進君子有以校正焉

民國二十五年國歷二月黃仲平自識於湖南國醫學校

凡例

一本科暫分經穴學治療學兩書均搜集古今書籍之精華則採取之其荒誕不經之言與人神禁忌無可稽考者則删去之俾讀者不致目迷五色而耗費光陰也

一本科對於生理學病理學診斷學均不另行編纂者因本校早已教授故不另編庶免雷同

一關於經脈經穴仍以六經並任督二脈爲統係本自內經另加講義並新編歌訣繪圖指導以便讀者庶可收事半功倍之效

一神經部份則於經穴功用章內剖解條中詳明註載而不溷入六經者庶免宜賓奪主之弊

一「經穴功用」一章極爲注意因爲經穴功用與治療有密切之關係有如湯劑之於藥物相乘並重苟功用不明於臨症時必致手忙脚亂莫之所措讀者宜細心嘗玩則取穴治病如探囊取物也

一除將經穴功用編成七言歌以每穴名稱冠以首句外另分符號解剖部位經脈主治性質手術等註載詳明俾讀者易於記誦也

一符號標點形式如下

禁鍼穴……………●

禁灸穴……………▲

險　穴……………………！

正　穴……………………■

鍼灸兩禁穴………………◬

目錄

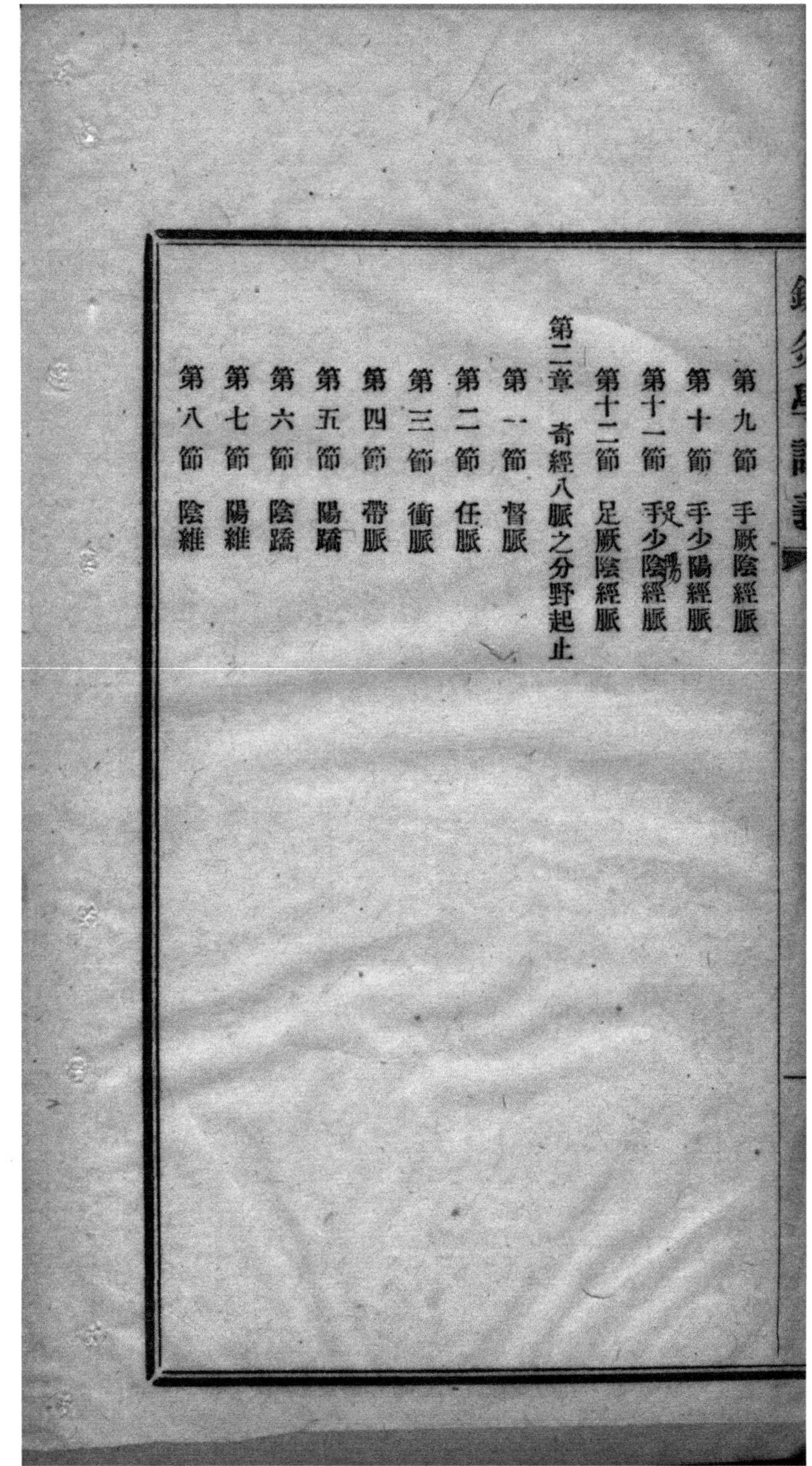

第三章 經穴之名稱次序

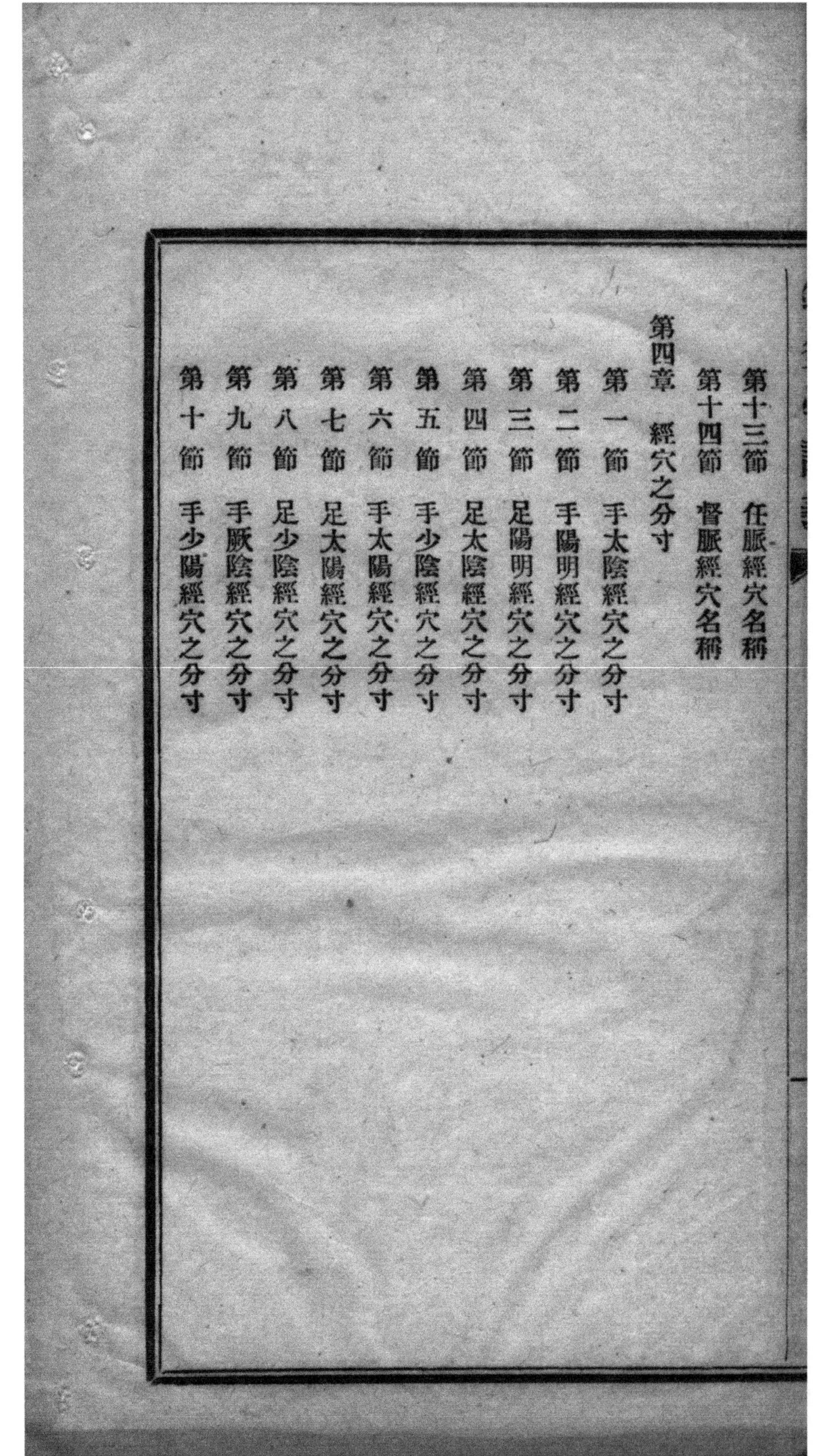

第五章　經穴之功用

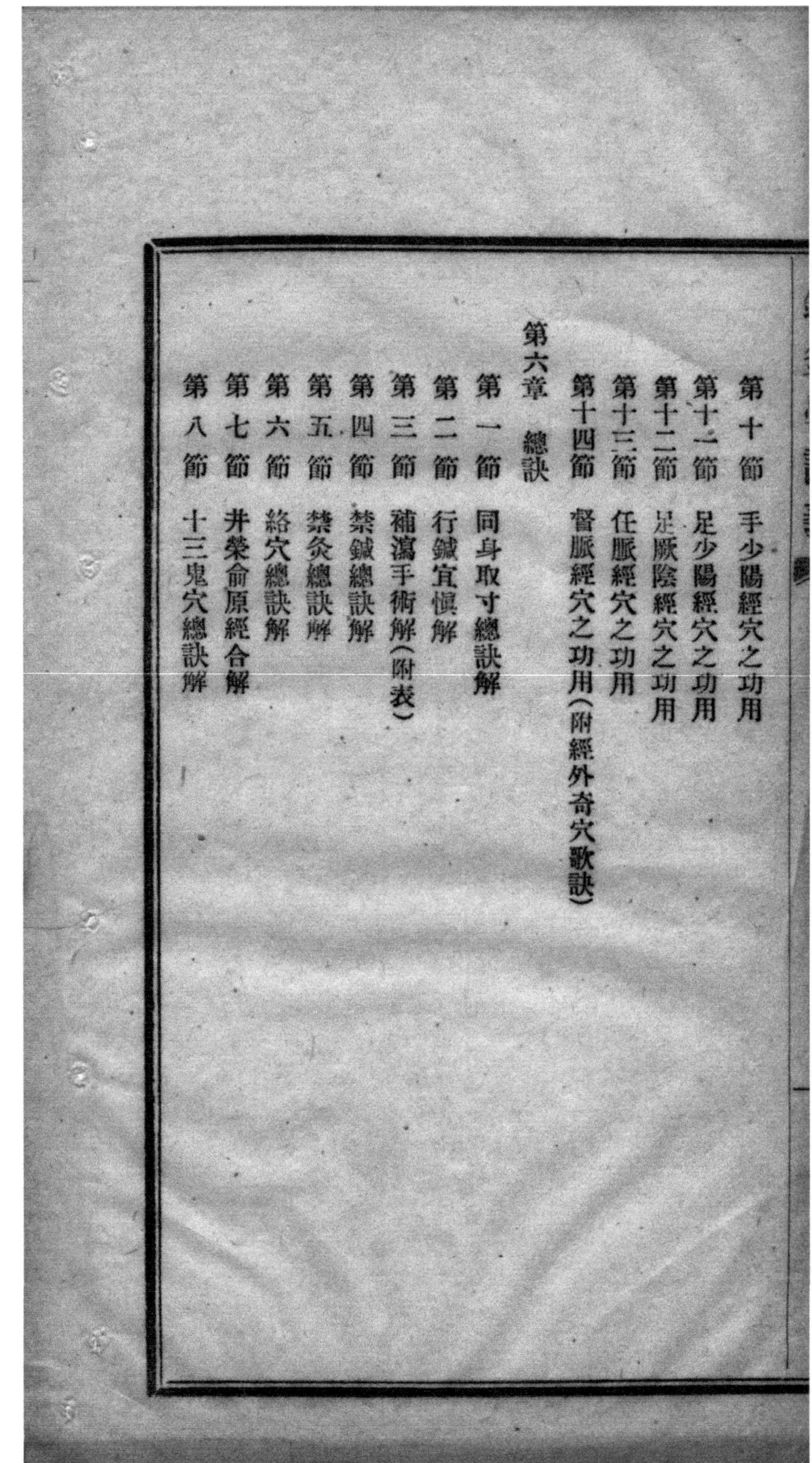

中國鍼灸經穴學講演(義)

吳平黃仲平編

第一章　十二經之分野起止

第一節　手太陰經脈

靈樞經脈篇曰肺手太陰之脈起於中焦下絡大腸還循胃口上膈屬肺從肺系橫出腋下下循臑內行少陰心主之前下肘中循臂(臂)內上骨下廉入寸口上魚循魚際出大指之端其支者從腕後直出次指內廉出其端

講義

「肺手太陰之脈。起於中焦」。因手之三陰均從臟起而走至手之尖端止。故手太陰肺脈起於中焦。中焦者，乃吾人身之中部。即胃之中脘也。十二經者營也。營即是血。故曰營行脈中。首言肺者。蓋肺朝百脈。循次序而相傳。隷於肝經。終而復始。又傳於肺。是爲一週。循環不息。「下絡大腸」。肺與大腸爲表裏。故絡大腸。凡十二經相通。各有表裡。在本經者曰屬。連於他經曰絡。是內則絡大腸。外則絡於手陽明經也。其絡名則曰列缺。「還循胃口」。還復也。返也。循繞也。既已下行絡干大腸。復返循繞胃口。然後上行於膈膜之中。穿過膈膜。入其本臟。則曰「上膈屬肺」。身中膈膜居心肺之下。前齊鳩尾。後齊十一椎脊骨。周圍相着。以膈濁氣。不使其氣上薰心肺。則清高之心肺。不受惡濁之氣薰蒸矣。「從肺系橫出腋下」。是從肺之本系。喉嚨中。橫行而出于腋旁之下。即脇之上。膊之下也。「循臑內」。臑之部在手膊之內側。上至腋。下至肘也。「行少陰心主之前」。手之三陰。太陰經脈居前。厥陰居中。少陰居後。手少陰屬心。手厥陰屬心包絡。又名心主。行少陰心主之前者。即此意也。沿行肘之中央尺澤穴而過。故曰「過肘中」而循行臂內之孔最穴。上臂骨之下廉列缺穴。故曰「循臂內上骨下廉」。此之謂也。再「入寸口」經渠太淵二穴。直「上魚」。「寸口」乃寸脈之處。手腕之下「魚」即手腕之上肉隆起如魚者。故名之。繞「循魚際」穴。然後「出大指之端」。手太陰脈止於此。其脈分支從腕後列缺穴。直行食指之內廉。交手陽明商陽穴而上行。故曰「其支者從腕後直出次指內廉出其端」。

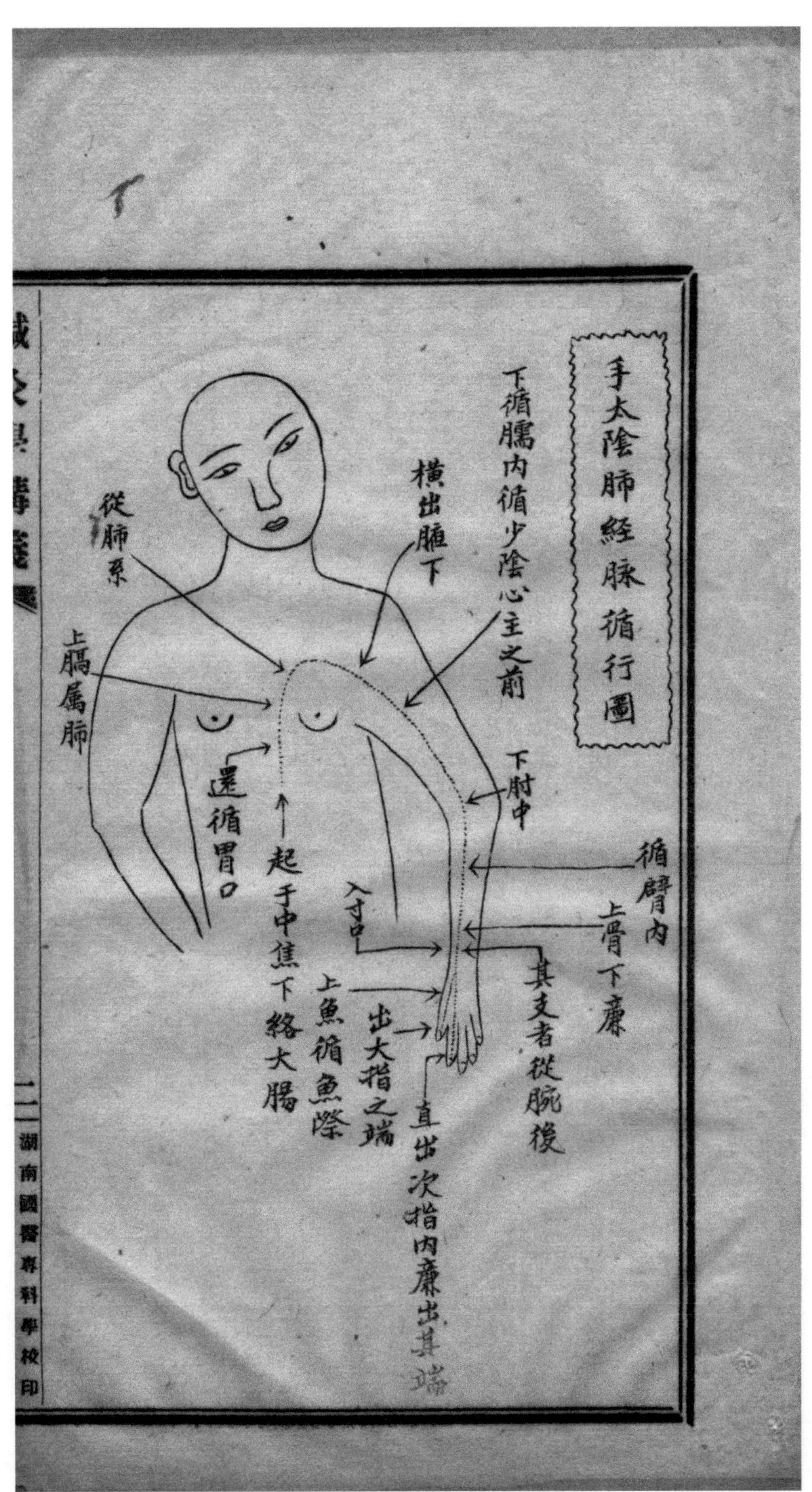
手太陰肺經脉循行圖
下循臑内循少陰心主之前
横出腋下
從肺系
上膈屬肺
還循胃口
起于中焦下絡大腸
下肘中
循臂内
上骨下廉
其支者從腕後
入寸口
上魚循魚際
出大指之端
直出次指内廉出其端
二
湖南國醫專科學校印

第二節　手陽明經脈

大腸手陽明之脈。起於大指次指之端。循指上廉。出合谷兩骨之間。上入兩筋之中。循臂上廉。入肘外廉。上臑外前廉。上肩出髃骨之前廉。上出於柱骨之會上。下入缺盆。絡肺下膈屬大腸。其支者。從缺盆上頸貫頰。入下齒中。還出挾口交人中。左之右。右之左。上挾鼻孔。

講義

次指食指也。手之三陽經脈從手走至頭面。手陽明經脈是從食指內側商陽穴上行。至頭面部之迎香穴而止。故曰。大腸手陽明之脈起於大指次指之端。中間經過食指之上節內側二間三間兩穴。此即上廉也。上廉者。指在上之一部份也。由二間三間循上而行經過大母指食指之後。兩處歧骨交接相合之處。名曰合谷穴。俗名虎口穴即是。故曰「循指上廉出合谷兩骨之間」。凡諸經脈陽則循行於外。陰則循行於內。蓋手內爲陰脈循行之所。以此分別則易於記憶也。手陽明之脈。既從合谷上行而至手腕之上側兩筋陷凹之中陽谿穴經過。故曰「上入兩筋之中」。手腕之上。肘之下爲臂。「循臂上廉。入肘外廉」者。是指其經脈從陽谿穴直上手臂之偏瀝溫溜下廉上廉手三里五穴。再循行而上至肘之外邊曲池穴。即此意也。手之中段。能伸屈之處曰肘。肩之下。肘之上。曰肱。肱之內曰臑。肱之外曰膊。臑與脇肋對。前廉者。向面之部份也。後廉者。向背之部份也。肩端骨之庳中。爲髃。肩端骨爲髃骨。手陽明經脈從曲池上臑外邊之肘髎五里臂臑肩髃四穴。直上至肩之髃骨。故曰「上臑外前廉上肩出髃骨之前廉」。背之上。頸之根。爲天柱骨。即大椎穴。六陽皆會於督脈。故名之爲會上，是手陽明經脈由肩端之肩髃穴上肩。從巨骨穴經過。向後行於督脈之大椎穴明矣。故曰「上出於柱骨之會上」。再由大椎穴沿頸而前行。入缺盆之內。即鎖骨陷中。下行絡肺。復下行穿過膈膜。當於臍旁。屬於大腸。是內則絡於肺。外則從偏歷穴絡於手太陰經也。此即「下入缺盆絡肺下膈屬大腸」之意也。「其支者。從缺盆上頸貫頰入下齒中」。是指其分支之處。仍從缺盆循行上頸。經過天鼎扶突二穴上。行至耳根下曲屈之處。即頰之所在也「還出挾口交人中左之右右之左上挾鼻孔」。人中者。即督脈經之水溝穴也。頞即山根。鼻之莖也。由耳根下之曲屈處。出而行至人中。左右互相交換。經過禾髎迎香二穴而止。迎香穴在鼻莖兩傍。即頞之部位。頞與目內眥經脈交通。何以知之。式將頞部角觸。則目內眥即流出淚來。此其明證。故由鼻莖之傍交承泣。而接足陽明經也。

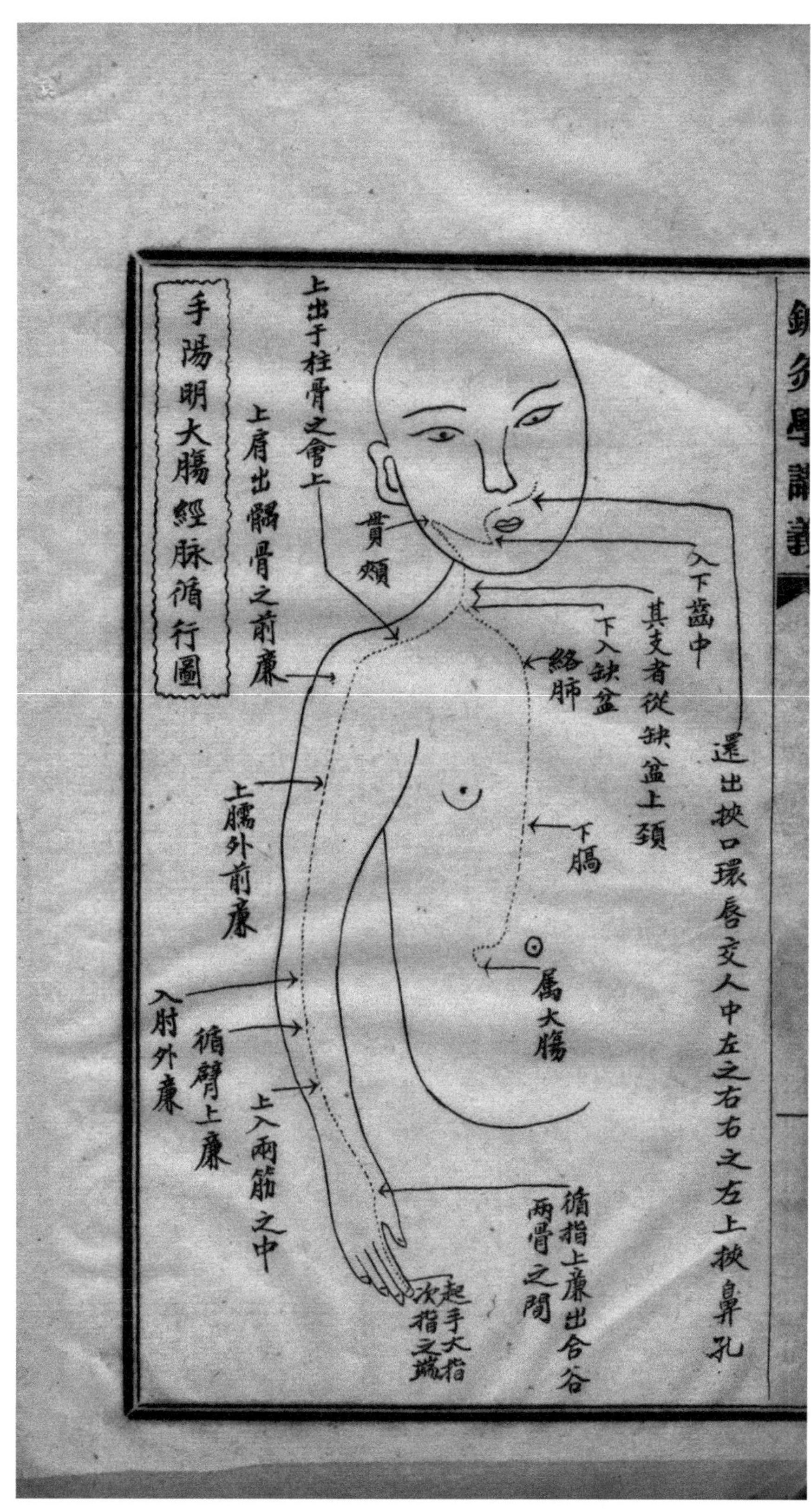
手陽明大腸經脈循行圖
上出于柱骨之會上
上肩出髃骨之前廉
貫頰
入下齒中
其支者從缺盆上頸
下入缺盆
絡肺
還出挾口環唇交人中左之右右之左上挾鼻孔
上臑外前廉
下膈
屬大腸
入肘外廉
循臂上廉
上入兩筋之中
循指上廉出合谷兩骨之間
起手大指次指之端

第三節　足陽明經脈

胃足陽明之脈。起於鼻交頞中。旁納太陽大脈。下循鼻外。入上齒中。還出挾口環脣。下交承漿。却循頤後下廉。出大迎。循頰車。上耳前。過客主人。循髮際。至額顱。其支者。從大迎前下人迎。循喉嚨。入缺盆。下膈屬胃絡脾。其直者。從缺盆下乳內廉。下挾臍。入氣街中。其支者起於胃口。下循腹裡。下至氣街中而合。以下髀關。抵伏兔。下膝臏中。下循脛外廉。下足跗。入中指內間。其支者。下廉三寸而別。下入中指外間。其支者。別跗上。入大指間出其端。

講義

足之三陽從頭走足。故陽明胃經之脈。從頭面部之鼻莖。名頞之所在。通於目下承泣穴而下行。故曰「胃足陽明之脈。起於鼻交頞中」。頞與目內眥相通。蓋足太陽之脈。起於目內眥。內眥目之裏面眼角也。故曰旁納太陽之脈。納者入也。環者繞也。下以經過四白巨髎二穴。而循行於鼻之外。再下行入於在上之齒牙中。復返沼口角四分之地倉穴挾口而行。環繞脣部。然後下行交入任脈之承漿。再向腮下而行。故曰「下循鼻外入上齒中還出挾口環脣下交承漿」。腮之下爲頷。頷之中爲頤。胃經之脈既入承漿。復由承漿横出於頷之中。頤之後。出大迎穴。復返上行經過耳之下灣曲處頰車穴。再上行於耳之前下關穴。通過足少陽膽經之客主人。（即上關穴）再上循行入於髮際之前。名額顱之處頭維穴。是上行之脈已終矣。故曰「循頰車上耳前過客主人循髮際至額顱」。胃之經脈甚長。中間分開之支部共有四處。其一支則從頷之中頤之後大迎穴。直下人迎。循行喉嚨之傍。經過水突氣舍二穴。横開行入於瑣骨之內缺盆穴中。而入於內。下行貫入膈膜之中。屬於本經之胃。而又連絡其表裡相通之脾。故曰「其支者從大迎前下人迎循喉入缺盆下膈屬胃絡脾」。其幹部。亦從缺盆穴下行。相隔中行横開四寸。經過氣戶庫房屋翳膺窗乳中乳根六穴。再行入乳之內廉。即向內行也。相隔中行二寸之處。直下挾臍之兩邊。經過不容承滿梁門關門太乙滑肉天樞七穴。再下行經過外陵大巨水道歸來氣冲而入氣街之中（即氣冲）故曰「其直者從缺盆下乳內廉下挾臍入氣街中」。其二支從胃之下口而起。直下行於肚腹之內。行至氣街之中。支部與幹部相合。故曰「其支者起於胃口下循腹裏下至氣街中而合」。抵至也。髖膝蓋也。脛胻骨也。跗足背也。由氣街下行至大腿陽面之髀關伏兔陰市梁邱等穴。再下行至膝蓋之中行過犢鼻穴。再下行於胻骨之外足三里。再下行直出中指內邊也。故

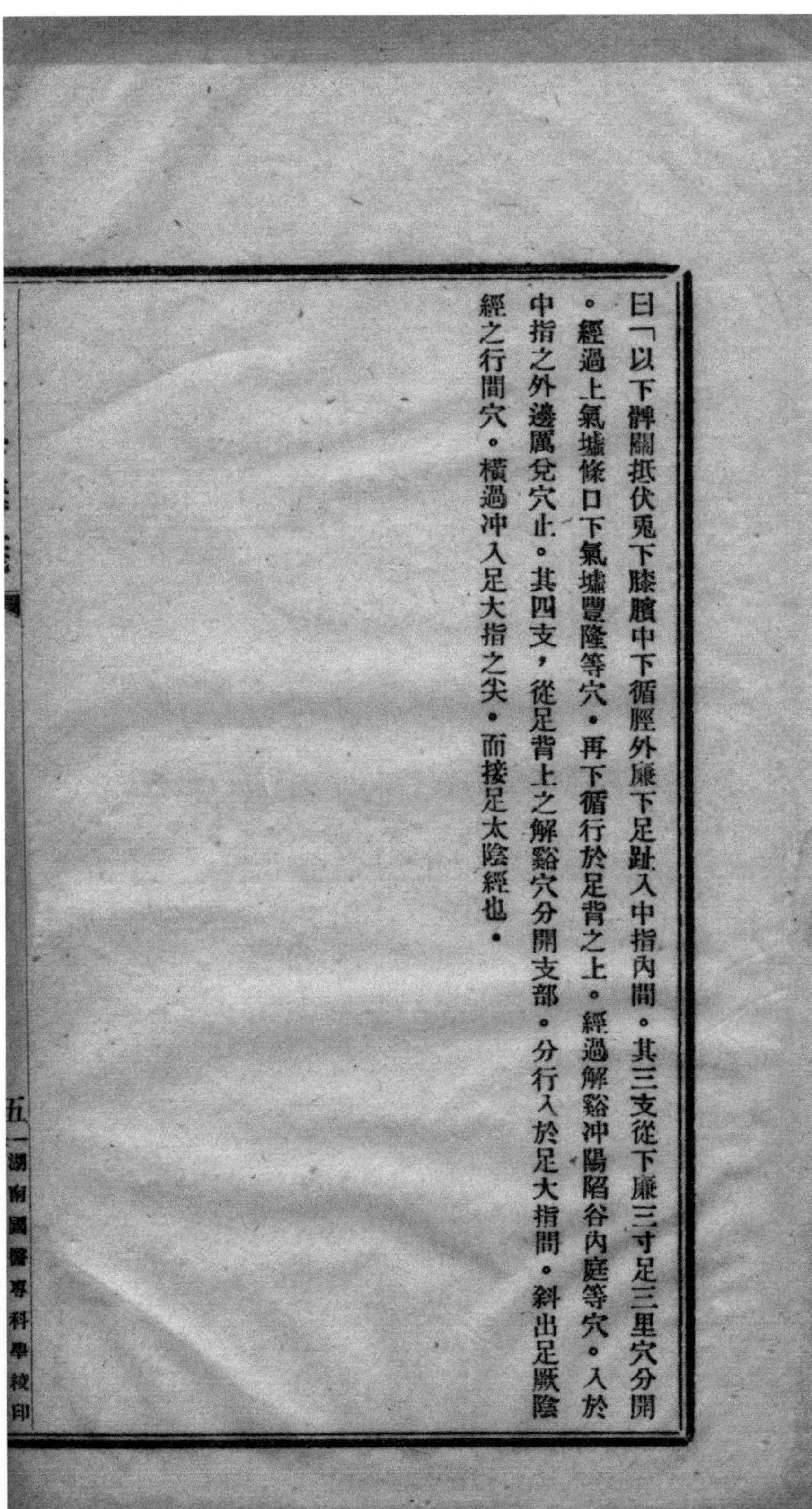

曰「以下髀關抵伏兎下膝臏中下循脛外廉下足趾入中指內間。其三支從下廉三寸足三里穴分開。經過上氣墟條口下氣墟豐隆等穴。再下循行於足背之上。經過解谿冲陽陷谷內庭等穴。入於中指之外邊厲兌穴止。其四支，從足背上之解谿穴分開支部。分行入於足大指間。斜出足厥陰經之行間穴。橫過冲入足大指之尖。而接足太陰經也。

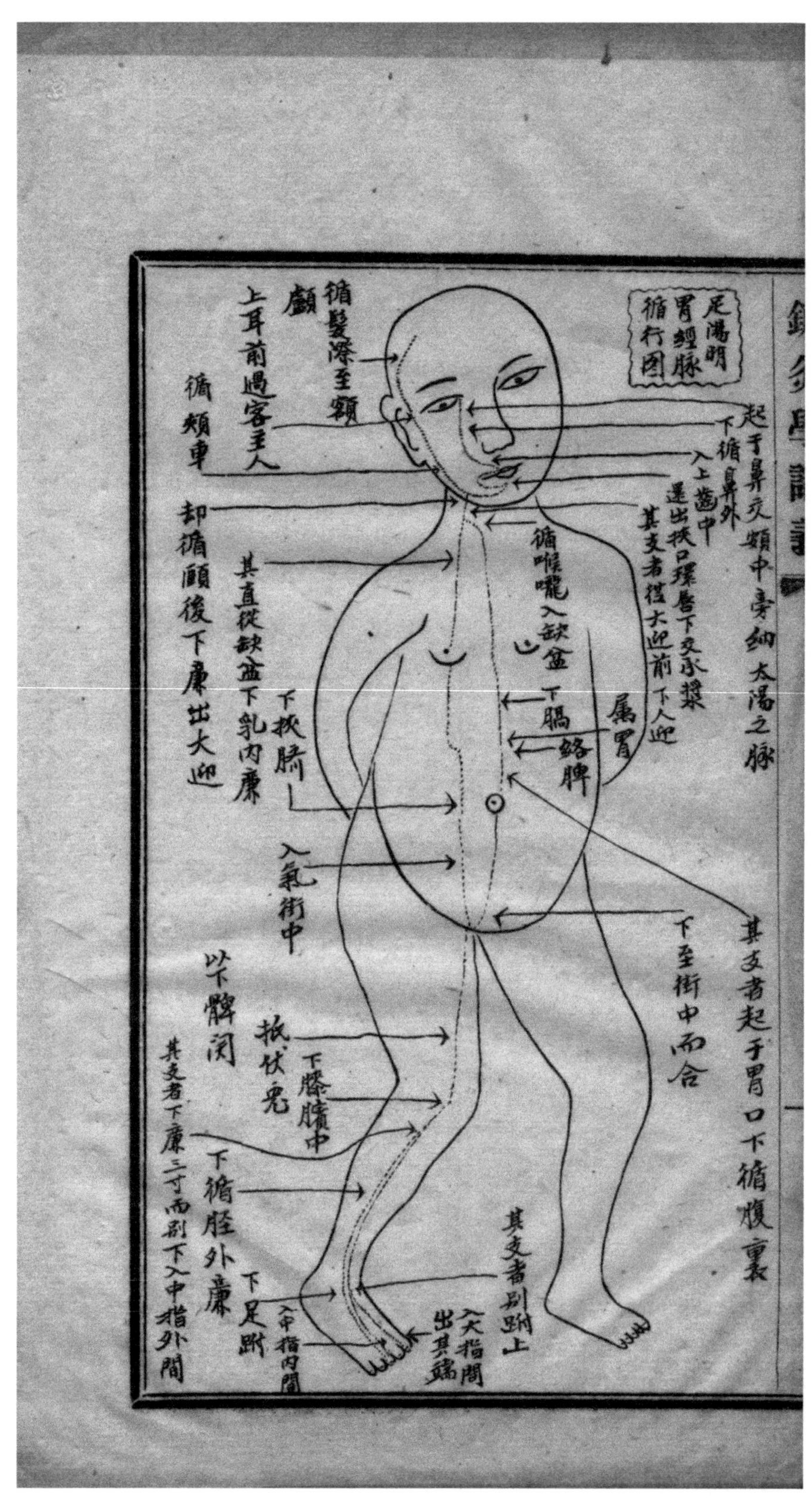
足陽明胃經脉循行圖
起于鼻交頞中旁納太陽之脉
下循鼻外
入上齒中
還出挾口環唇下交承漿
其支者從大迎前下人迎
循喉嚨入缺盆
下膈
屬胃
絡脾
其支者起于胃口下循腹裏
下至街中而合
循髮際至額顱
上耳前過客主人
循頰車
卻循頤後下廉出大迎
其直從缺盆下乳內廉
下挾臍
入氣街中
以下髀関
抵伏兔
下膝臏中
其支者下廉三寸而別下入中指外間
下循脛外廉
下足跗
入中指內間
其支者別跗上
入大指間出其端

第四節　足太陰經脈

脾足太陰之脈。起於大指之端。循指內側白肉際。過核骨後。上內踝前廉。上踹內。循脛骨後。交出厥陰之前。上膝股內前廉。入腹屬脾絡胃。上膈挾咽連舌本散舌下。其支者。復從胃別。上膈注心中。

講義

足之三陰從足上腹。是以太陰之脈。發於足大指之端隱白穴。故曰「脾足太陰之脈。起於大指之端」。核骨在足大指本節後內邊凸起之圓骨也。（滑伯仁誤認爲孤拐骨）其脈由大指之端。循行而上大指內側之白肉與深色肉之交界處大都穴。循行而上過圓骨之後。經過大白公孫二穴。故曰「循指內側。白肉際。過核骨後」。直上循行於內踝骨之前面商邱穴。故曰「上內踝前廉」。足肚曰腨。由商邱穴上循行於足肚之內三陰交穴。復行於胻骨之後。冲過厥陰經之前。經過地機陰陵泉二穴。故曰「上踹內。循脛骨後。交出厥陰之前」。股大腿也。前廉者。上側也。由陰陵泉復上行膝上大腿之內黨上之一邊。經過血海箕門兩穴。故曰「上膝股內前廉」。脾與胃相表裏。其脈由箕門穴。再上行入於肚腹之內。屬其本經之脾藏。復上行連絡其表裏相

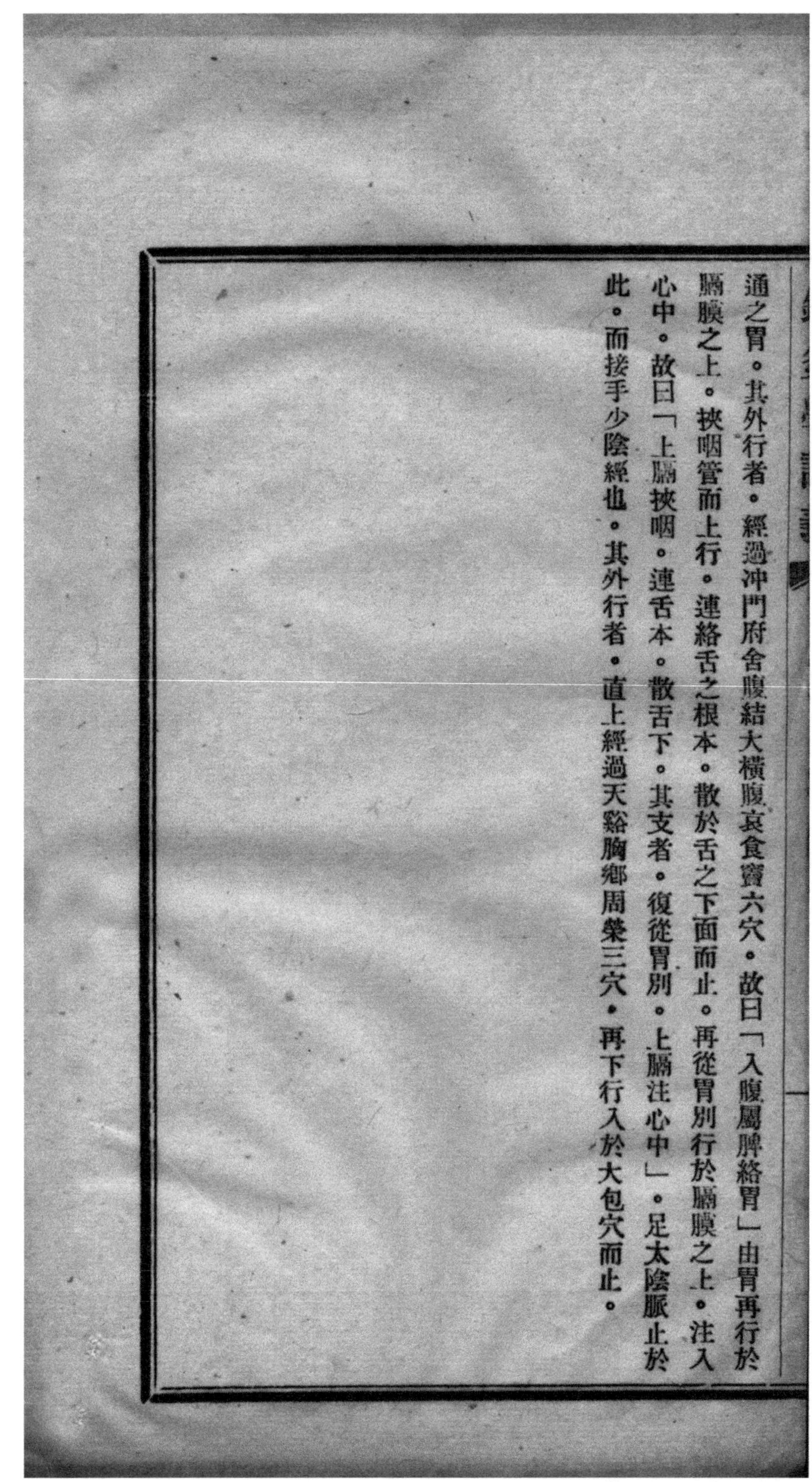

通之胃。其外行者。經過沖門府舍腹結大橫腹哀食竇六穴。故曰「入腹屬脾絡胃」由胃再行於膈膜之上。挾咽管而上行。連絡舌之根本。散於舌之下面而止。再從胃別行於膈膜之上。注入心中。故曰「上膈挾咽。連舌本。散舌下。其支者。復從胃別。上膈注心中」。足太陰脈止於此。而接手少陰經也。其外行者。直上經過天谿胸鄉周榮三穴。再下行入於大包穴而止。

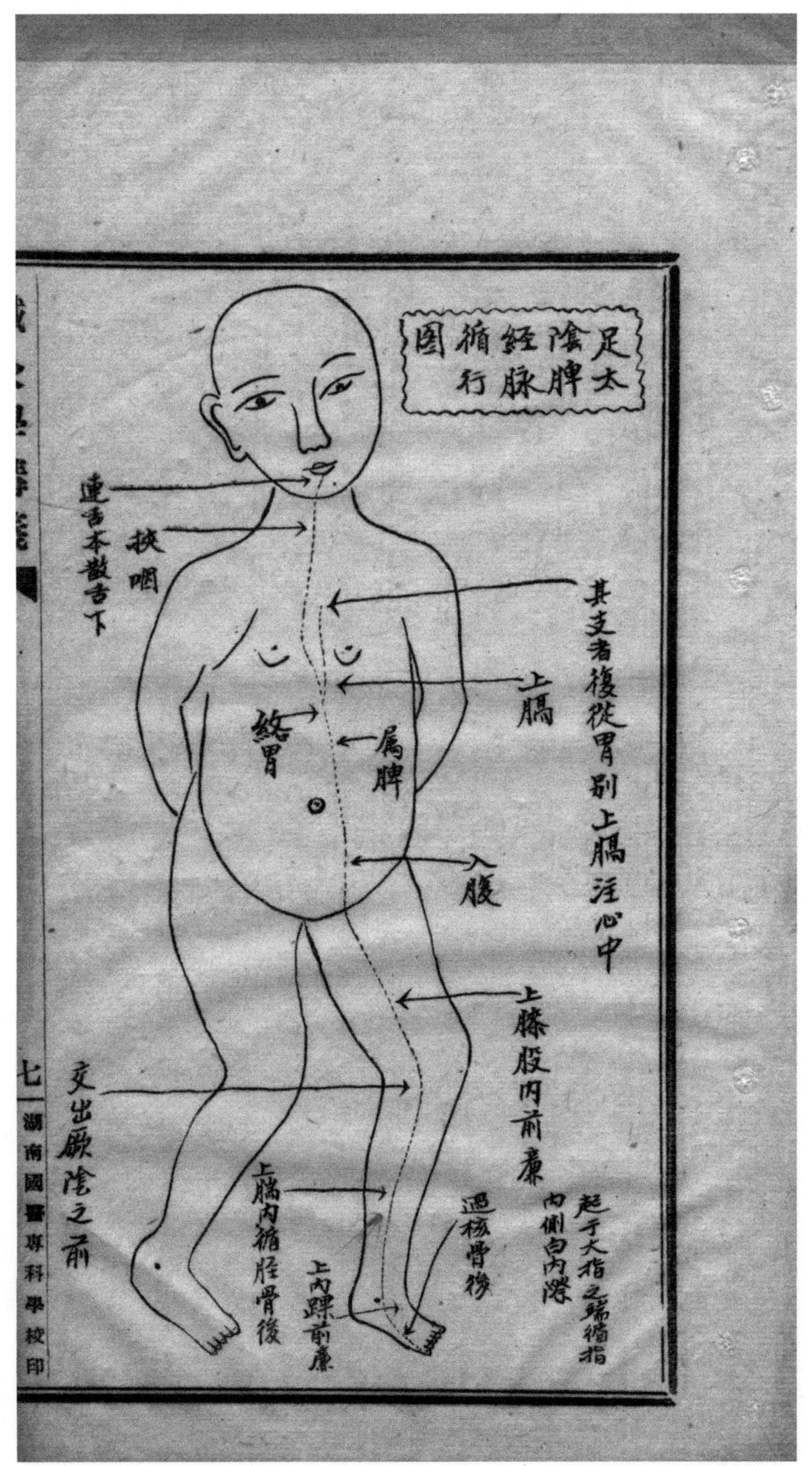
足太陰脾經脉循行圖
連舌本散舌下
挾咽
其支者復從胃別上膈注心中
上膈
絡胃
屬脾
入腹
上膝股內前廉
交出厥陰之前
上腨內循脛骨後
上內踝前廉
過核骨後
起于大指之端循指內側白肉際
七
湖南國醫專科學校印

第五節　手少陰經脈

心手少陰之脈。起於心中。出屬心系。下膈絡小腸。其支者。從心系。挾咽繫目系。直其者。復從心系却上肺。下出腋下。下循臑內後廉。行太陰心主之後。下肘內。循臂內後廉。抵掌後銳骨之端。入掌內後廉。循小指之內出其端。

講義

心爲五臟之主。所以心居人身之中。第五椎脊骨之下。其系有五支。上下兩系連於肺。另有三系連於脾肝腎。故曰心通五臟而爲主。其經脈自其本臟而外行。故曰「心手少陰之脈起於心中出屬心系」。心與小腸相表裡。故其脈由心而出。下行穿過膈膜。行至臍上二寸下脘之分。而連絡於小腸。故曰「下膈絡小腸」。其分開支部。由心系上行挾咽管上行入於眼目之系豰中而相維繫。故曰「其支者從心系上挾咽繫目系」。其幹部既絡小腸。復返從其本臟之系豰上行於肺。然後行出腋下。由極泉穴而起。故曰「其直者復從心系却上肺下出腋下」。臑內後廉者。青靈穴也。手之三陰少陰居太陰厥陰之後。故曰「下循臑內後廉。行太陰心主之後」再下行肘之內側少海穴。故曰「下肘內」銳骨手腕下之。踝骨也。爲神門穴所居之處。其脈從肘循臂之內經過靈道通里陰郄三穴。然後再入神門。故曰「循臂內後廉。抵掌後銳骨之端」。由神門循行入手掌內後廉。再循行小指之本節後少府穴。行出小指端之內側。少冲穴而止。相接手太陽經。故曰「入掌內後廉循小指之內出其端」。心爲君主尊於他臟。故其交經接受不假支別也。

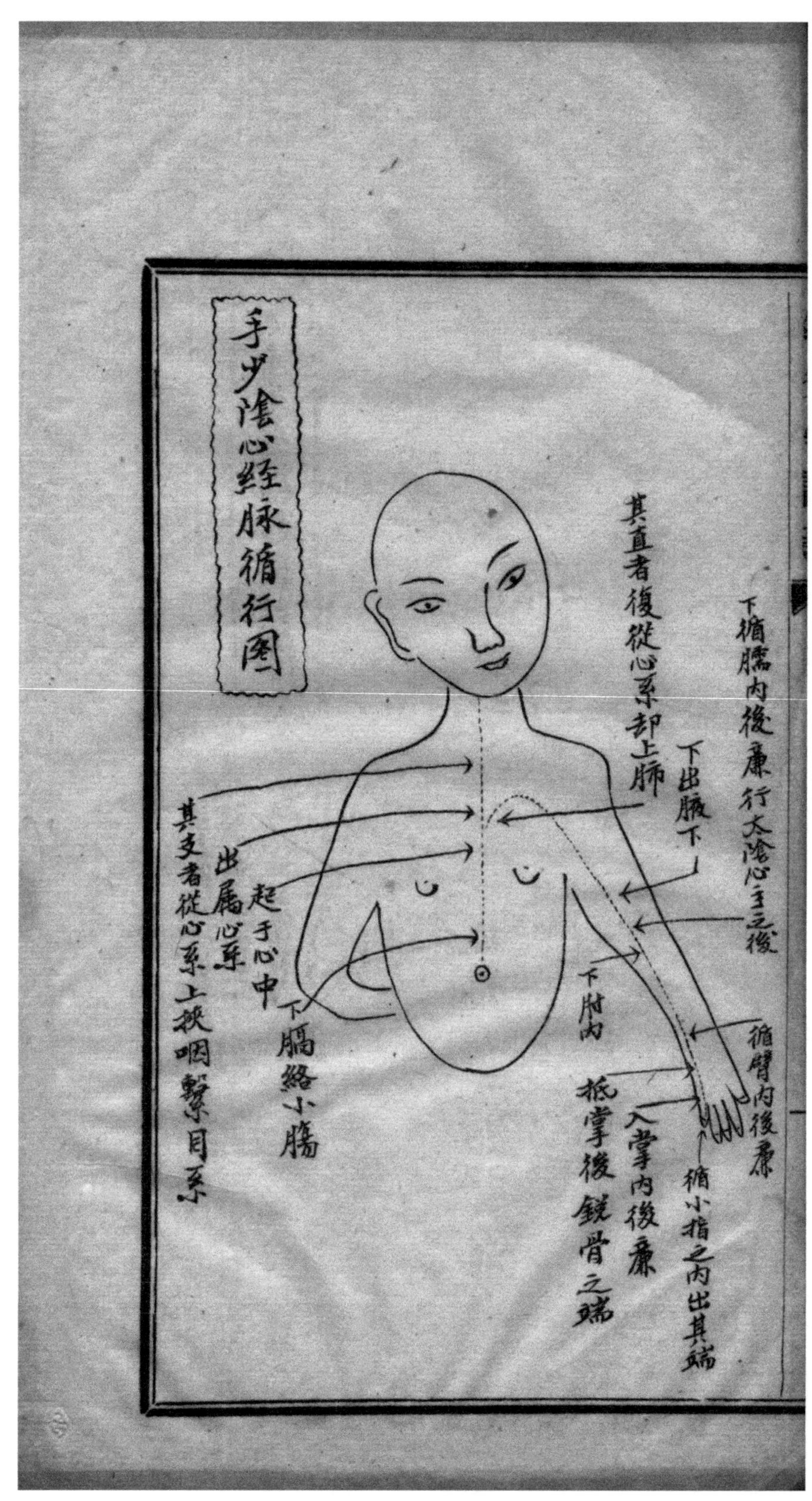
手少陰心経脉循行图
其直者復從心系卻上肺
下循臑内後廉行太陰心主之後
下出腋下
其支者從心系上挾咽繫目系
出屬心系
起手心中
下膈絡小腸
下肘内
循臂内後廉
抵掌後鋭骨之端
入掌内後廉
循小指之内出其端

第六節　手太陽經脈

小腸手太陽之脈。起於小指之端。循手外側。上腕出踝中。直上循臂骨下廉。出肘內側兩骨之間。上循臑外後廉。出肩解。繞肩胛。交肩上。入缺盆絡心。循咽下膈。抵胃屬小腸。其支者。從缺盆循頸上頰。至目銳眥。却入耳中。其支者。別循頰上䪼。抵鼻至目內眥。斜絡於顴。

講義

手之三陽。從手至頭。故手太陽經脈。從小指之端少澤穴起。循行於手之外側前谷後谿二穴。再上行腕骨陽谷二穴。而出手踝骨中之養老穴。故曰「小腸手太陽之脈。起於小指之端。循手外側。上腕出踝中」。再直上循行於臂骨之下支正穴。然後出肘之內側兩骨尖端陷中之小海穴。故曰「直上循臂骨下廉。出肘內側兩骨之間」。再上循行於臑之後面。行手陽明少陽之外。故曰「上循臑外後廉」。肩後骨縫曰肩解。肩解之上曰肩胛。頸之兩邊負重之處曰肩上。從臑外後廉沿肩而上。至肩後骨縫之處肩貞。復斜行繞於肩胛骨處之臑俞天宗二穴。再斜上肩。經過秉風曲垣肩外俞肩中俞等穴。左右交於兩肩之上。會於督脈之大椎穴。故曰「出肩解。繞肩胛。交肩上」，然後前行入缺盆之中，循咽而下行。連絡於心。緣心與小腸相表裡。故曰「入

鍼灸學講義　九一　湖南國醫專科學校印

缺盆絡心」。再下行入於膈膜之下。至胃。屬於小腸。當臍上二寸之處。此本經行於內者。其分支行於外者。出缺盆循頸中之天窗穴。上頰後之天容穴。再上行於顴骨之顴髎穴。至目之外眥尖銳之處。然後下入耳中聽宮穴。手太陽經止於此。故曰「其支者。從缺盆循頸上頰。至目銳眥。却入耳中」。目之下爲䪼。目內角爲內眥。顴髎即顴骨。手太陽經自此交目內眥。而接足太陽經也。故曰「其支者。別循頰上䪼。抵鼻至目內眥。斜絡於顴」。

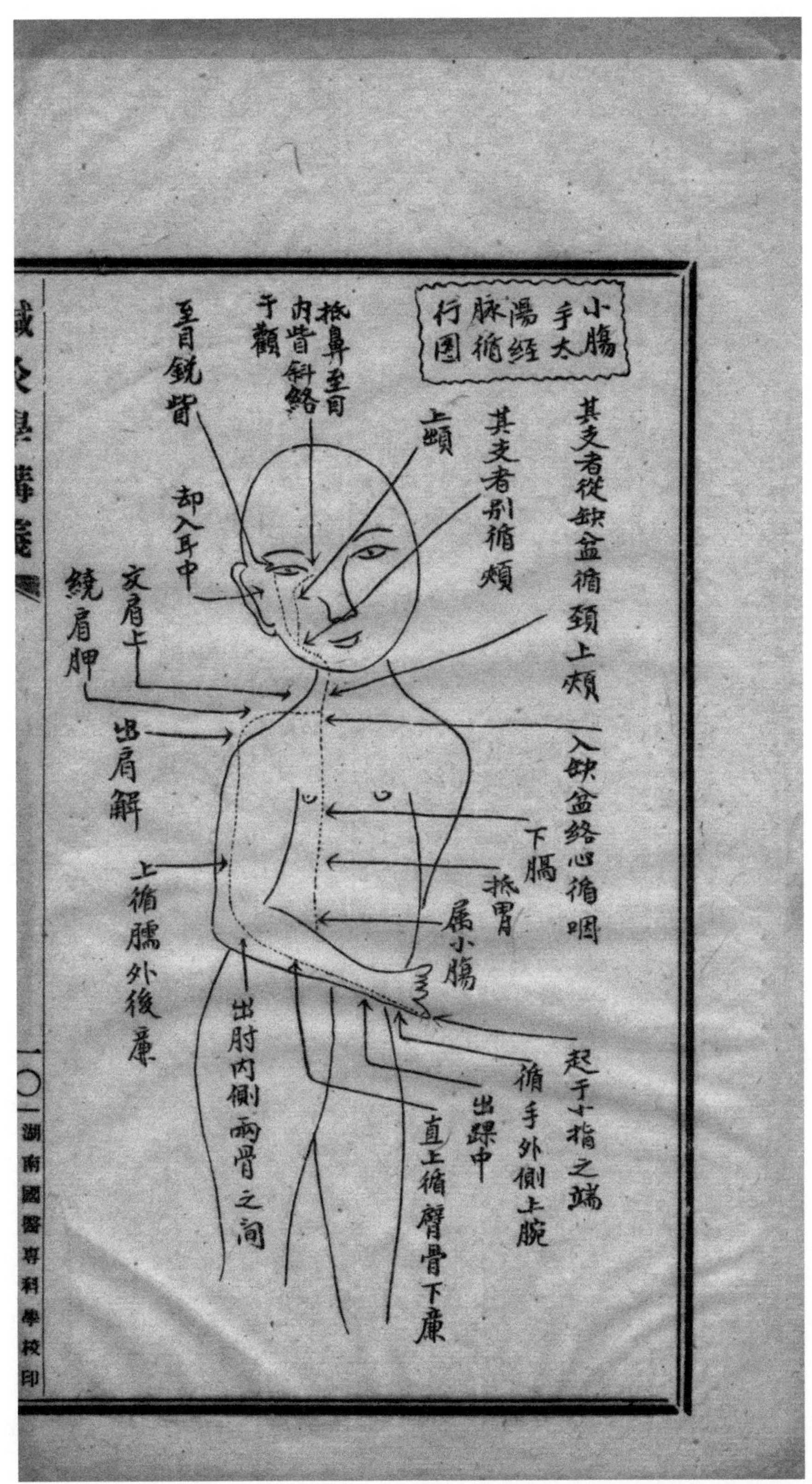
小腸手太陽经脉循行图
抵鼻至目内眥斜絡于顴
至目銳眥
上頗
其支者别循頰
其支者從缺盆循頸上頰
却入耳中
交肩上
繞肩胛
出肩解
入缺盆絡心循咽
下膈
抵胃
屬小腸
上循臑外後廉
出肘内側兩骨之间
起手小指之端
循手外側上腕
出踝中
直上循臂骨下廉
一〇二
湖南國醫專科學校印

第七節　足太陽經脈

膀胱足太陽之脈。起於目內眥。上額交巔。其支者。從巔至耳上角。其直者。從巔入絡腦。還出別下項。循肩髆內。挾脊抵腰中。入循膂絡腎。屬膀胱。其支者。從腰中下挾脊。貫臀入膕中。其支者。從髆內左右別。下貫胛。挾脊內。過髀樞。循髀外。從後廉下合膕中。以下貫踹內。出外踝之後。循京骨。至小指外側。

講義

膀胱足太陽經脈。由目之內眥睛明穴而起。循眉頭之攢竹穴。再直上至督脈經之神庭旁眉冲穴。然後再橫開神庭一寸五分之曲差穴。再上行經過五處承光通天絡却數穴。左右斜行。而交通巔項督脈之百會。過足少陽之曲鬢率谷天衝浮白竅陰完骨。故此六穴皆爲足太陽少陽之會。故曰「其支者。從巔至耳上角」。再由百會通天絡却玉枕入於後腦之內。而相連絡。故曰「其直者。從巔入絡腦」。從腦後復循行而出。別開下行於頸項之下。由天柱而下會督脈之大椎陶道二穴。却循肩髆內作四行而下。挾脊抵腰中之內兩行。有大杼風門肺兪厥陰俞小腸兪膀胱俞中膂俞白環廿穴。故曰「還出別下項。循肩髆內。挾脊抵腰中」。腎與膀胱相表裏。挾脊兩旁之肉曰膂。循行入於脊膂之內。連絡腎臟。屬於膀胱。故曰「入循膂絡腎屬膀胱」。尻旁大肉肉曰臀。膝下曲處曰膕。其分支之處。從腰挾脊之兩旁。經過上髎次髎中髎下髎。連貫下行。入於尻旁大肉之臀中。再下行入於膝後曲處之膕中與外二行之支者相合。故曰「其支者。從腰中下挾。貫臀入膕中」。膂內曰胛。外二行之分支。亦從肩髆內左右分開。去脊三寸。歷行附分魄戶膏肓神堂譩譆膈關魂門陽綱意舍胃倉肓門志室胞肓秩邊等穴下行。貫入於膂內之名胛處。挾脊之兩旁。故曰「其支者。從髆內左右別。下貫胛。挾脊內」。髀股也。髀樞環跳骨也。又名坐骨。因其髀骨所嵌入處有轉樞之作用。故名髀樞。由脊內下行經過髀股之轉樞處。會足少陽於環跳。循髀下之橫紋中央承扶穴。再下六寸之殷門穴。而入於膕中之浮郄委陽委中三穴。與前之入膕中者相合。故曰「過髀樞。行髀外。從後廉下合膕中」。足肚曰踹。外踝骨之下小指本節後之大骨。曰京骨。由膕中下行踹內合陽承筋承山三穴。再經飛揚附陽二穴。而出外踝後之崑崙僕參二穴。循行踝下之申脈穴。再向小指前行經過金門京骨束骨通谷至陰五穴。而止。而接足少陰經也。故曰「以下貫踹內。出外踝之後。循京骨。至小指外側」。

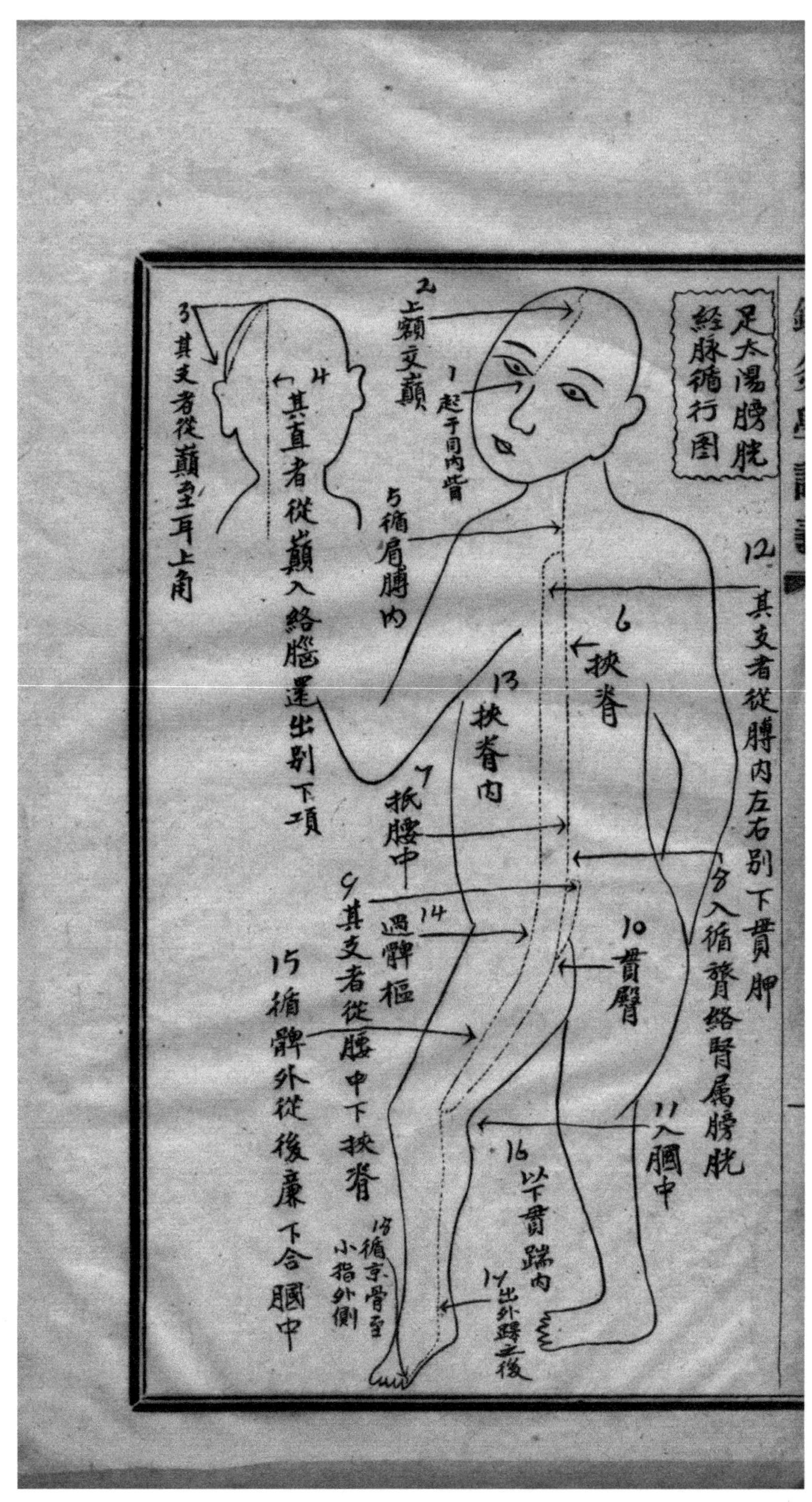
足太陽膀胱
経脉循行图
1 起于目内眥
2 上額交巔
3 其支者從巔至耳上角
4 其直者從巔入絡腦還出别下項
5 循肩膊内
6 挾脊
7 抵腰中
8 入循膂絡腎屬膀胱
9 其支者從腰中下挾脊
10 貫臀
11 入膕中
12 其支者從膊内左右别下貫胛
13 挾脊内
14 過髀樞
15 循髀外從後廉下合膕中
16 以下貫踹内
17 出外踝之後
18 循京骨至小指外側

第八節　足少陰經脈

腎足少陰之脈。起於小指之下。邪走足心。出於然谷之下。循內踝之後。別入跟中。以上踹內。出膕內廉。上股內後廉。貫脊屬腎絡膀胱。其直者。從腎上貫肝膈。入肺中。循喉嚨。挾舌本。其支者。從肺出絡心。注胸中。

講義

足少陰腎之經脈。起自小指之下。斜向脚板中之湧泉而行。再斜行至內踝骨前之大骨下然谷穴。然後別開行入脚跟之旁。經過太谿大鍾水泉照海四穴。旋轉而上行。故曰「腎足少陰之脈。起於小指之下。邪走足心。出於然谷之下。循內踝之後。別入跟中」。循行而上足肚內側之復溜交信築賓三穴。再上行出於膕之內廉陰谷穴。上行於陰股內後廉。結於督脈之長強。以貫於脊而後屬於本臟之腎。前當任脈關元中極之兩旁橫骨大赫四滿中柱。而絡於膀胱。相爲表裡。故曰「以上腨內。出膕內廉。上股內後廉。貫脊屬腎絡膀胱」。其直行者。從肓俞上行。經過商曲石關陰都通谷諸穴。貫肝上循幽門。上膈行於步廊。入肺中。循神封靈虛神藏彧中俞府而上循喉嚨並人迎。挾舌本而終。故曰「其直者。從腎上貫肝膈。入肺中。循喉嚨。挾舌本」。其分開之支。自神藏之際。從肺絡心。至胸以上俞府穴。足少陰經止於此。而接手厥陰經也。故曰「其支者。從肺出絡心。注胸中」。

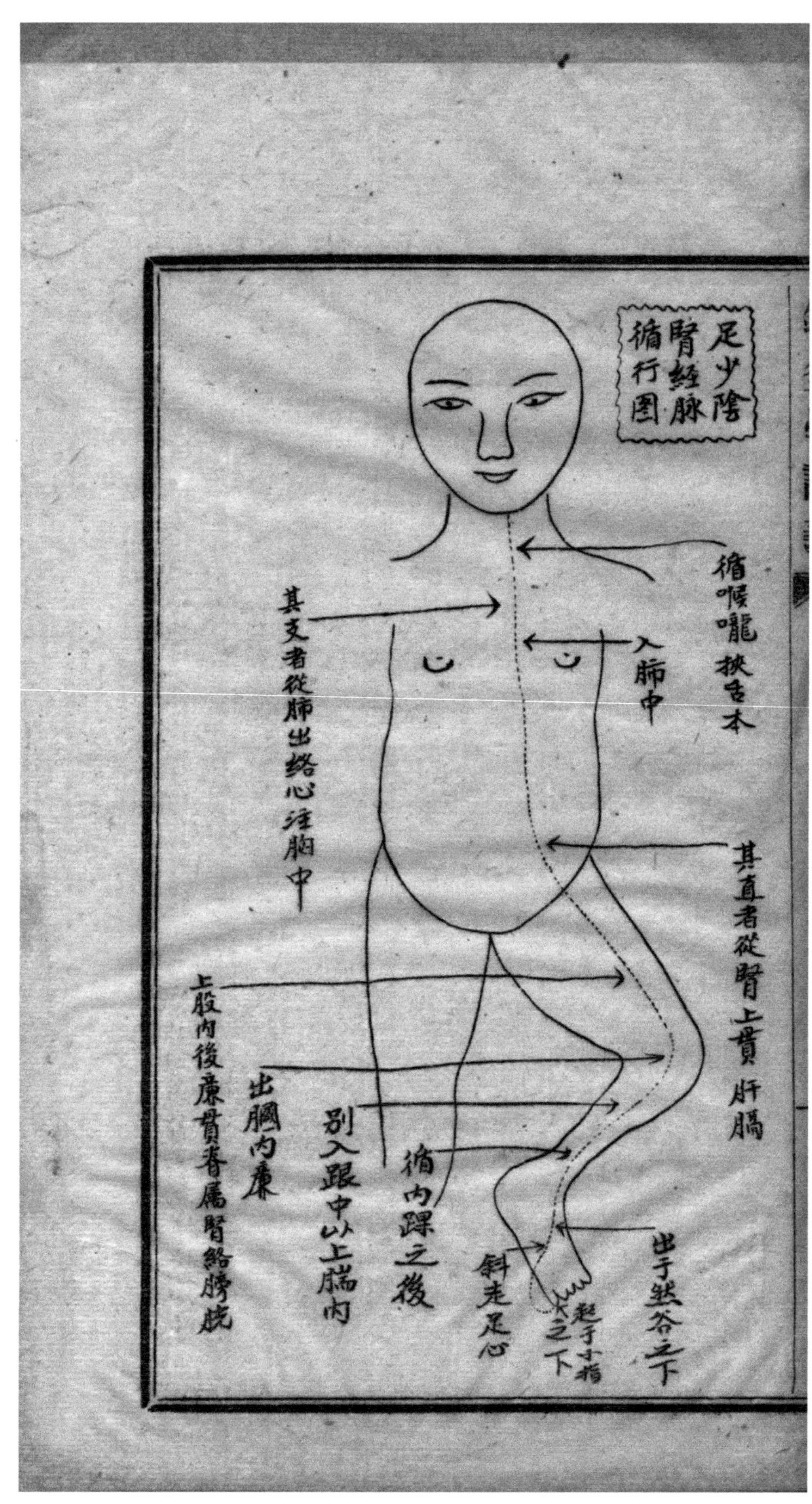
足少陰腎經脉循行圖
循喉嚨挾舌本
其支者從肺出絡心注胸中
入肺中
其直者從腎上貫肝膈
上股內後廉貫脊屬腎絡膀胱
出膕內廉
別入跟中以上腨內
循內踝之後
斜走足心
起于小指之下
出于然谷之下

第九節　手厥陰經脈

心主手厥陰心包絡之脈。起於胸中。出屬心胞絡。下膈歷絡三焦。其支者。循胸出脇。下腋三寸。上抵腋。下循臑內。行太陰少陰之間。入肘中。下臂。行兩筋之間。入掌中。循中指出其端。其支者。別掌中。循小指次指出其端。

講義

心主者。心之所主也。胞絡爲心之府。故名心主。手厥陰經之脈起於胸之當中。屬於心之包絡。故曰「心主手厥陰心胞絡之脈。起於胸中」。胞絡爲心之外衛。三焦爲臟腑之外衛。故爲表裏而相連絡。諸經皆無歷字。獨此有歷字。言其能達上中下也。故曰「出屬心包絡。下膈歷絡三焦」。其分開之支。循胸出脇下腋三寸之天池穴。手厥陰經脈始於此。故曰「其支者。循胸出脇下腋三寸」。上行至腋而轉向下。循行於臑內天泉穴。行太陰少陰二經之間。因手之三陰。厥陰在中。故曰「上抵腋下循臑內。行太陰少陰之間」。循行入於肘中橫紋盡處之曲澤穴。再下行於臂之兩筋中間之郄門間使內關大陵等穴。故曰「入肘中。下臂。行兩筋之間」。行於手掌中之勞宮穴。再循中指尖之中衝穴。手厥陰經止於此。次指者。無名指也。又曰環指。其分支自勞宮穴別行於無名指之尖。而接手少陽經。故曰「其支者。別掌中。循小指次指出其端」

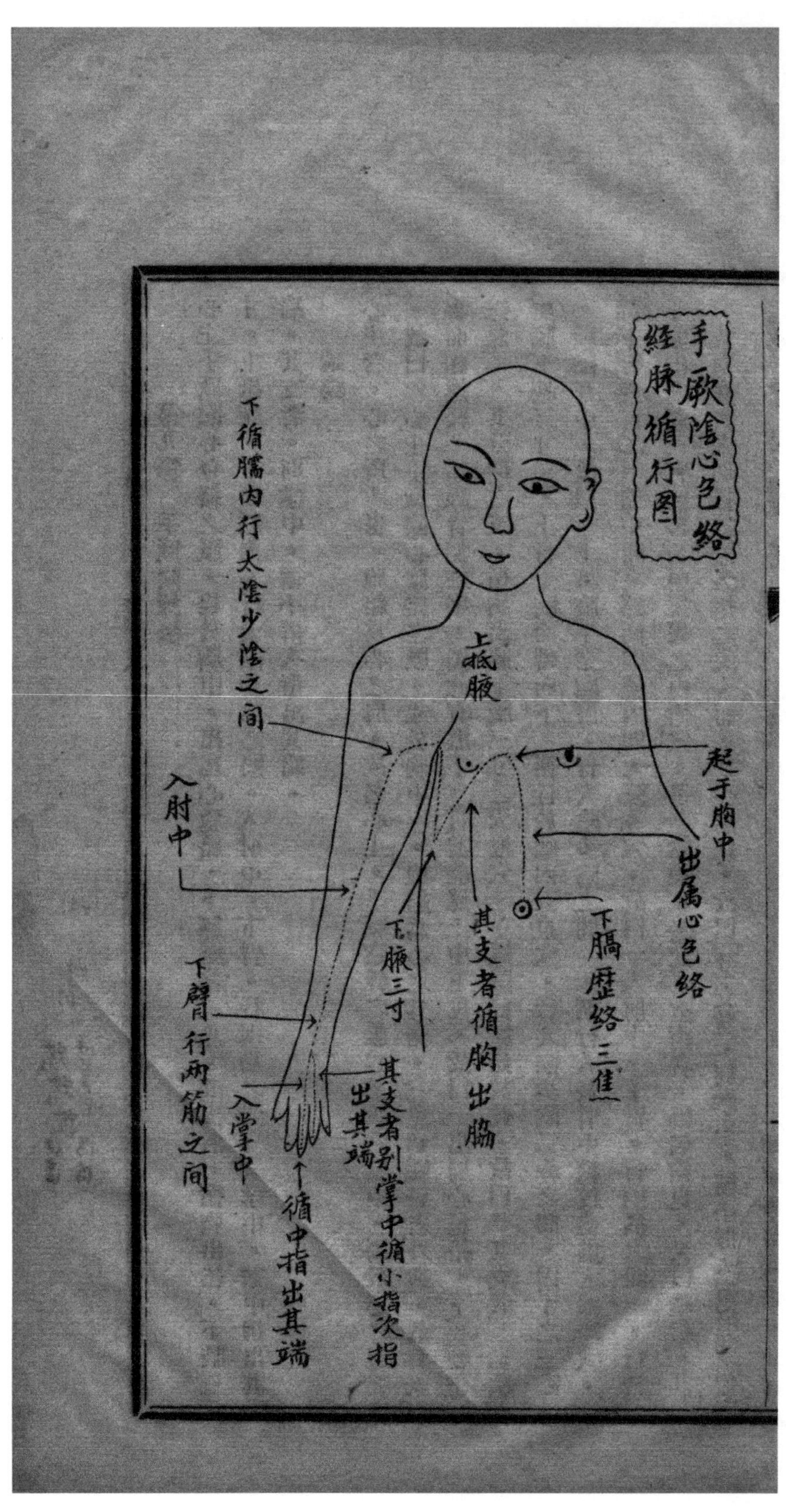
手厥陰心包絡經脉循行圖
下循臑內行太陰少陰之間
上抵腋
起于胸中
入肘中
出屬心包絡
下膈歷絡三焦
下腋三寸
其支者循胸出脇
下臂行兩筋之間
入掌中
其支者别掌中循小指次指出其端
循中指出其端

第十節　手少陽經脈

三焦手少陽之脈。起於小指次指之端。上出兩指之間。循手表腕。出臂外兩骨之間。上貫肘。循臑外。上肩而交出足少陽之後。入缺盆。布膻中。散絡心胞。下膈循屬三焦。其支者。從膻中。上出缺盆。上項繫耳後。直上出耳上角。以屈下頰至䪼。其支者。從耳後入耳中。出走耳前。過客主人前。交頰至目銳眥。

講義

手少陽之經脈。內則屬於三焦。其經脈從無名指之尖關冲穴起。循行手之背面小指與無名指兩指之交叉中液門穴。故曰「三焦少陽之脈。起於小指次指之端。上出兩指之間」。人身以背爲陽。以腹爲陰。人手亦以手背爲陽。手掌爲陰。陽爲表。陰爲裡。三焦經從小指次指交叉之液門。再上行於手背之表陽中渚穴。再上腕而入陽池穴。再上行於尺骨橈骨兩骨中間之外關支溝會宗三陽四瀆諸穴。故曰「循手表腕。出臂外兩骨之間」。上行貫入肘尖之上一寸大骨後陷中之天井穴。循行臑外之淸冷淵消濼臑會等穴。再循行上肩經過肩髎。循頸側之後天髎穴。與足少陽相交而出足少陽之後。故曰「上貫肘循臑外。上肩而交出足少陽之後」。內行者。入於

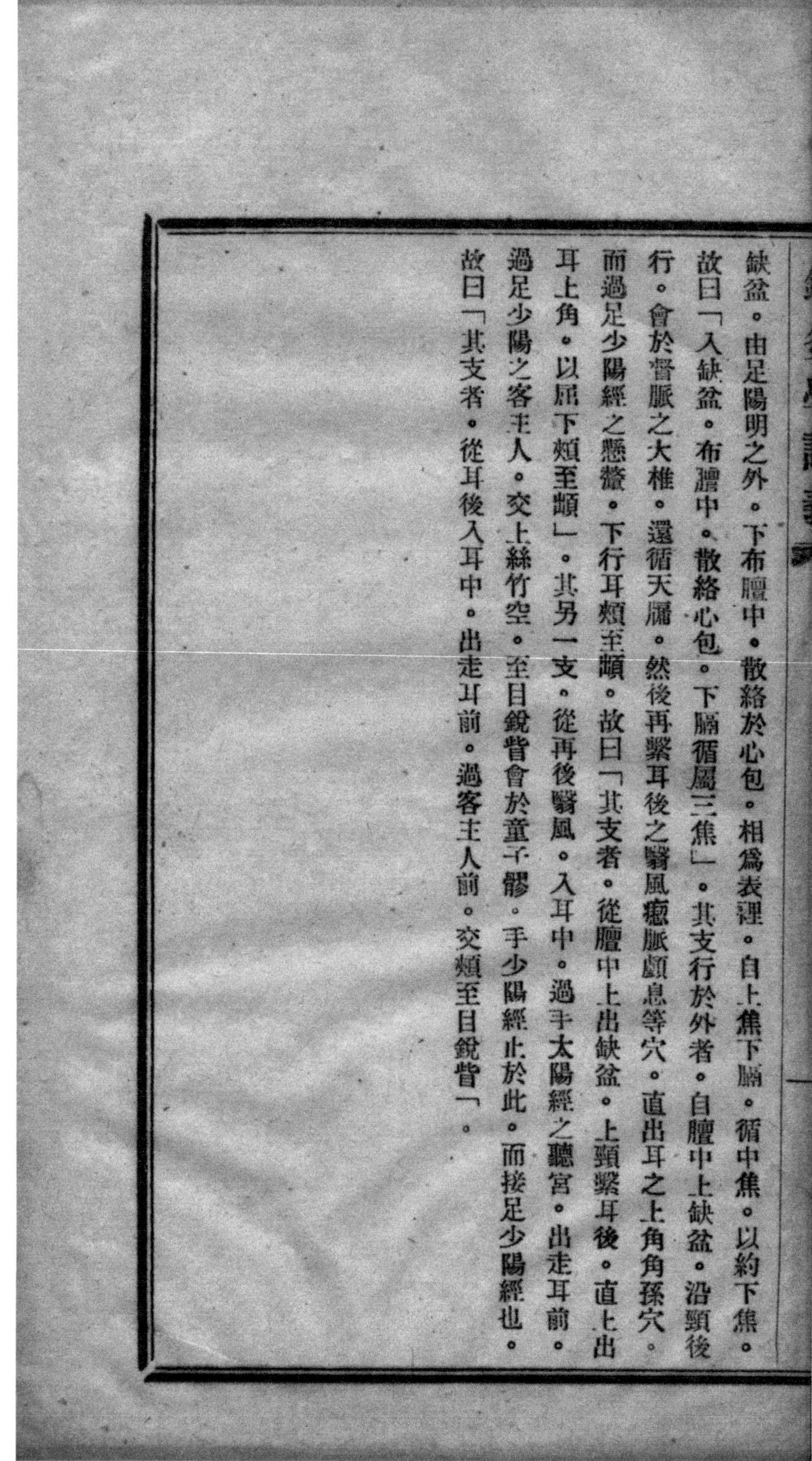

缺盆。由足陽明之外。下布膻中。散絡於心包。相爲表裡。自上焦下膈。循中焦。以約下焦。故曰「入缺盆。布膻中。散絡心包。下膈循屬三焦」。其支行於外者。自膻中上缺盆。沿頸後行。會於督脈之大椎。還循天牖。然後再繫耳後之翳風瘈脈顱息等穴。直出耳之上角角孫穴。而過足少陽經之懸釐。下行耳頰至䪼。故曰「其支者。從膻中上出缺盆。上項繫耳後。直上出耳上角。以屈下頰至䪼」。其另一支。從耳後翳風。入耳中。過手太陽經之聽宮。出走耳前。過足少陽之客主人。交上絲竹空。至目銳眥會於童子髎。手少陽經止於此。而接足少陽經也。故曰「其支者。從耳後入耳中。出走耳前。過客主人前。交頰至目銳眥」。

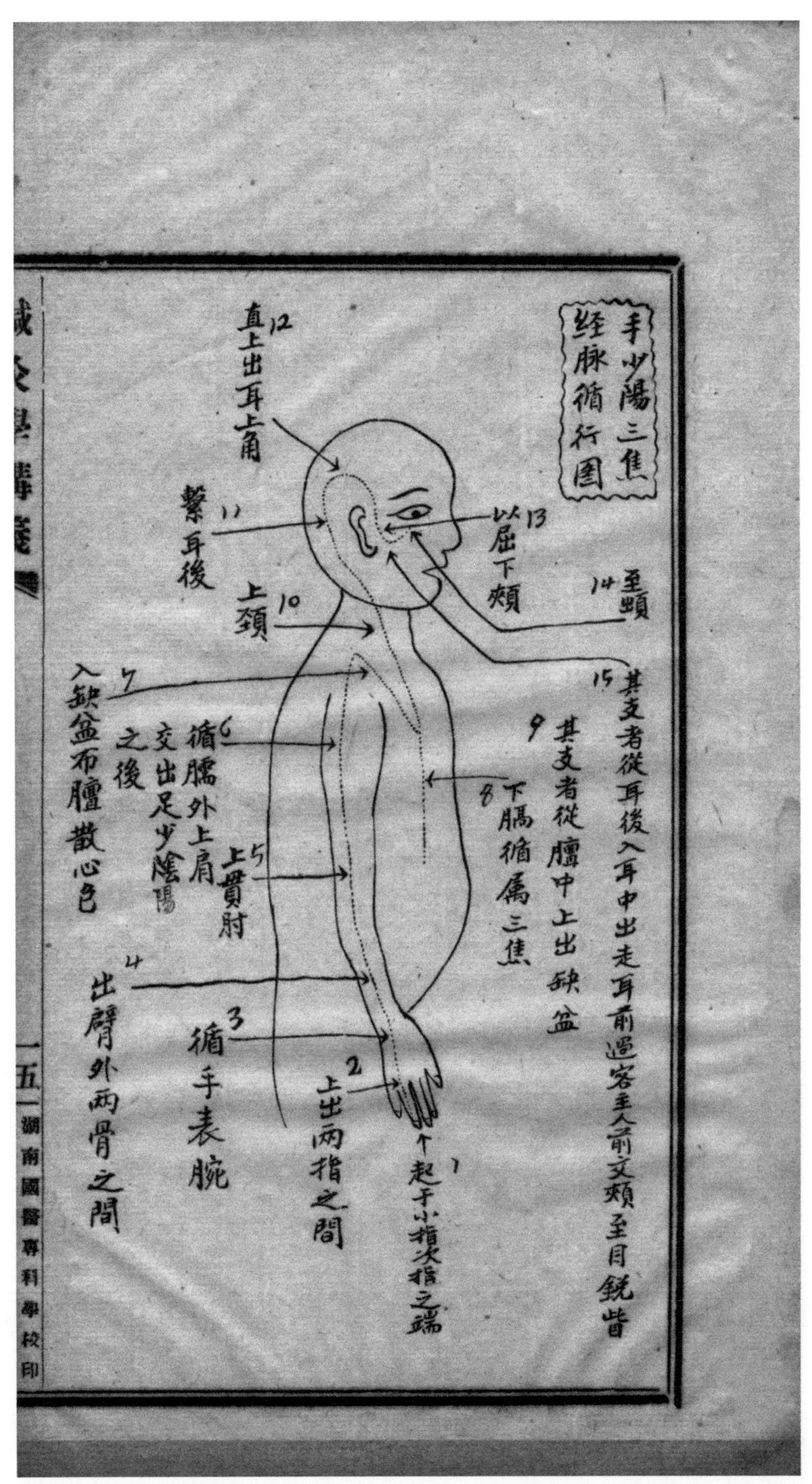
鍼灸學講義
手少陽三焦经脉循行图
1 起于小指次指之端
2 上出两指之間
3 循手表腕
4 出臂外两骨之間
5 上貫肘
6 循臑外上肩 交出足少陽之後
7 入缺盆布膻散心包
8 下膈循屬三焦
9 其支者從膻中上出缺盆
10 上頸
11 繫耳後
12 直上出耳上角
13 以屈下頰
14 至䪼
15 其支者從耳後入耳中出走耳前過客主人前交頰至目銳眥
一五一
湖南國醫專科學校印

脚氣痠疼肩井先
次尋三里陽陵泉

第十一節　足少陽經脈

膽足少陽之脈。起於目銳眥。上抵頭角。下耳後。循頸行手少陽之前。至肩上。却交出手少陽之後。入缺盆。其支者。從耳後。入耳中。出走耳前。至目銳眥後。其支者。別銳眥下大迎。合於手少陽抵於䪼。下加頰車。下頸合缺盆。以下胸中。貫膈絡肝屬膽。循脇裏。出氣街。繞毛際。橫入髀厭中。其直者。從缺盆下腋循胸。過季脇。下合髀厭中。以下循髀陽。出膝外廉。下外輔骨之前。直下抵絕骨之端。下出外踝之前。循足跗上。入小指次指之間。其支者。別跗上。入大指之間。循大指歧骨內出其端。還貫爪甲出三毛。

講義

足少陽經之脈。起於目之銳眥童子髎。經過聽會上關兩穴。上行至頭角之頷厭懸顱懸厘曲鬢率谷。然後下行於耳後天冲浮白竅陰完骨等穴。故曰「胆足少陽之脈。起於目銳眥。上抵頭角。下耳後」。再上行經過本神陽白二穴。復後行於臨泣目窗正營承靈腦空風池等穴。循頸過手少陽之天牖。行手少陽之前。下至肩。循肩井穴。復交出手少陽之後。過督脈之大椎。復沿頸而行。入於足陽明缺盆之中。故曰「循行手少陽之前。至肩上。却交出手少陽之後。入缺盆」。

再從耳之後顳顬。（即腦空穴）過手少陽之翳風。過手太陽之聽宮。出走耳之前。復自本經之聽會穴至目銳眥而合。故曰「其支者。從耳後。入耳中。出走耳前。至目銳眥後」。其支行者。自目之銳眥隨足陽明而下大迎。復由於手少陽之絲竹空禾髎而下至頔。故曰「其支者。別銳眥。下大迎。合於手少陽抵於頔」自足陽明之頰車下頸。循本經與前之入缺盆者會合。故曰「下加頰車。下頸合缺盆。由缺盆之內下胸中。當手厥陰天池之分。貫膈行足厥陰期門之分。絡肝由本經日月之分屬胆。相爲表裏。下行足厥陰章門之分。再下行出足陽明之氣街。繞毛際。合於足厥陰。橫入髀厭。（即髀樞）中環跳穴。故曰「以下胸中。貫膈絡肝屬胆。循脇裡。出氣街。繞毛際。橫入髀厭中」。其直行於外者。從缺盆下行。經過淵腋輒筋日月京門帶脈五樞維道居髎諸穴。與前之入髀厭者。會合於環跳。故曰「其直者。從缺盆下腋循胸。過季脇。下合髀厭中」。髀陽股之外側也。輔骨膝外之髀骨也。由環跳循股之陽。下行經過風市中瀆陽關等穴。行出膝外之下輔骨前之陽陵泉。以下輔骨前之陽交外邱光明陽輔等穴。故曰「以下循髀陽。出膝外廉。下外輔骨之前」。絕骨懸鍾穴也。由陽輔穴直下至懸鍾。再下出外踝前之邱墟穴。循足背之足臨泣地五會俠谿等穴。入小指旁之次指之外間竅陰穴。足少陽經止於此。

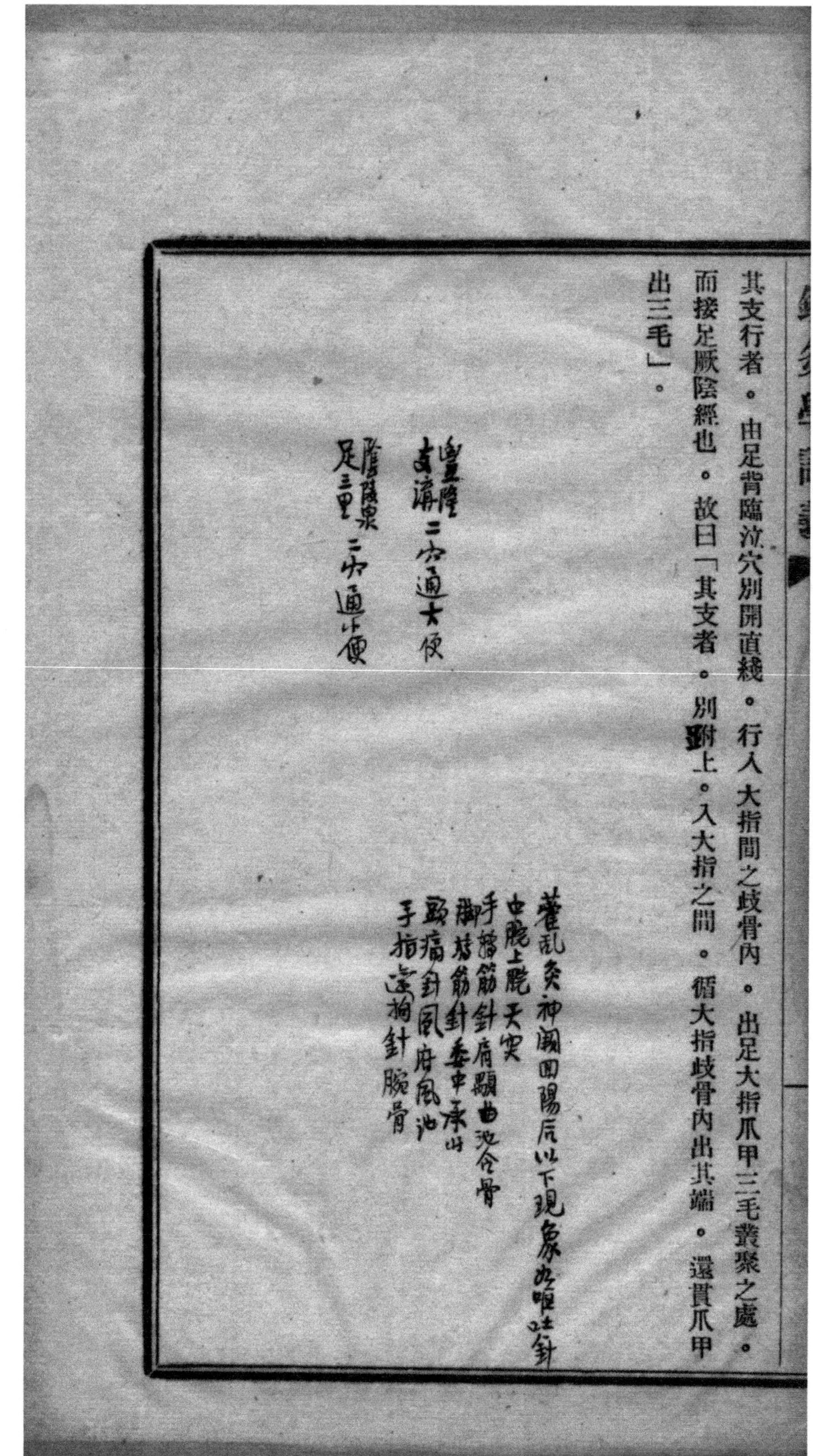

其支行者。由足背臨泣穴別開直綫。行入大指間之歧骨內。出足大指爪甲三毛叢聚之處。而接足厥陰經也。故曰「其支者。別跗上。入大指之間。循大指歧骨內出其端。還貫爪甲出三毛」。

豐隆 支溝 二穴通大便

陰陵泉 足三里 二穴通小便

霍乱灸神闕四陽辰以下現象如嘔吐針中脘上脘天突

手攣筋針肩髃曲池合骨

腳轉筋針委中承山

頭痛針風府風池

手指疼掐針腕骨

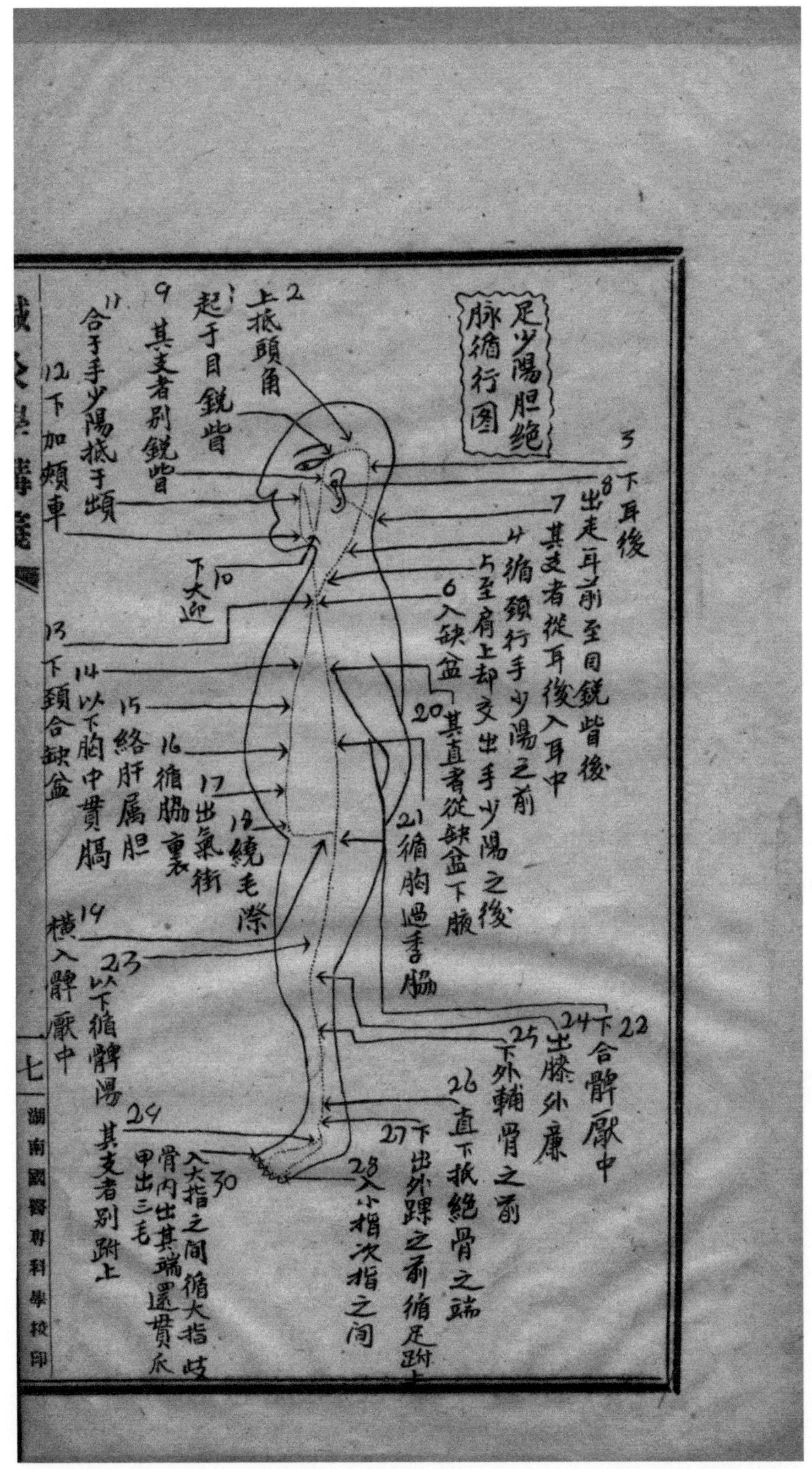
足少陽胆絶脉循行图
1 起于目銳眥
2 上抵頭角
3 下耳後
4 循頸行手少陽之前
5 至肩上卻交出手少陽之後
6 入缺盆
7 其支者從耳後入耳中
8 出走耳前至目銳眥後
9 其支者别銳眥
10 下大迎
11 合于手少陽抵于䪼
12 下加頰車
13 下頸合缺盆
14 以下胸中貫膈
15 絡肝屬胆
16 循脇裏
17 出氣街
18 繞毛際
19 橫入髀厭中
20 其直者從缺盆下腋
21 循胸過季脇
22 下合髀厭中
23 以下循髀陽
24 出膝外廉
25 下外輔骨之前
26 直下抵絕骨之端
27 下出外踝之前循足跗上
28 入小指次指之间
29 其支者别跗上
30 入大指之間循大指岐骨内出其端還貫爪甲出三毛
七
湖南國醫專科學校印

第十二節　足厥陰經脈

肝足厥陰之脈。起於大指叢毛之際。上循足跗上廉。去內踝一寸。上踝八寸。交出太陰之後。上膕內廉。循股陰。入毛中。過陰器。抵小腹。挾胃屬肝絡膽。上貫膈。布脇肋。循喉嚨之後。上入頏顙。連目系。上出額。與督脈會於巔。其支者。從目系。下頰裡。環唇內。其支者。復從肝別貫膈。上注肺。

講義

足厥陰之脈。由足大指三毛叢聚之處大敦穴而起。故曰「肝足厥陰之脈。起於大指叢毛之際」。上循足大指縫中。經過行間大沖二穴。循行於足背之上。至內踝之前一寸名中封穴處上行。故曰「上循足跗上廉。去內踝一寸」。由中封上行於踝上五寸之蠡溝穴。由蠡溝復上行二寸之中都穴。再上行一寸。則與足太陰經脈相交。而行太陰之後。再上循行於膝眼下二寸之膝關。而上膝灣內側橫紋盡處之曲泉穴。故曰「上踝八寸。交出太陰之後。上膕內廉」。股陰股之內側也。循股內之陰包五里陰廉等穴。入陰毛中。左右相交。環繞陰器。會於任脈之曲骨穴。橫出足少陽足陽明兩經。循入本經之急脈穴。而上出足太陰經之衝門府舍之間。故曰「循股陰。

入毛中。過陰器」。入於小腹之內。會於任脈。出季脇。循本經之章門穴。而行兩乳直下四寸之期門穴。然後挾胃而行入於本經所屬之肝。連絡於表裏相通之膽。故曰「抵小腹。挾胃屬肝絡胆」。貫膈膜而上行。滿布於脇肋之間足太陰食竇足少陽淵腋手太陰雲門等處。足厥陰經止於此。故曰。上貫膈。布脇肋」。頏顙上顎內之二孔也。目系目內深窩之處。其內行而上者。循行喉嚨之後。而入上顎內之二孔。內連兩目之系竅而出。與少陽會於督脈百會穴。故曰「循喉嚨之後。上入頏顙。連目系。上出額。與督脈會於巔」。其支行者。則從眼目之系竅下行。入足陽明經之四白地倉。環繞口唇。行入任脈。故曰「其支者。從目系。下頰裏環唇內」。其支行者。從前期門屬肝之所在。行足太陰食竇之外。本經之裡。貫行膈膜之上。注入肺中。接手太陰經。是十二經一周已盡。又由肺循次而行。周而復始如環無端。故曰「其支者。復從肝別貫膈。上注肺。

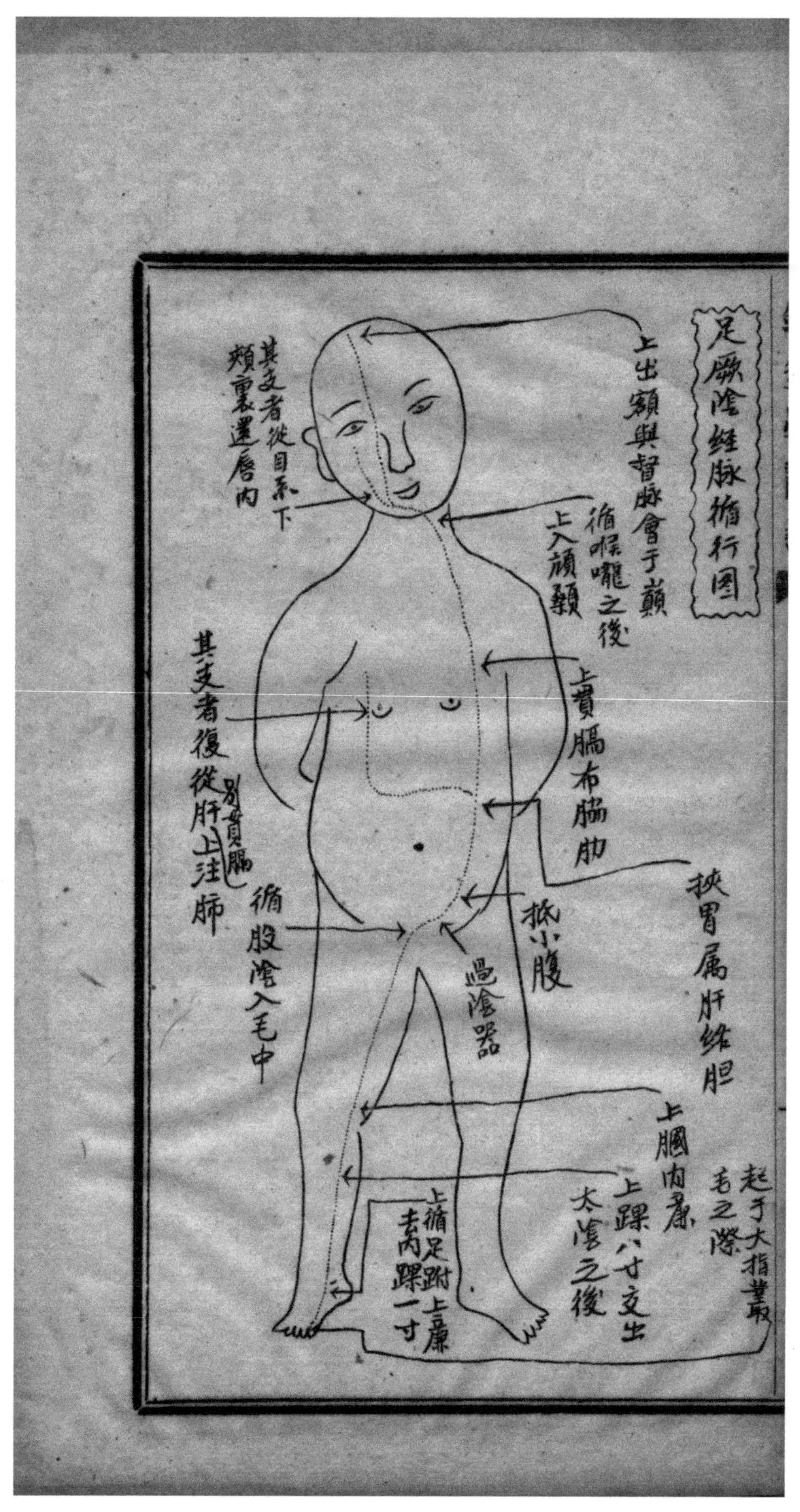
足厥陰经脉循行图
上出額與督脈會于巔
循喉嚨之後
上入頏顙
其支者從目系下
頰裏環唇内
上貫膈布脇肋
其支者復從肝
別貫膈
上注肺
挾胃屬肝络胆
抵小腹
過陰器
循股陰入毛中
上膕内廉
上踝八寸交出
太陰之後
上循足跗上廉
去内踝一寸
起于大指叢毛之際

第二章　奇經八脈

第一節　督脈

督脈起於腎中。下至胞室。乃下行。絡陰器。循二陰之間。至尻。貫脊。歷腰俞。上腦後交巔。至顖會。入鼻柱。絡於人中。與任脈交。

講義

奇經者。單數也。與十二正經不同。蓋十二經皆有表裡配合。八脈則無表裡配合。故名曰奇。

督脈起於腎中。下至胞室。腎中天一生水。入於胞中。全在督脈導之使下。腎氣至胞。任脈應之。此爲任督相交。即道家謂之轉河車也。胞者血之海也。兩性皆有之。二陰即前陰與後陰也。會陰穴在前陰。長強穴在後陰。故其經脈起於胞中。出任脈之會陰穴。再至尾閭骨端。入本經之長強穴。沿背脊中央而上行。再至二十一椎之下腰俞穴。與腎之筋膜相連。故曰「督脈起於腎中。下至胞室。乃下行。絡陰器。行二陰之間。至尻。貫脊。歷腰俞」。再上十六椎之陽關穴。十四椎之命門穴。當腎之中央。乃腎系貫脊之處。爲督脈之主要穴也。再上十三椎之懸樞。十一椎之脊中。十椎之中樞。九椎之筋縮。七椎之至陽。六椎之靈台。五椎之神道。及第三椎身柱穴。蓋身柱穴。乃肺之所繫。爲一身元氣之主宰。故稱之曰柱。再上一椎下之陶道。一椎上之大椎穴。入髮際之啞門。髮際上一寸宛宛中之風府。故曰「上腦後」。循風府直上。經過腦戶強間後項百會前頂顖會等穴。（以上數穴從風府上行均以距離一寸半計算）故曰「交巓至顖會」。顖會一穴。內通於心神。上照於腦髓。以此發生知覺。是神與髓會之所在也。經過顖會前一寸之上星穴。再入前髮際五分之神庭穴。神庭亦心神上出之處。昔賢云此處針則發狂。是以神庭亦在禁針例中也。由神庭下行至鼻之尖端。名準頭處之素髎穴。再下行於鼻尖之下名人中處之水溝穴而至唇尖端之兌端穴。再入於上齒縫中之齦（音懇）交穴而終。與下齒縫中之齦交穴相連。故曰「入鼻柱。絡於人中。與任脈交」。人之生活。以吸入天陽之空氣。入於鼻中。循脊下腎系而入丹田。（即臍下三寸關元穴也）歸督脈所主。化氣化精。爲人身命之原。總督周身之陽。故稱督也。

第二節　任脈

任脈者起於少腹之內。胞室之下。出會陰之分。上毛際。循臍中央。至膻中。上喉嚨。繞唇。終於唇下之承漿。與督脈交。

講義

督脈在背。總制諸陽。謂之曰督。任脈在腹。承任諸陰。謂之曰任。陰陽相貫。故任督二脈必相交。下則交於前後二陰之間。上則交於唇内上下齦也。臍下三寸曰少腹。又名小腹。（即丹田）任脈起於臍之中行。小腹之內。血海之中。下至兩陰之間名會陰穴處。與督脈相會。故名曰會陰。故曰「任脈起於小腹之內。胞室之下。出會陰之分」。由會陰穴循行而上。過毛際陷中之曲骨穴。上至聚毛之處。（即臍下四寸）名中極穴。又上至臍下三寸之關元穴。乃元陽元陰（即命門眞火眞水）交關之所也。復循行而上。經過臍下二寸之石門穴。臍下寸半之氣海穴。臍下一寸之陰交穴。臍中華之神穴。故曰「上毛際。循臍中央」。神穴上行一寸之水分。二寸之下脘。三寸之建里。四寸之中脘。五寸之上脘。六寸之巨闕。及蔽骨下之鳩尾。鳩尾上一寸之中庭。二寸六分之膻中等穴。蓋膻中爲心包絡生血之所出。隨任脈上下運行。爲心包絡運行血液者也。由膻中上行一寸六分之玉堂。再上一寸六分陷中之紫宮穴。紫宮者。指心而言也。心色赤紫。故名紫宮。任脈至此。內合於心。爲心行血之統脈也。故曰「至膻中」。由紫宮上行四寸八分之華蓋。六寸四分之璇璣。七寸四分之天突。故曰上喉嚨。再上行於頷之下結之上廉泉穴。又上至唇下之承漿。入於下齒縫中之齦交。以督脈交接而終。故曰「繞唇。終於唇下之承漿。與督脈交」。其支行者。循面而至於眼下。督脈主陽主氣。任脈主陰主血。彼此互相貫通。而爲人生之總司也。

第三節　衝脈

衝脈者。起於少腹之內。胞中。並少陰之經。挾臍上行。至胸中而散。上挾咽。

講義

胞中名爲氣海。乃呼吸之根也。人之呼氣。由氣海上胸膈。入肺管。而出於喉。其路徑全循衝脈而上。凡氣逆之病。皆責於衝。衝脈挾咽。故針天突可以降逆氣也。胞中又名血海。胃中飲食之汁。奉心化血。下入胞中。即由衝脈導之使下。經云女子二七而天癸至。大衝脈盛。月事以時下。緣胞爲先天腎氣後天胃血交會之所。衝脈起於胞中。導先天腎氣而上行。以交於胃。導後天陰血而下行。入於胞中。以交於腎。導氣而上。導血而下。通於少陰。而麗陽明。是衝脈雖然主氣。而又主血也。是以衝脈起於胞室之中。其出路則由臍下橫骨挾臍五分而上行。故曰「衝脈起於少腹之內。胞中挾臍左右而行」。經過足少陰經之橫骨大赫氣穴四滿中柱肓俞商曲石關陰都通谷幽門等穴。而散於胸中。故曰「並少陰之經挾臍上行。至胸中而散。上挾咽」。

第四節　帶脈

帶脈。當腎十四椎。出屬帶脈。圍身一周。前垂至胞中。

講義

帶脈總束諸脈。使不妄行。如束帶然。故名之曰「帶脈」。其脈內則從兩腎之中。脊骨十四椎內而起。外則從季脇之帶脈穴（屬足少陽）而發。內外同行。繞身一匝。故曰「出屬帶脈。圍身一周」。既從兩腎之中而起。是帶當屬腎。而繫於胞。以其根既結於命門。環腰貫臍。居身之中停。蓋脾主中州。又當屬於脾。其脈屬脾。而又下循胞中。故曰「前垂至胞中」。故帶病則胞亦因之而病。男子疝瘕溏泄。女子崩漏帶下。以其失却約束諸脈之職責也。所以帶脈穴及足太陰經中之隱白商邱三陰交血海等穴。無一不是治療泄瀉崩帶之主穴也。

第五節　陽蹻

陽蹻脈者。起於跟中。循外踝上行。入風池。

講義

蹻脈者。有陽蹻陰蹻。陽蹻者。從陽脈而上行。故曰陽蹻。陰蹻者。從陰脈而上行。故曰陰蹻。蹻者。言其使人身之機關蹻捷也。陽蹻脈由足跟之中。循外踝上行。故曰陽蹻脈者。起於跟中。循外踝上行」。其經脈由足外踝合於足太陽經脈而上行。所發之穴。生於申脈。本於僕參。郄於跗陽。與足少陽會於居髎。又與手陽明會於肩髃巨骨。與手太陽陽維會於臑俞。與足陽明會於地倉巨髎承泣。上入風池而止。故曰「上行入風池」。

第六節　陰蹻

陰蹻脈者。亦起於跟中。循內踝上行。至咽喉。交貫衝脈。

講義

陰蹻脈起於內踝跟中然谷之後照海穴。再上行交信穴。別足少陰之脈而上行。故曰「陰蹻脈者。亦起於跟中。循內踝上行」。循陰股。入陰上。循胸裡。入缺盆。上出人迎之前。屬目之內眥。合於足太陽經脈而止。因爲衝脈亦上循至咽。故曰「上循至咽喉。交貫衝脈」。

第九節　陽維

陽維脈者。起於諸陽之會。

講義

維繫也。陽維陰維者。言其經脈維繫於一身之陰陽也。是以陽維則維繫其陽。陰維則維繫其陰。設或陽維不能維持諸陽。陰維不能維繫諸陰。陰陽之不維持於一身。則神思不爽。悵然失志。身體懈怠而困倦矣。古之醫聖。常以十二經譬如溝渠。以奇經譬如湖澤。溝渠之水假使滿溢。則流入於湖澤之中。湖澤之水不復溢入於溝渠之內。人之經脈隆盛。入於奇經。別道而行。亦如是也。所以八脈受邪。則蓄積而不能環流。變成腫熱。即血氣滯而不流。如此之證。則當以三稜針刺出其血也。（古用砭石射之）按陽維之脈。發於足外踝之金門穴。（屬足太陽經）循膝外下廉之陽交穴。（屬足少陽經）上髀關。抵少腹。側循脇肋之日月穴。（屬足少陽經）斜上肘。會手太陽於臑俞。過肩前。與手少陽及陽維脈會於臑會天髎。與足少陽會於肩井。入肩後。又會足少陽於風池。上循腦空承靈正營目窗臨泣。下額。又與足少陽會於陽白。上至本神。與督脈會於風府啞門而止。此即諸陽會於頭面。主持衛氣者也。

第八節　陰維

陰維脈者。起於諸陰之交。

陽維脈。維於一身之陽。陰維脈。維於一身之陰。是以陰維脈起於諸陰脈之交。其脈起於足少陰築穴。爲陰維之郄。在內踝上腨肉分中。上循股內廉。上行入少腹。與足太陰會於府舍大橫腹哀。循脇。會足厥陰於期門。上胸膈。挾咽。與任脈會於天突廉泉而止。

第三章　經穴之名稱次序

按鍼灸一科。年代久遠。名賢輩出各立門戶。歷代流傳。所以有馬家鍼法。楊家鍼法。長桑鍼法。達摩鍼法。孫家鍼法。種種不同。手術各異。有取穴之後。鍼頭直向內刺入者。有取穴之後。鍼頭沿皮而刺者。而補瀉手術。各不相同。（詳見補瀉手術總訣解）穴位名稱。亦稍有差異。吾儕既研究鍼術。其中稍有異同之處。亦當詳加注意焉。茲將每經經穴撰成歌訣外。另將同穴而異名者。列舉於各條之後。

第一節　手太陰經穴名稱歌訣

手太陰肺十一穴。中府雲門天府訣。俠白尺澤孔最存。列缺經渠太淵涉。魚際少商如韮葉。

同穴異名

少商穴……鬼信。如以兩手縛而灸之即爲鬼哭。太淵……鬼心。列缺……童玄。尺澤……鬼受鬼堂。中府……膺中俞肺募府中俞。

第二節　手陽明經穴名稱歌訣

陽明廿穴手商陽。二間三間合谷藏。陽谿偏歷温溜長。下廉上廉手三里。曲池肘髎五里近。臂臑肩髃巨骨當。天鼎扶突禾髎接。鼻旁五分號迎香。

同穴異名

商陽……絕陽。二間……間谷。三間……少谷。合谷……虎口。陽谿……中魁。温溜……逆注蛇頭。曲池……鬼臣鬼腿陽澤。肘髎……肘尖。五里……尺之五間。臂臑……頭衝頸衝。肩髃……扁骨中肩井肩尖偏骨。天鼎……天項。扶突……水穴。禾髎……長頻。迎香……衝陽。

第三節　足陽明經穴名稱歌訣

四十五穴足陽明。頭維下關頰車停。承泣四白巨髎經。地倉大迎對人迎。水突氣舍連缺盆。氣戶庫房屋翳屯。膺窗乳中延乳根。不容承滿與梁門。關門太乙滑肉門。天樞外陵大巨存。水道歸來氣冲次。髀關伏兔走陰市。梁邱犢鼻足三里。上巨虛連條口位。下巨虛跳上豐隆。解谿衝陽陷谷中。內庭厲兌經穴終。

同穴異名

頰車……機關鬼床。承泣……奚穴面髎。地倉……會維。大迎……髓孔。人迎……天五會。水突……水門。缺盆……天蓋。乳中……當乳。乳根……薜息。天樞……長谿谷門大腸募循際長谷。大巨……腋門。歸來……谿穴。氣衝……氣街。伏兎……外勾外丘。陰市……陰鼎。梁邱……跨骨。足三里……下陵鬼邪。上巨虛……巨虛上廉。下巨虛……下廉巨谷。衝陽……會屈會湧。

第四節　足太陰經穴名稱歌訣

二十一穴脾中州。隱白在足大指頭。大都太白公孫穴。商邱三陰交可求。漏谷地機陰陵泉。血海箕門衝門開。府舍腹結大橫排。腹哀食竇連天谿。胸鄉周榮大包隨。

同穴異名

隱白……鬼壘鬼眼。三陰交……承命大陰。漏谷……大陰。血海……百虫窠。衝門……慈宮上慈宮。腹結……腹屈腸結腸窟陽窟。大橫……腎氣。

第五節　手少陰經穴名稱歌訣

九穴午時手少陰。極泉青靈少海稱。靈道通里陰郄邃。神門少府少衝尋

同穴異名

少海……曲節。神門……兌衝中都銳中。少府……經始。

第六節　手太陽經穴名稱歌訣

手太陽穴一十九。少澤前谷後谿數。腕骨陽谷養老繩。支正小海外輔肘。肩貞臑俞連天宗。髎外秉風曲垣首。肩外俞與肩中俞。天窗乃與天容偶。銳骨之端上顴髎。聽宮耳前珠上走。

同穴異名

少澤……小吉。前谷……手太陽。天窗……窗籠。顴髎……兌骨。聽宮……多所聞窗籠。

第七節　足太陽經穴名稱歌訣

足太陽經六十七。睛明目內紅肉藏。攢竹眉冲與曲差。五處寸半上承光。通天絡却玉枕穴。天柱後際大筋外。大杼背部第二行。風門肺俞厥陰俞。心俞督俞膈俞詳。肝胆脾胃俱挨次。三焦腎氣海大腸。關元小腸到膀胱。中膂白環仔細量。自從大杼至白環。各各節外寸半長。上髎次

髎中復下。一空二空腰髁當。會陽尾閭骨外取。附分挾脊第三行。魄戶膏肓與神堂。譩譆膈關魂門九。陽綱意舍連胃倉。肓門志室胞肓續。二十椎下秩邊場。承扶臀橫紋中央。殷門浮郄到委陽。委中合陽承筋是。承山飛揚踝跗陽。崑崙僕參連申脈。金門京骨束骨長。通谷至陰小指旁。

同穴異名

睛明……淚空。攢竹……始光夜光明光元柱。曲差……鼻衝。通天……天臼。絡却……腦蓋強陽。厥陰兪……闕俞。心俞……背俞。腎俞……高蓋。中膂俞……脊俞。會陽……利機。魄戶……魂戶。志室……精宮。承扶……肉郄。委中……郄中委中央血郄腿凹。承筋……腨腸直腸。承山……魚腹肉柱傷山。飛揚……厥陽。僕參……安邪。申脈……鬼路陽蹻。金門……梁關。京骨……氣府氣兪腎募。

第八節　足少陰經穴名稱歌訣

足少陰經二十七。湧泉然谷照海谿。水泉太谿通大鍾。復溜交信築賓實。陰谷膝內輔骨邊。以上從足走至膝。橫骨大赫連氣穴。四滿中柱亦相連。五穴上行皆一寸。中行旁開半寸邊。

肓俞上行上一寸。相去臍旁半寸邊。商曲石關陰都穴。通谷幽門五穴連。步廊神封靈虛穴。神藏彧中俞府完。

同穴異名

湧泉……地衝。然谷……龍淵。大谿……呂細照海陰蹻。復溜……伏白昌陽外命。橫骨……下極屈骨。大赫……陰維陰關。氣穴……胞門子戶。四滿……髓府。商曲……高曲。石關……石闕。幽門……上門。俞府……輸府。

第九節　手厥陰經穴名稱歌訣

九穴心包手厥陰。天池天泉曲澤深。郄門間使內關對。大陵勞宮中衝侵。

同穴異名

天池……天會。天泉……天溫。間使……鬼路。大陵……心主鬼心。勞宮……五里鬼路掌中。

第十節　手少陽經穴名稱歌訣

二十三手手少陽。關沖液門中渚旁。陽池外關支溝正。會宗三陽四瀆長。天井清冷淵消爍。臑會肩髎天髎堂。天牖翳風瘈脈青。顱息角孫絲竹張。禾髎耳門聽有常。

同穴異名

陽池……別陽。支溝……飛虎。三陽絡……通間。臑俞……臑髎臑交。瘛脈……資脈。顱息……顱顖。絲竹空……巨髎目髎。

第十一節 足少陽經穴名稱歌訣

足少陽經瞳子髎。四十四穴行迢迢。聽會上關頷厭集。懸顱懸厘曲鬢翹。率谷天衝浮白次。竅陰完骨本神邀。陽白臨泣目窗闢。正營承靈腦空搖。風池肩井腋膛出。淵液輒筋相並標。日月橫生京門穴。帶脈五樞肋下條。維道居髎相繼取。環跳之下風市招。中瀆陽關陽陵泉。陽交外邱光明宵。陽輔懸鍾邱墟外。足臨泣地五俠谿。第四趾梢竅陰畢。

同穴異名

上關……客主人客主容主太陽。懸顱……髓孔。竅陰……枕骨。目窗……志榮。腦空……顳顬。肩井……膊井。淵液……液門。日月……胆募神光。京門……長平脇窌脾募筋窌。維道……外樞。環跳……臏骨分中。陽交……別陽足髎。陽輔……絕骨分肉。懸鍾……絕骨。瞳子髎……

……太陽前關後曲。

第十二節　足厥陰經穴名稱歌訣

一十四穴足厥陰。大敦行間太衝侵。中封蠡溝中都近。膝關曲泉陰包臨。五里陰廉上急脈。章門常對期門深。

同穴異名

大敦……水泉大順。中封……懸泉。蠡溝……交儀。中都……中郄太陽。陰包……陰胞。期門……肝募。

第十三節　任脈經穴名稱歌訣

任脈二五起會陰。曲骨中極關元連。石門氣海陰交仍。神闕水分下脘配。建里中上脘相連。巨闕鳩尾蔽骨下。中庭膻中又玉堂。紫宮華蓋璇璣後。天突結喉上廉泉。承漿相接齗交舍。

同穴異名

會陰……屏翳金門下極平翳。曲骨……胞屎屈骨屈骨端。中極……氣元玉泉膀胱募。關元……下紀次門丹田大中極小腸募。石門……利機精露丹田命門三焦募。氣海……脖胦下肓丹田。

陰交……少關橫戶丹田。神闕……臍中氣舍。水分……中守分水。下脘……幽門。中脘……大倉胃募。上脘……上紀胃脘胃管上管。巨闕……心募。鳩尾……尾翳髑骭神府骭骭。膻中……元兒上氣海元見。玉堂……玉英。天突……玉戶天瞿。廉泉……本池舌本。承漿……天地鬼市懸漿垂漿。

第十四節　督脈經穴名稱歌訣

督脈中行廿八穴。長強腰俞陽關覓。命門懸樞接脊中。中樞筋縮至陽逸。靈台神道身柱長。陶道大椎並肩的。啞門風府腦戶深。強間後頂百會率。前頂顖會上星圓。神庭素髎水溝窟。兌端口門唇中央。齦交唇內任督畢。

同穴異名

長強……窮骨骶上骨骶龜尾龍虎穴河車路上天梯橛骨尾閭。腰俞……背解髓空髓俞髓府髓孔腰戶腰柱。陽關……關陵陽陵關陽。命門……屬累竹枚。脊中……神宗脊俞。神道……臟俞。大椎……百勞。啞門……舌立舌厭瘖門舌腫。風府……舌本鬼枕鬼穴曹谿。腦戶……匝風會額合顱。強間……大羽。後頂……交冲。百會……鬼門涅丸宮巔上天滿三陽五會。顖會……顱上鬼門顖門。上星……鬼堂明堂神堂。神庭……髮際。素髎……面王。水溝……鼻人中鬼宮鬼客廳鬼市人中。

第四章 經穴之分寸

按經穴者。乃鍼灸中首重之學也。苟不明經脈之起止分佈。何能識順逆之流行。既知其流行。雖別其順逆。又當知其穴之名稱步位。或居於谿谷之內。或起於䐃膕之中。此更不可不知也。雖然猶有宜於注意者。蓋經有正奇。而穴亦有正奇。奇經者何。十二經之外。督任衝帶二蹻二維是也。前已詳述之矣。奇穴者何。十二經內三百穴之外。金津玉液大小骨空四縫二白八風十宣等三十餘穴是也茲將正奇各穴。分寸步位編成歌訣。庶便誦讀也。

第一節 手太陰經穴之分寸歌訣

太陰中府三肋間。上行雲門寸六許。雲在璇璣旁四寸。天府腋三動脈求。俠白肘上五寸主。尺澤肘中約紋心。孔最腕側七寸擬。列穴腕上一寸半。經渠寸口陷中取。太淵掌後橫紋頭。魚際節後散脈裡。少商大指內側邊鼻衄喉痺刺可已。

第二節 手陽明經穴之分寸歌訣

商陽食內側邊。二間尋來本節前。三間節後陷中取。合谷虎口岐骨間。陽谿腕上筋間是。偏歷交叉中指端。温溜腕後去五寸。池前四寸下廉看。池前三寸上廉中。池前二寸三里逢。曲池曲肘紋頭盡。肘髎大骨外廉近。大筋中央尋五里。肘上三寸行向裏。臂臑肘上七寸量。肩髃肩端舉臂取。巨骨肩尖端上行。天鼎扶下一寸眞。扶突人迎後寸五。禾窌水溝旁五分。迎香禾窌上一寸。大腸經穴是分明。

第三節　足陽明經穴之分寸歌訣

胃之經兮足陽明。承泣目下七分尋。四白目下方一寸。巨髎鼻孔旁八分。地倉挾吻四分近。大迎頷前寸三分。頰車耳下曲頰陷。下關耳前動脈行。頭維神庭旁四五。人迎喉旁寸五眞。水突筋前迎下在。氣舍突外穴相乘。缺盆舍外橫骨內。相去中行四寸明。庫房屋翳膺窗接。乳中正在乳頭心。次有乳根出乳下。各一寸六不相侵。却去中行須四寸。以前穴道爲君陳。不容巨闕旁二寸。却近幽門寸五新。其下承滿與梁門。關門太乙滑肉門。上下一寸無多少。共去中行二寸尋。天樞齊旁二寸間。樞下一寸外陵安。樞下二寸大巨穴。樞下三寸水道全。水下一寸歸來好。共去中行二寸邊。氣冲鼠鼷（即橫骨盡處）上一寸。又在曲骨二寸間。髀關膝上有尺二。伏兎膝上六寸是。陰市膝上方三寸。梁邱膝上二寸記。膝臏陷中犢鼻存。膝下三寸三里至。膝下六寸上廉穴。膝下七寸條口位。膝下八寸下廉看。下廉之旁豐隆是。却是踝上八寸量。解谿跗上繫鞋處。衝陽跗上五寸喚。陷谷庭後二寸間。內庭次指外間陷。厲兌大次指外端。

第四節　足太陰經穴之分寸歌訣

大趾內側端隱白。節前陷中求大都。大白核前白肉際。節後一寸公孫呼。商邱踝前陷中遭。踝上三寸三陰交。踝上六寸漏谷是。膝下五寸地機朝。膝下內側陰陵泉。血海膝臏上內廉。箕門穴在魚腹取。動脈應手越筋間。衝門橫骨兩端同。去腹中行三寸半。衝上七分府舍求。舍上三寸腹結算。結上寸三是大橫。却與臍平莫胡亂。中脘之旁四寸取。便是腹哀分一段。中庭旁五食竇穴。膻中去六是天谿。再上寸六胸鄉穴。周榮相去亦同然。大包腋下有六寸。淵液之下三寸絆。

第五節　手少陰經穴之分寸歌訣

少陰心起極泉中。腋下筋間動引胸。靑靈肘上三寸覔。少海肘後五分充。靈道掌後一寸半。通里腕後一寸同。陰郄去腕五分的。神門掌後銳骨逢。少府少指本節末。小指內側是少冲。

第六節　手太陽經穴之分寸歌訣

小指端外爲小澤。前谷外側節前覔。節後揑拳取後谿。腕骨腕前骨陷側。銳骨下陷陽谷討。腕後銳上覔養老。支正腕後五寸量。小海肘端五分好。肩貞胛下兩筋解。臑俞大骨下陷保。天宗秉風後骨中。秉風髎外舉有空。曲垣肩中曲肩陷。外俞去脊三寸從。中俞二寸大椎旁。天窗扶突後陷詳。天容耳下曲頰後。顴髎面頄銳端量。聽宮耳中大如菽。此爲小腸手太陽。

第七節　足太陽經穴之分寸歌訣

足太陽是膀胱經。目內眥角始睛明。眉頭頭中攢竹取。眉冲直上旁神庭。曲差入髮五分際。神庭旁開寸五分。五處旁開一寸半。細算却與顖會平。承光通天絡却穴。相去寸五調匀看。玉枕挾腦一寸三。入髮三寸枕骨取。天柱後項髮際中。大肋外廉陷中已。自此挾脊開寸五。第一大杼二風門。三椎肺俞厥陰四。心五督六俞穴論。膈七肝九十胆俞。十一脾俞十二胃。十三三焦十四腎。氣海俞在十五椎。大腸十六椎之下。十七關元俞穴垂。小腸十八胱十九。中膂穴俞二十椎。白環念一椎下當。以上諸穴可椎量。更有上次中下髎。一二三四腰空好。會陽陰尾尻骨旁。背部第二諸穴了。又從脊上開三寸。第二椎下爲附分。三椎魄戸四膏肓。第五椎下神堂尊。第六譩譆膈關七。第九魂門陽綱十。十一意舍之穴存。十二味倉穴已分。十三肓門端正在。十四志室不須論。十九胞肓念一秩。背部三行諸穴勻。又從臀下橫紋取。承扶居下陷中央。殷門扶下方六寸。委陽膕外兩筋鄉。浮郄寶居委陽上。相去祇有一寸長。委中在膕約紋裏。此下三寸尋合陽。承筋合陽之下直。穴在腨腸之中央。承山腨下分肉間。外踝七寸上飛揚。跗揚外踝上三寸。崑崙後跟陷中藏。僕參跟下脚邊上。申脈踝下五分張。金門申前墟後取。京骨外側骨際量。束骨本節後肉際。通谷節前陷中強。至陰却在小指側。太陽之穴始周詳。

第八節　足少陰經穴之名稱歌訣

足掌心中是湧泉。然各踝前大骨邊。太谿踝後跟骨上。照海踝下四分安。水泉谿下一寸覓。大鐘跟後踵筋間。復溜踝上二寸後。交信踝上二寸連。二穴止隔筋前後。太陰之後少陰前。築賓內踝上腨分。陰谷膝下內輔邊。橫骨大赫連氣穴。四滿中柱亦相連。五穴上行皆一寸。中行旁開半寸邊。肓俞上行亦一寸。俱在臍旁半寸邊。商曲石關陰都穴。通谷幽門五穴纏。下上俱是一寸取。各開中行半寸前。步廊神封靈墟穴。神藏彧中兪府安。上行寸六旁二寸。兪府璇璣二寸觀。

第九節　手厥陰經穴之名稱歌訣

心包穴起天池間。乳後旁一腋下三。天泉曲腋下二寸。曲澤肘內橫紋端。郄門去腕方五寸。間使腕後三寸安。內關去腕止二寸。大陵掌後兩筋間。勞宮屈中各指取。中冲中指之末端。

第十節　手少陽經穴之名稱歌訣

無名指外端關冲。液門小次指陷中。中渚液上祇一寸。陽池手表腕陷中。外關腕後方二寸。腕後三寸支溝容。支溝橫外取會宗。空中一寸用心攻。腕後四寸三陽絡。四瀆肘前五寸着。天井肘外大骨後。骨罅中間一寸確。肘後二寸清冷淵。消爍對腋臑外落。臑會肩前三寸量。肩髎臑上陷中央。天髎肩井後一寸。天牖居天容後旁。（頸大筋外完骨下髮際上）翳風耳後尖角陷。瘈脈耳後雞足張。顱息亦在青絡上。角孫耳角上中央。耳門耳缺前起肉。禾髎耳前動脈張。欲知絲竹空何在。眉後陷中仔細量。

第十一節　足少陽經穴之分寸歌訣

外眥五分童子髎。耳前陷中聽會饒。上關（開口有空處）上行一寸是。內斜曲角頷厭昭。下

曲鬢耳前髮際有，入髮寸半率谷穴

行顱中厘下廉。天冲耳後髮二中。（耳後入髮際二寸）浮白後行一寸間。竅陰穴在枕骨下。完骨

耳後入髮際。量得四分須用記。本神神庭旁三寸。入髮五分耳上繫。陽白眉上一寸許。入髮五分是臨泣。臨後寸半目窗穴。正營承靈及腦空。後行相去寸半同。風池耳後髮際陷。肩井肩上陷解中。（以三指按取當中是穴）大骨之前寸半取。淵液腋下三寸逢。輒筋復前一寸行。日月乳下二肋逢。期門之下五分存。臍上五分旁九五。季肋俠脊是京門。季下寸八尋帶脈。帶下三寸五樞眞。維道章下五三定。章下八三居髎名。環跳髀樞宛中陷。風市垂手中指尋。膝上五寸是中瀆。陽關陽陵上三寸。陽陵膝下一寸任。陽交外踝上七寸。外邱外踝七寸分。此是斜屬三陽絡。踝上五寸定光明。踝上四寸陽輔地。踝上三寸是懸鍾。邱墟踝下陷中立。邱下三寸臨泣存。臨下五分地五會。會下一寸俠谿呈。欲覓竅陰何處有。小指次指外側尋。

第十二節　足厥陰經穴之分寸歌訣

足大指端名大敦。行間大指縫中存。大冲本節後寸半。踝前一寸號中封。蠡溝踝上五寸是。中都踝上七寸中。膝關犢鼻下二寸。曲泉曲膝盡橫紋。陰包膝上方四寸。氣冲（足陽明經穴）三寸下五里。陰廉冲下有二寸。急脈陰旁二寸半。章門直臍季肋端。（即下脘旁開九寸）肘尖盡處側臥取。期門又在乳直下。四寸之間無差矣。（一說在巨闕旁四寸五分）

第十三節　任脈經穴之分寸歌訣

任脈會陰兩陰間。曲骨毛際陷中安。中極臍下四寸取。關元臍下三寸連。臍下二寸石門是。臍下寸半氣海全。臍下一寸陰交穴。臍之中央即神穴。臍上一寸爲水分。臍上二寸下脘列。臍上三寸名建里。臍上四寸中脘許。臍上五寸上脘在。臍上六寸巨闕美。鳩尾蔽骨下五分。中庭膻下寸六取。膻中却在兩乳間。膻上寸六玉堂主。膻上紫宮三寸二。膻上四八華蓋舉。膻上璇璣六寸四。廉泉頷下結上已。承漿頤前下唇中。齦交齒上齦縫裡。

第十四節　督脈經穴之分寸歌訣

尾閭骨端是長強。二十一椎腰俞當。十六陽關十四命。十三懸樞十一脊。十椎中樞筋縮九。七椎之下乃至陽。六靈五神三身柱。陶道一椎之下鄉。一椎之上大椎穴。上至髮際啞門行。風府一寸宛中取。腦戶二五枕之方。再上四寸強間位。五寸五分後頂強。七寸百會頂中取。耳尖直上髮中央。前頂前行八寸半。前行一尺顖會量。一尺一寸上星會。入髮五分神庭當。鼻端準頭素髎穴。水溝鼻下人中藏。兌端唇尖端上取。齦交齒上齦縫鄉。

附經外奇穴歌訣

內迎香穴鼻孔內。蘆管出血法爲最。魚腰二穴眉間尋。耑治目中翳不退。鼻準鼻端兩傍鍼。酒醉風鍼出血端。八邪八風何處尋。手足五指歧骨內。手臂紅腫鍼八邪。足背腫時八風遂。四縫手內指節中。小兒猢猻出血貴。奔豚之病何處療。蘭門鍼後却逍遙。曲骨兩傍三寸取。膀胱疝氣不須愁。尋到海泉治消渴。速取金針刺出血。借問此穴在何方。舌下中央是眞穴。聚泉一穴舌上呈。舌縫中央仔細尋。哮喘咳嗽久不愈。隔薑灸後立時寧。金津玉液取之良。舌下兩旁紫脈藏。三稜出血黑痧治。喉閉舌腫（重舌亦作舌腫）有專長。大指中節大骨空。翳膜內障灸多功。囊底陰囊十字取。能灸疝氣腎囊風。中魁中指二節端。翻味吐食灸斯安。印堂一穴眉中陷。小兒驚風刺即康。太陽眉後紫脈間。眼目紅腫用鍼探。十宣十指尖上取。乳蛾痧症立時刪。內踝尖及外踝尖。內外脚筋轉不安。急用三稜鍼出血。再加艾鍼七壯瘥。二白間使後一寸。筋內筋外穴互相。痔漏脫肛鍼有效。鍼灸同施兩相當。肩柱骨穴起肩端。治瘰瘰癧甚相安。肘尖曲肘尖上取。瘰癧灸之漸次康。獨陰居足次趾灣。胎衣不下灸其間。子宮中極旁三寸。灸治婦人子嗣艱。手疼目痛小骨空。小指第二節尖中。以上名稱皆奇穴。或鍼或灸見奇功。

第五章　經穴之功用

按鍼灸之分經取穴。以療疾病而起沉疴。如湯藥之立方治病耳。設不能辯症狀。識藥性。於處方時未有不感受困難者。鍼灸亦然。所以習鍼灸。亦當認識疾病之原因。明瞭穴道之功用。方能對症下鍼。施行手術。倘功用不明。其將取何穴而施治歟。吾人對於穴名分寸均已明瞭。而各穴之功用。又宜詳加研究焉。

第一節　手太陰經穴之功用

（手書：鍼時如遇暈鍼可飲以熱開水一杯即愈或針足三里（補法）或針合穴）

中府

歌訣……中府乳上三肋間。瀉除胸熱術非艱。喘逆胸滿復氣塞。上氣咳嗽治能兼。

解剖……在第一肋骨之下。外層爲大胸筋。內層爲小胸筋。有前胸神經。中膊皮下神經。有腋窩動脈與靜脈。

部位……在雲門下一寸六分。與任脈華蓋穴平。相去六寸。又按乳頭往上數至第三肋間。有動脈應手者是。

主治……傷寒。胸滿。喘逆。善噎。食不下。肺風面腫。咳嗽上氣。不得臥。肩背痛。流浠涕。喉痺。息肩。(汗)漢出。癭瘤。

性質……肅肺氣。降逆氣。疏肺邪。
手術……仰臥取之。鍼三分至五分。不可太深。深則刺傷肺部。留五呼。灸五壯。

▲雲門

歌訣……雲門璇璣六寸旁。中府徵斜寸六看。傷寒喉痹欬逆喘。肢熱不已胸滿煩。
解剖……在鎖骨下窩部之後上端。內有三角筋。及頸骨下神經。前胸神經。胸肩峯動脈與靜脈。
部位……在頸骨離任脈璇璣旁六寸。中府徵斜上一寸六分。氣戶旁二寸。
主治……傷寒。喉痹。欬逆。喘不得息。四肢熱不已。胸脇煩滿。肩痛不舉。胸脇引背痛。
性質……清肺熱。平肺氣。鎮靜神經。
手術……以手舉平。坐而取之。鍼三分至四分深。太深令人氣促。灸五壯。

▲天府

歌訣……天府鼻尖點墨尋。中風中惡暴痺瘛。口鼻衄血寒熱瘧。善忘喘息與氣癭。
解剖……在腋下上膊部。有二頭膊筋。腋窩動脈與靜脈。及正中神經。

部位……在腋下三寸動脈處。直對尺澤穴相距七寸。

主治……暴痺。中風。口鼻衄血。寒熱瘰瘧。目眩善忘。喘息不得臥。瘿氣。

性質……行肺氣興奮神經。

手術……以手舉平。用鼻尖塗墨俛首點到處取之。鍼三分。禁灸。

▲俠白

歌訣……俠白舉臂行鍼淺。能療心疼並氣短。嘔逆煩滿亦宜之。內關合鍼開胸滿。

解剖……有三頭膊筋。上膊動脈。內膊皮下神經。撓骨神經枝。

部位……在天府下二寸動脈中。尺澤上五寸。

主治……心痛。短氣。嘔逆煩滿。

性質……清心。肅肺。

手術……鍼三分或五分深。舉臂取之。留三呼。灸五壯。

▲尺澤

歌訣……尺澤肘中約紋心。筋急肘痛吐血靈。驚風瘛瘲傷寒瘧。四肢腫痛漢不清。

解剖……爲前膊與上膊之關節部。有肘靜脈。
部位……在肘灣內紋中央。筋骨罅中。
主治……漢出。中風。寒熱。痎瘧。喉痺。鼓頷。嘔吐。上氣。心煩。身痛。口乾。喘滿。欬嗽唾濁。心痛氣短痰脹。息賁。腹脹。風痺。肘攣。四肢腫痛不舉。溺數遺失。面白善噫。悲愁不樂。
性質……清肺熱。消四肢濕熱。調肺氣。平熱邪。疏經絡。解鬱結。
手術……以手平放桌上取之。鍼三分。不宜灸。

孔最

歌訣……孔最腕側七寸尋。臂痛吐血或失音。頭疼咽痛並欬逆。傷寒漢閉發熱頻。
解剖……有長回後筋。膊撓骨筋。及撓骨動脈與靜脈枝。有外膊皮下神經。撓骨神經之皮下枝。
部位……在尺澤下三寸。腕側横紋上七寸。
主治……傷寒發熱漢不出。欬逆。肘臂痛。屈伸難。吐血失音。頭疼咽痛。

性質……驅寒。甯肺。利筋骨。

手術……側手取之。針三分。灸五壯。

▣列缺

歌訣……列缺腕側骨罅中。善治寒嗽偏頭風。尿血精出陰中痛。氣刺乳中鍼有功。

解剖……此處爲撓骨近關節處之上側。有撓骨動脈枝。外膊皮下神經。撓骨神經之皮下枝。

部位……去腕一寸五分。

主治……偏風。口眼斜歪。手肘痛無力。半身不遂。口噤不開。痎瘧寒熱。煩燥咳嗽。喉痺。嘔沫。縱唇。健忘。驚癇。善笑。妄言妄見。面目及四肢腫疼。小便熱痛。肩背暴腫。漢出。肩背寒慄。

性質……逐水。利氣。瀉肺氣。理肺寒。搜風邪。

手術……以兩手之大食二指之虎口交义。食指盡處筋骨罅中。鍼二分。留三呼。灸三壯。

▲經渠

歌訣……經渠主治瘧綿綿。胸背拘急脹滿堅。喉痺咳逆氣數欠。嘔吐心痛實堪全。

解剖……有長外轉托筋。撓骨神經之皮下枝。撓骨動脈。

部位……在腕後五分。寸口脈上。

主治……傷寒熱病汗不出。心痛嘔吐。痎瘧寒熱。胸背拘急。胸脹滿。喉痺欬逆上氣。掌中熱。

性質……通利筋脈。開表邪。平肺熱。降逆氣。

手術……鍼二分至三分。留三呼。禁灸。灸則神識昏亂。

太淵

歌訣……太淵齒痛最宜鍼。腕肘無力痛難伸。並鍼咳嗽風痰急。偏止頭痛效如神。

解剖……有外轉托筋。撓骨動脈枝。撓骨神經三皮下枝。

部位……在寸口前橫紋上。緊接經渠。

主治……乍寒乍熱。煩躁狂言。胸痺。氣逆。肺脹。喘息。嘔噦。噫氣。咳嗽。欬血咽乾。目痛生翳。口噼。缺盆痛。肩背動引臂。溺色變。遺矢。煩悶不得眠。

性質……潤肺。瀉肺。開鬱結。

足動都針法宜平补平泻而左右捏動

手足三陽 陽穴起於谿谷之內
陰穴起於郄膕之中 手足三陰

手術……在腕骨上陷中。掐之甚酸楚。鍼二分。留二呼。灸三壯。

■魚際

歌訣……魚際主灸齒牙疼。灸其所在左右分。更刺傷寒汗不出。並治瘧發勢防增。

解剖……有拇指對向筋。短屈拇筋。有撓骨動脈之背枝動脈。及撓骨神經枝。

部位……在大指本節後。內側白肉際。散紋中。

主治……酒病。身熱惡寒。舌上黃。頭痛咳嗽。傷寒無汗。目眩。煩心少氣。寒慄。喉燥。咽乾。欬引尻痛。吐血。心痺悲恐。腹痛。食不下。乳癰。

性質……清熱。利氣。清肺熱。理腎。清肺。扶正逐邪。

手術……鍼二分至四分深。留三呼。灸五壯。

■少商

歌訣……少商大指內側邊。專刺驚風腫其咽。昏亂猝暴風初中。急救回生此穴先。

解剖……此處爲長曲拇筋。與拇指內轉筋。分布撓骨神經枝。

部位……在拇指內側之第一節。去爪甲角如韭葉。

主治……頷腫。喉痺。乳蛾。咽腫。欬嗽。瘧疾煩心。嘔吐。腹脹。腸鳴。寒慄鼓頷。手攣指痛。掌中熱。口乾引飲。食不下。

手術……鍼一分。留三呼。瀉熱宜以三稜鍼刺出血。不可灸。然治鬼魅邪祟有灸之者。

第二節　手陽明經穴之功用

■商陽

歌訣……商陽主治病非輕。湧痰暴仆致昏沉。傷寒中風兼痎瘧。三稜鍼刺立回生。

解剖……有頭靜脈。指背動脈。撓骨神經之皮下枝。

部位……食指端內側。去爪甲角如韭葉。

主治……傷寒發熱汗不出。耳鳴。耳聾。痎瘧胸中氣滿。喘欬口乾。頤腫。齒痛。目盲。惡寒。肩背肢臂痛腫。急引缺盆中痛。

性質……鎮驚。泄熱。驅風。疏邪。

手術……鍼一分。留一呼。灸三壯。

■二間

歌訣……二間刺到止牙疼。頷腫喉風頭痛加。不思飲食身寒慄。三壯灸之乃可痊。

解剖……有頭靜脈。指背動脈。撓骨神經皮下枝。（此條與商陽同）

部位……在食指第三節之關節前內側。當食指之旁面近關節處。

主治……頷腫。喉痺。肩背。臑痛。鼽衄。齒痛。舌黃。口乾。口眼歪斜。飲食不思。振寒。

性質……驅寒熱二邪。宣絡。通氣

手術……鍼二分。至三分深。留六呼。灸三壯。

圖三間

歌訣……三間鼻衄熱病關。下齒齲痛目眥急。喉痺咽塞氣喘多。腸鳴洞瀉瘧寒熱。

解剖……有指掌動脈。頭靜脈撓骨神經。

部位……在第二掌骨端之凹陷處。即食指本節後陷中。去二間約一寸。

主治……鼽衄。熱病。喉痺。咽塞。氣喘。多吐。唇焦。舌乾。下齒齲。目眥急痛。吐舌。振（音麗紐也）頸。嗜臥。腹滿。腸鳴。洞泄。寒熱瘧。身熱。善驚。

性質……開邪閉。通筋。宣絡。鎮驚。清熱。

手術……鍼三分深。留三呼。灸二壯。

合谷

歌訣……合谷傷風易治平。痺痛還兼患急筋。並鍼頭面諸般痛。水腫難產小兒驚。

解剖……此處爲第一手背側骨間筋。有撓骨動脈。撓骨神經。

總位……在食指拇指歧骨間陷凹中。即第一掌骨與第二掌骨中間之陷凹處。

主治……傷寒大渴。脈浮在表。發熱惡寒。頭痛脊強。風疹。寒熱瘧痺。熱病汗不出。偏正頭痛。

性質……升氣。降氣。行氣。宣氣。清氣分邪。及頭面諸竅之熱。開表發汗。

手術……鍼三分。留三呼。灸三壯。

陽谿

歌訣……陽谿主治熱如蒸。癮疹痂疥概宜鍼。頭痛齒痛咽喉痛。狂妄驚狂見鬼神。

解剖……有頭靜脈。撓骨動脈。有外膊皮下神經。撓骨神經。

部位……在手腕橫紋之上側。兩筋凹陷中。與合谷直對。

主治……熱病。狂言。喜笑。見鬼。煩心。掌中熱。目赤爛瞼。厥逆頭痛。胸滿不得息。寒熱痎瘧。嘔沫。喉痺。耳鳴。齒痛。驚摯。手臂不舉。痂疥。

性質……鎮驚。清熱。化熱邪。清肺熱。

手術……鍼二分。留七呼。灸三壯。

偏歷

歌訣……偏歷絡穴手陽明。痎瘧癲疾且多言。口渴咽乾鼻衄血。齒痛水蠱汗不行。

解剖……此處爲短伸拇筋。頭靜脈。撓骨動脈枝。後膊皮下神經。撓骨神經。

部位……在腕後三寸。

主治……痎瘧。寒熱。癲疾。多言。目視䀮䀮。耳鳴。喉痺。口渴。鼻衄。齒痛汗不出。

性質……潤肺燥。發汗。驅邪。袪濕。利水。

手術……鍼三分。留七呼。灸三壯。

溫溜

歌訣……溫溜腕後五寸尋。傷寒頭痛寒熱蒸。喜笑狂言如見鬼。陽明氣閉亂神明。

解剖……有長外轉拇筋。頭靜脈。撓骨動脈第三分枝。與後下膊之皮下神經。

部位……偏歷上行二寸餘。去腕五寸餘。

主治……傷寒頭痛。寒熱往來。喜笑。狂言。見鬼。嘔逆。吐沫。噎膈。氣閉。口舌腫痛。喉痺。四肢腫。腸鳴。腹痛。肩重不舉。肘腕痠痛。

性質……行大腸氣。去頭風。瀉溫邪。利筋骨。

手術……鍼三分。留三呼。灸三壯。

下廉

歌訣……下廉療瘵與頭風。小腹滿兮小便紅。飧泄腹痛不可認。氣喘涎出及乳癰。

解剖……有長屈拇筋。頭動脈。撓骨動脈枝。後膊皮下神經。

部位……腕後六寸餘微向外斜。去曲池四寸餘。

主治……勞瘵。狂言。頭風。飧泄。食不化。小便溺血。腹痛難當。面無顏色。痃癖。氣喘涎出。乳癰。

性質……益胃氣。助消化。行腸胃之氣。活血。

手術……針三分。至五分。灸五壯。

■上廉

歌訣……上廉頭痛並腸鳴。頭風咽痛喘不停。小便濇兮大腸滯。半身不遂肢不仁。

解剖……有長屈拇筋。中頭靜脈。撓骨動脈。外膊皮下神經。橈骨神經。

部位……下廉上一寸微向外斜。曲池下三寸餘。

主治……腦風。頭痛。咽痛。喘息。半身不遂。腸鳴。小便濇。大腸氣滯。手足不仁。

性質……舒筋活絡。行腸胃之氣。祛濕熱。

手術……鍼五分。至七分。灸五壯。

■手三里

歌訣……手三里治舌風舞。腰背連臍痛殊苦。頭風目眩臂頑痲。齒痛項強手難舉。

解剖……有長屈拇筋。撓骨動脈。中頭靜脈。外膊皮下神經。橈骨神經。

部位……在曲池下二寸。按之肉起。銳肉之端。

主治……中風口噼。手足不遂。勞病虛羸。（音離瘠也）霍亂。遺矢。失音。齒痛。頰腫。瘰

癧。手痺不仁。肘攣不伸。舌風。蛇舌

性質……疏風。散邪。活絡。散鬱。利筋骨。行大腸氣。

手術……鍼三分。或五分灸五壯。

■曲池

歌訣……曲池取得治中風。手攣筋急滿胸中。喉痺傷寒兼瘧疾。遍身風癬灸多功。

解剖……有長囘後筋。內膊筋之間。有撓骨動脈。撓骨神經。

部位……在肘外輔骨之陷中。屈肘橫紋頭。

主治……傷寒。振寒。餘熱不盡。胸中煩滿。熱渴。目眩。耳聾。瘰癧。喉痺。不能言。痠瘲。癲疾。手臂紅腫。

性質……行氣。行血。理手臂寒。清氣血。清表裏及頭面諸竅之熱。搜周身風邪。

手術……以手拱至胸前取之。鍼五分。至一寸。灸三壯。至十壯。

●肘髎

歌訣……肘髎池上一寸取。肘節臂疼痛不舉。鍼灸同施見異功。痲木不仁嗜臥已。

解剖……在三頭膊筋部。有回返橈骨動脈。頭靜脈。橈骨神經。

部位……在曲池上稍外斜一寸。大骨外廉陷中。

主治……肘筋風痺。臂痛不舉。麻木不仁。嗜臥。

性質……舒經。止痛。興奮神經。

手術……灸三壯至十壯。禁鍼。

●五里

歌訣……五里從來禁用鍼。肘臂疼痛灸之靈。目䀮䀮兮并瘰癧。風勞驚恐嗽血濕。

解剖……有二頭膊筋之旁橈骨副動脈。頭靜脈。及內膊皮下神經。

部位……在肘上三寸。行向裏。大脈中央。

主治……風勞。驚恐。吐血。咳嗽。嗜臥。肘臂疼痛。難舉動。脹滿。氣逆。寒熱。瘰癧。目視䀮䀮。痃癖。

性質……化痰。散鬱。降逆。鎮驚。舒經。通絡。驅經絡中之風濕。

手術……灸三壯至十壯。禁鍼。

●臂臑

歌訣……臂臑臂痛手無力。頸項牽強筋拘急。瘿氣灸之隨歲年。五里同施治瘰癧。

解剖……此處爲三角筋部。頭靜脈後。有廻旋上膊動脈。腋窩神經。

部位……在臂外側。去肘七寸。肩髃下三寸。

主治……臂痛無力。寒熱瘰癧。頸項拘攣。

性質……舒利經絡。散鬱結。活血。養陰。

手術……以手舉平取之。古時禁鍼。但毫鍼無害。對於頸項拘攣。頗有效。鍼三分至五分。灸七壯至百壯。灸瘿氣則隨年歲之多少灸之。每歲一壯。

■肩髃

歌訣……肩髃專療癱瘓疾。手攣肩腫四肢熱。精神憔悴灸還宜。更防瘿氣加瘰癧。

解剖……有三角筋回轉上角動脈。頭靜脈枝。鎖骨神筋枝。

部位……在肩尖下寸許。舉臂有空陷處是穴。

主治……中風。偏風。半身不遂。肩臂筋骨痠痛不能上頭。傷寒作熱不已。勞傷泄精。憔悴。

四肢熱。諸瘿氣。瘰癧。

性質……理肺氣。舒肺氣。清四肢熱。搜經絡之風濕。利周身四肢筋骨。去頭部風熱。

手術……鍼六分。留六呼。灸七壯。不可多灸。多則令病者臂膊乾細。（即多灸傷陰之意）

●巨骨

歌訣……巨骨臂痛難屈伸。並療吐血與癇驚。胸有淤血亦可治。祇宜灸兮不宜鍼。

解剖……三角筋肩峯動脈枝。腋下靜脈枝。前胸廓神經。

部位……在肩顬上。肩胛關節下陷中。

主治……驚癇。吐血。胸中有淤血。臂痛不能伸屈。

性質……開肺。降逆氣。舒經絡。鎮驚

手術……灸三壯至七壯。不宜鍼。

■天鼎

歌訣……天鼎喉痺腫不寧。不得食兮暴失音。氣哽囁嚅言（多言無次）言不出。此穴鍼之自可平。

解剖……有前項之不正筋分布。有横肩胛動脈。鎖骨上神經。

部位……離甲狀軟骨（即喉結）三寸五分。再下一寸。即頸筋下。

主治……喉痺。咽腫。不得食。暴瘖。氣哽。

性質……清肺。瀉熱。降喉中逆氣。

手術……鍼三分灸三壯。

■扶突

歌訣……扶突離喉三寸眞。天鼎上前一寸明。欬嗽多唾上氣喘。喉中有如水鷄聲。

解剖……爲胸瑣乳頭筋部。有横頸動脈。及第三頸椎神經。

部位……去喉結（甲狀軟骨）三寸。天鼎上前一寸。人迎後一寸半。

主治……欬嗽。多唾。上氣喘息。喉中如水雞聲。暴瘖。氣哽。

性質……降逆。利痰。通利肺氣。瀉大腸熱。

手術……仰而取之。鍼三分至五分。灸三壯。

▲禾髎

歌訣……禾髎旁人中五分。眼窩神經此穴通。口不開兮兼尸厥。鼻瘡鼽衄有殊功。

解剖……爲上顎骨犬齒窩部。有下眼窩動脈。深部顏面靜脈。下眼窩神經枝之分布。

部位……在人中旁五分。與鼻孔平。

主治……尸厥。口不開。鼻瘡。息肉。鼻塞。鼽衄。

性質……瀉本經與肺部之熱。

手術……鍼二分至三分。禁灸。

▲迎香

歌訣……迎香主治鼻不通。兼治面癢若蟲行。多涕有瘡生息肉。此穴須知禁火攻。

解剖……爲顏面神經。有下眼窩動脈。深部顏面靜脈。及下眼窩神經。

部位……在眼下一寸五分。禾髎斜上一寸。鼻窪外五分。

主治……鼻塞不聞香臭。瘜肉。多涕。鼽衄。喘息。偏風喎斜。浮腫。面癢如蟲行。

性質……開竅。瀉熱。通關。驅風。散邪。

手術……鍼二分至三分。禁灸。

第三節　足陽明經穴之功用

▲頭維

歌訣……頭風頭痛刺頭維。三分刺入祇沿皮。目痛不明淚多出。針之則愈灸不宜。

解剖……爲前頭蓋骨部。有前頭筋。顏面神經。前額顳顬枝。

部位……在額角入髮際。去神庭旁四寸五分。本神旁一寸半。比率谷微高些。

主治……頭風疼痛如破。目痛如脫。淚出。目不明。

性質……驅風。解熱。去頭風。

手術……鍼三分。沿皮向下鍼。禁灸。

▲下關

歌訣……下關能治耳出濃。牙關脫臼失欠憑。耳痛耳聾兼耳癢。偏風喎僻耳中鳴。

解剖……爲下顎骨之突起處。有咀嚼筋顏面神經。外顎動脈。

部位……在客主人之下。耳前脈之下。合口有空。張口則閉。

主治……偏風。口眼喎斜。耳鳴。耳聾。痛癢出濃。失欠。牙關脫臼。

性質……瀉熱。驅風。

手術……鍼三分。不留鍼。恐其說話將鍼灣屈難出。不可灸。

■頰車

歌訣……頰車主灸牙不開。口眼歪斜出語難。牙風面腫亦可刺。偏正頭痛何要哉。

解剖……爲下顎骨部。有咬嚼筋。顏面神經。外顎動脈。

部位……在耳下一寸。左右曲頰上端。近前陷中。

主治……中風。牙關不開。失音不語。口眼歪斜。頰腫牙痛。不可嚼物。頸強。不得回顧。

手術……理諸風邪。舒經絡。

性質……鍼三分。灸三壯。炷如小麥樣。

㊀承泣

歌訣……承泣目下七分求。主治瞳癢冷淚流。此穴鍼灸均所忌。須從四白穴中療。

解剖……爲上顎骨部。有上唇舉筋。下側有半月狀軟骨。（顴骨）有下眼窠動脈。下眼窠神經。

部位……在目下七分。以瞳子相直。
主治……因禁鍼灸。不詳。
性質……刺則神經返射。灸亦然。
手術……欲針此穴。可以四白穴代之。相傳此穴鍼灸瞳仁突出。

▲四白

歌訣……四白頭痛目亦眩。口眼喎僻不能言。鍼入二分療目翳。再深目黑令人孅。
解剖……亦爲上顎骨部。有下眼窠動脈。下眼窠神經。
部位……在承泣下三分。去目一寸。直對瞳子。
主治……頭痛。目眩。目赤。生翳。瞤動。流淚。眼簾癢。口眼喎僻。不能言。
性質……驅風。散寒熱邪。鎮靜局部經絡
手術……鍼二分深。若深即令人目變烏色。禁灸。

▲巨髎

歌訣……巨髎穴在顴骨下。唇頰腫痛口歪斜。目賑青盲膝脛腫。灸不宜兮鍼可誇。

解剖……亦爲上顎骨部。有下眼窠動脈。與下眼窠神經。

部位……在四白之下。距鼻孔旁七八分之間。適在顴骨之下

主治……瘈瘲。唇頰腫痛。口喎目障。青盲無見。遠視䀮䀮。面風鼻腫。脚氣。膝脛腫痛。

性質……開竅。息風。宣通經絡。恢復局部神經之功能。

手術……鍼三分禁灸。

■地倉

歌訣……地倉灸口眼歪斜。唇弛頰腫失音嘩。牙關不開目不閉。目瞤䀮䀮艾炷嘉。

解剖……此處口（爲）輪匝部之筋。有顏面神經。三叉神經。上下口唇冠狀動脈。

部位……在口吻旁四分。

主治……偏風口吻歪斜。牙關不開。齒頰腫。目不得閉。失音。不語。飲食不收。水漿漏落。眼目瞤動。遠視䀮䀮。昏無見。

性質……理口部風邪。舒經活絡。

手術……鍼三分。灸七壯。病左灸右，病右灸左，艾炷如麥粒，過大則口反喎，却灸承漿即愈。

■大迎

歌訣……大迎穴在頦骨下。曲頷之前寸三佳。唇吻瞤動腮面腫。並刺顴髎效可誇。

解剖……爲下顎骨部。有咬嚼筋。外顎動脈。顏面神經。

部位……在曲頷前一寸三分。居頰下。

主治……風痙。口瘖。口噤。不開。唇吻瞤動。頰腫齒痛。舌強不能言。目痛不能閉。口喎。數欠。風壅面腫。寒熱。瘰癧。

性質……舒經絡。散鬱結。瀉局部風熱。

手術……鍼三分。灸三壯。

！人迎

歌訣……人迎頸部大動脈。胸滿喘逆呼不得。咽喉壅腫最相宜。鍼過四分氣機絕。

解剖……當胸瑣乳嘴筋之內緣。有外頸動脈。上頸皮下神經。舌下神經之下行枝。

部位……在頸旁大動脈應手之處。去結喉旁一寸五分。

主治……吐逆。霍亂。胸中滿。喘呼不得息。咽喉壅腫。

性質……和胃氣。平胃燥。益胃。寧肺。

手術……仰而取之。鍼二分至三分。過深則殺人。禁灸。

水突

歌訣……水突治欬嗽上氣。咽喉癰腫殊堪慮。短氣喘息不得眠。人迎氣舍中央是。

解剖……此處亦屬胸瑣乳嘴筋。有頸皮神經。舌下神經之下行枝。外頸動脈。

部位……在人迎下。氣舍上居二穴之中。

主治……欬逆上氣。咽喉癰腫。短氣。喘息。不得臥。

性質……降氣。瀉熱。調勻呼吸。

手術……仰而取之。鍼三分。灸三壯。宜慎重。

氣舍

歌訣……氣舍亦爲劍柄稱。人迎直下陷中尋。項強氣上咽痺哽。鍼入三分手術明。

解剖……在胸骨把柄端之上（亦稱劍柄）鎖骨上窩之內面。有內乳動脈。鎖骨上神經。

部位……在人迎直下。近陷凹中。傍天突穴。

主治……欬嗽上氣。喉痺。哽咽。食不下。手腫。項強不能回顧。
性質……舒經絡。利咽喉。消濕熱。降逆氣。
手術……鍼三分。灸三壯。

■缺盆

歌訣……缺盆孕婦忌行鍼。穴在鎖骨上陷中。傷寒喉痺汗不出。喘急胸滿與息奔。
解剖……爲鎖骨上窩。有闊頸筋。適當肺部。有瑣骨下動脈。鎖骨神經。
部位……在結喉旁。橫骨上（鎖骨上）部之陷凹中。
主治……傷寒。胸中熱不已。喘急息奔。欬嗽。胸滿。水腫。瘰癧。缺盆中腫。外潰。喉痺。汗出。
性質……開胸。降氣。清胸中熱。散鬱結。舒經絡。
手術……鍼三分。過深則傷氣。孕婦禁鍼。灸三壯。

■氣戶

歌訣……氣戶欬逆並上氣。支滿喘急不知味。若與華蓋共行針。脇肋疼兮亦可治。

解剖……此處爲乳綫部。即第一肋間。有大胸筋。小胸筋。內外肋間筋。上胸動脈。胸廓神經。中包肺臟。

部位……在瑣骨下一寸。去中行璇璣旁四寸。去俞府二寸。

主治……欬逆上氣。胸滿背痛。支滿喘急。不得息。不知味。

性質……利氣。開胸平胃。寧肺。

手術……鍼三分。灸三壯仰而取之。

庫房

歌訣……庫房胸前二肋尋。唾膿吐血實堪憐。欬逆上氣胸脇滿。呼吸不和亦百平。

解剖……在第二肋間。亦有大胸筋。小胸筋。內外肋間筋。上胸動脈。胸廓神經。

部位……在氣戶下一寸六分陷中。

主治……胸脇滿。欬逆上氣。呼吸不利。唾濃血濁沫。

性質……平胃熱。利肺氣。升清氣。降濁氣。

手術……鍼三分。灸三壯。仰而取之。

■屋翳

歌訣……屋翳穴在三肋間。欬逆上氣吐濁痰。皮膚腫痛難沾指。合並至陰佳瘙痒。

解剖……在第三肋間部。有大小胸筋。內外肋間筋。上胸動脈。胸廓神經。

部位……在庫房下一寸六分陷中。

主治……欬逆上氣。唾膿血濁痰。身腫皮膚痛。不可近衣。

性質……平氣。化痰。

手術……仰而取之。鍼三分。灸五壯。

！膺窗 足三里可代用

歌訣……膺窗穴在四肋間。內爲心臟下鍼難。乳癰胸滿並氣短。說以諸君仔細探。

解剖……此處爲第四肋間。內爲心臟部。

部位……在屋翳下一寸六分。去中行四寸。

主治……胸滿短氣。不得臥。腸鳴注瀉。乳癰寒熱。

性質……散胸腹中熱邪。

手術……仰而取之。鍼三分。灸三壯。

▲乳中

歌訣……乳中正在乳頭心。不可灸兮不可鍼。內爲心臟收縮處。外爲前面横胸筋。

解剖……在第四五兩肋之間。內爲心臟部。外爲前横胸筋。

部位……適當乳之正中。

主治……不詳。

性質……不詳

手術……因鍼灸兩禁。故不詳。

■乳根

歌訣……乳根灸膺腫乳癰。小兒龜胸有名稱。噎膈膈氣舌難下。胸臂悶痛治尤能。

解剖……在第六肋間。

部位……去乳中一寸六分陷中。

主治……欬嗽。鬲（音弼）氣。不下食。噎病。四肢厥。胸痛。胸下滿悶。臂痛腫。乳痛。乳

性質……癥。寒痛。霍亂轉筋。灸乳根可治小兒龜胸有特
鎮痛。消腫。行血。通氣。行腸胃之氣。

手術……仰而取之。鍼三分。灸五壯。

不容

歌訣……不容腹滿兼痃癖。胸背脇肋引痛急。心疼唾血喘嗽頻。疝瘕腹鳴不嗜食。

解剖……當肋骨下。通副胸骨綫。有直腹筋。上腹動脈。肋間神經。中爲胃腑。

部位……去中行二寸。傍幽門一寸五分。傍巨闕二寸。

主治……腹滿。痃癖。胸背肩脇引痛。心痛。唾血。喘嗽。吐痰。腹中鳴不嗜食。疝瘕。

手術……助消化。利濕。消痰。散鬱結之氣血。

性質……鍼五分。灸五壯。

承滿

歌訣……承滿喘急與上氣。腸中雷鳴兼下痢。此穴鍼灸同時施。唾血息肩和口味。

解剖……通副胸骨綫。有直腹筋。肋間神經。上腹動脈。

部位……在不容下一寸。去中行二寸。對上脘。
主治……腹脹。腸鳴。脇下堅痛。上氣喘急。食飲不下。息肩咼氣。唾血。
性質……行腸胃之氣。降濁升清。散鬱舒堅。
手術……鍼三分。至八分。灸五壯。

梁門

歌訣……梁門孕婦不宜鍼。艾灸更加有例禁。氣塊疼痛腸鳴泄。胸脇積氣飲食停。
解剖……有直腹筋。肋間神經。上腹動脈。
部位……在承滿下一寸。去中行二寸對中脘。
主治……胸脇積氣。飲食不思。氣塊疼痛。大腸滑泄。
性質……行腸胃之氣。升淸降濁。散鬱結。助消化。
手術……鍼三分。至八分。灸七壯。至二十一壯。孕婦。禁鍼灸

關門

歌訣……關門內有直腹筋。建里旁開二寸平。積氣鼓脹腸鳴痛。俠臍急痛立時寧。

解剖……此處爲橫行結腸部。有直腹筋。上腹動脈。肋間神經。
部位……在粱門下一寸。去中行二寸。對建里。
主治……積氣脹滿。腸鳴切痛。泄痢。不食。俠臍急痛。
性質……行大腸之氣。助消化。解鬱結。
手術……鍼五分至八分。灸五壯。

■太乙
歌訣……太乙小腸部位中。下脘之傍二寸通。心煩癲狂頻吐舌。艾加五壯鍼八分。
解剖……此處爲小腸部位。有直腹筋。上腹動脈。
部位……在關門下一寸。去中行二寸。對下脘。
主治……心煩。癲狂。吐舌。
性質……瀉大小腸鬱熱。
手術……鍼五分至八分。灸五壯。

■滑肉門

歌訣……滑肉堪療舌重強。嘔逆吐血或癲狂。穴與水分平對立。旁開二寸抵中行。

解剖……此處爲小腸部。有直腹筋。上腹動脈。

部位……在太乙下一寸。去中行二寸。對水分穴。

主治……癲疾。狂走。嘔逆吐血。重舌。舌強。

性質……泄大小腸脾胃之熱。

手術……鍼五分至八分。灸三壯。

!天樞

歌訣……天樞主灸脾胃傷。泄瀉痢疾甚相當。兼治鼓脹癥瘕病。艾火多加體必康。

解剖……此處爲小腸部。有直腹筋。上腹動脈。

部位……在臍旁二寸。去肓俞一寸五分。

主治……奔豚。泄瀉。赤白痢下。痢不止。食不化。水腫腹脹。腸鳴。上氣腫胸。不能久立。久積冷氣。遶臍切痛。煩滿嘔吐。霍亂轉筋。身體黃瘦。繳腸痧痛。血結成塊。奔中漏下。月水不調。淋濁帶下。

性質……調腸胃之氣。補虛損。調經血。通汚逐穢。清大腸熱。
手術……鍼五分。灸五壯。孕婦禁鍼。

外陵

歌訣……外陵之內是小腸。相去陰交二寸旁。天樞之下一寸取。腹中疼痛心如懸。
解剖……屬小腸部份。有直腹筋。下腹動脈。
部位……在天樞下一寸。去中行二寸。對陰交
主治……腹痛心如懸。下引腹痛。
性質……行大腸氣。
手術……鍼三分。至八分。灸五壯

大巨

歌訣……大巨之內腹動脈。洩難驚悸眠不得。小腹脹滿口渴煩。㿗疝諸般此穴泄。
解剖……有直腹筋。下腹動脈。
部位……在外陵下一寸。中行旁開二寸。與石門穴平。

主治……小腹脹滿。煩渴。小便難。㿗疝。四肢不收。驚悸不眠。
性質……行大小腸氣。利小便。
手術……鍼五分。至八分。灸五壯。

■水道

歌訣……水道原來治脊強。婦人小腹脹猶良。二便不利疝氣墜。胞中瘕聚子門寒。
解剖……有直腹筋。下腹動脈。
部位……在大巨下三寸。去中行二寸。
主治……肩背強急瘈痛。三焦膀胱腎氣熱結。大小便不利。疝氣偏墜。婦人小腹脹。痛引陰中。月經至則腰腹脹痛。胞中瘕。子門寒。
性質……行胞中氣血。
手術……鍼五分。至八分。灸五壯。

■歸來

歌訣……歸來婦人血積陰。睪丸上縮痛引莖。小腸氣痛從此治。七疝奔豚此穴鍼。

解剖……是處爲直腹筋之下部。有下腹動脈。

部位……在水道下二寸。去中行二寸。

主治……奔豚。七疝。陰丸上縮入腹。痛引莖中。婦人血氣積冷。

性質……平厥逆。鎮痛。逐汚。

手術……鍼五分。至八分。灸五壯。

■氣衝

歌訣……氣冲仍屬胃之經。胃中熱甚吐血靈。婦人月水不調暢。胞衣不下子冲心。

解剖……爲直腹筋之下部。有腸骨下腹神經。下腹動脈。

部位……在歸來下。鼠蹊上一寸。

主治……逆氣上冲。心腹脹滿。不得正臥。奔豚癩疝。大腸中熱。身熱腹痛。陰腫莖痛。婦人月水不利。小腹痛。不孕。妊娠子上冲心。產難。胞衣不下。腰背痛甚。胃經之血吐之不止。有特效。

性質……瀉胃熱。消水。降逆。鎮痛。

手術……鍼三分。灸七壯。

■髀關

歌訣……髀關疸黃痿痺深。腰痛膝寒足不仁。堪愈股內筋拘急。小腹引喉痛不寧。

解剖……此處爲外大股筋部。內有大腿股動脈。股神經。

部位……在伏兎之上。斜行向裏些。去膝一尺二寸。

主治……腰痛。膝寒。足痲木不仁。黃疸。痿痺。股內筋絡急。小腹引喉痛。

性質……舒下部經絡。驅濕氣。

手術……鍼六分。灸三壯。

▲伏兎

歌訣……伏兎膝冷鍼穴中。並愈脚氣痛痺風。若逢穴處生瘡瘤。說與醫人莫用功。

解剖……爲大股筋部。有股動脈關節筋枝。股神經。

部位……在膝上六寸。

主治……脚氣。膝冷不得温。風痺。

性質……驅股中風濕。散股膝部份之風寒。

手術……此穴正跪坐而取之。鍼五分。禁灸。

▲陰市

歌訣……陰市堪瘉痿痺深。腰膝多寒似水浸。兼刺兩足拘攣症。寒疝少腹痛難禁。

解剖……爲外大股筋部。有股動脈關節筋枝。股神經。

部位……在膝上三寸。

主治……腰膝寒如注水。痿痺不仁。不得屈伸。寒疝。小腹痛滿少氣。

性質……強筋壯骨。利濕。散鬱結。舒經絡。行氣。

手術……此穴屈膝取之。鍼三分。不宜灸。

■梁邱

歌訣……梁邱仍屬足陽明。[illegible]治乳癰與大驚。脚膝冷痺難伸屈。治療本自神農經。

解剖……有大股筋。股動脈關節筋枝。股神經。

部位……在膝上二寸

主治……脚膝冷痛。痳痺不仁。不可屈伸。足寒大驚。乳腫痛。

性質……泄熱。舒經。活絡。驅風。散寒。去濕。

手術……鍼三分。灸三壯。

▲犢鼻

歌訣……犢鼻原療鶴膝風。濕邪脚氣膝臏癱。膝痛不仁難跪起。祇爲痰凝氣不通。

解剖……爲膝蓋骨之外側。有膝蓋固有韌帶。中通關節動脈。分布上腿皮下神經。腓骨神經。

部位……在膝眼外側之陷凹處。

主治……膝痛不仁。難跪難起。脚氣。（膝臏癱腫潰者不可治）

性質……舒經絡。行氣血。消腫。鎮痛。散風。逐汚。去濕。

手術……鍼三分。至六分。禁灸

■足三里

歌訣……足三里治氣上攻。諸虛牙痛及耳聾。噎膈膨脹水腫喘。寒濕脚氣兼痺風。

解剖……爲前脛骨筋部。分布廻反脛骨動脈。及深腓骨神經。

部位……在膝眼外側下三寸。胻骨外廉兩筋之間。

主治……肺中寒。心腹脹痛。逆氣上攻。藏氣虛弱。胃氣不足。惡嗅食物。腹痛脹鳴。食不化。大便不通。腰痛膝軟。不得俯仰。小腸氣。

性質……升清氣。降濁氣。調中氣。清血。養血。行血。補血。補益胃氣。瀉胃氣。去腸胃中不正之氣。清胃腑之熱。搜四肢風邪。燥濕氣。

手術……坐而取之。針五分。至一寸。或二寸。留七呼。灸三壯。至百壯。

■上巨虛（上廉）

歌訣……上巨虛療骨髓寒。腸中切痛足脛疲。脚氣偏風難久立。手足不仁喘息良。

解剖……爲前脛骨筋部。循行前脛骨動脈。

部位……在膝下六寸。三里下三寸。

主治……臓氣不足。偏風。脚氣。腰腿手足不仁。足脛痠。骨髓冷疼。不能久立。俠臍腹痛。腸中切痛。飱泄食不化。喘息不能行。腹脇支滿。

性質……益胃。清腸胃熱。驅濕。燥濕。行腸胃之氣。

手術……舉足取之。以足跟着地。足尖足背聳起。鍼三分。至五分。灸三壯。

■條口

歌訣……條口能醫足膝寒。轉筋痺濕足熱良。足緩難行先絕骨。次尋此穴及冲陽。

解剖……有前脛骨筋。脛骨動脈。深腓骨神經。

部位……在三里下四寸。上巨虛下一寸。（一說上巨虛下二寸）

主治……足膝痲木。寒痠腫痛。轉筋濕痺。足下熱。足緩不收。不能久立。

性質……強筋骨。驅風濕。舒經絡。鎮靜神經。補胃之精液。

手術……鍼三分。至一寸。灸三壯。舉足取之。

■下巨虛

歌訣……下巨虛療跗不收。毛焦肉脫實堪憂。偏風腿軟不嗜食。女子乳癰亦可休。

解剖……有前脛骨筋脛骨動脈。

部位……在三里下五寸。（一說在三里下六寸）

主治……胃中熱。毛焦肉脫。汗不出。少氣。不嗜食。暴驚。狂言。喉痺。面無顏色。胸脇痛。飧泄。便膿血。小腸氣痛。偏風腿痠。足不履地。熱風。風濕。冷痺。胻腫。足跗不收。女子乳癰。

性質……瀉胃中熱。益胃中精液。行腸胃之氣。驅濕。舒經活絡。壯骨強筋。

手術……蹲地而舉足取之。針三分。灸三壯。

豐隆

歌訣……豐隆可治病癲狂。頭痛面腫針即痊。婦人心痛哮喘急。腿膝酸疼步履艱。

解剖……此處亦爲前脛骨筋。有脛骨動脈。與脛骨神經。

部位……在外踝上八寸。去本經約五分。與下廉相並微下些。

主治……頭痛面腫。喉痺不能言。中風。癲狂。見鬼。好笑。厥逆。胸痛如刺。大小便難。怠惰。腿膝酸痛。屈伸不便。腹痛。肢腫。足滯。寒濕。哮喘。

性質……瀉胃中痰。通便。降胃熱。及痰熱。驅寒濕。調呼吸。

手術……鍼三分至一寸半。灸三壯。

■解谿

歌訣……解谿治療風水氣。腹足虛腫目生翳。氣逆發噎頭目弦。悲泣顛狂兼驚悸。

解剖……此處爲足跗關節之環狀韌帶部。有內踝動脈。大薔薇神經。

部位……在足腕上繫鞋帶處。去衝陽一寸半。去內庭六寸半。

主治……風氣面浮。頭痛。目眩。生翳。氣上衝。喘嗽腹脹。癲疾。煩心悲泣。驚癇。轉筋霍亂。大便下重。股膝胻腫。善飢不食。食即支滿。腹脹。寒熱痎瘧。

性質……瀉胃熱。和腸胃不之正氣。

手術……鍼三分。至五分。灸五壯。

!衝陽

歌訣……衝陽主治病在胃。足痿跗腫難進退。鍼刺之時須留神。不教出血斯爲貴。

解剖……此處爲大趾長伸筋部。有前內踝動脈。與大薔薇神經。

部位……在足跗上五寸足背最高之處動脈旁

主治……偏風。面腫。口眼喎斜。齒齲。齒䘌。(音禹力)傷寒發狂。振寒。汗不出。腹堅大

。不嗜食。發寒熱。足痿跗腫。或胃瘧。（先寒後熱喜見日月光得火乃快然者。於方熱時鍼之出血立退）

性質……清熱。息風。驅寒。去濕。發汗。

手術……鍼三分。至五分。留十呼。灸三壯。

■陷谷

歌訣……陷谷何病最宜刺。腸鳴疝痛兼及腹。無汗振寒水氣腫。面腫善噫痎瘧作。

解剖……此處爲總趾伸筋腱部。有第一骨間動脈。趾背神經。

部位……在次趾外本節後。去內庭二寸。

主治……面目浮腫。及水病善噫。腸鳴腹脹痛。汗不出。振寒。痎瘧。疝氣。少腹痛

性質……益肝。補胃。調和胃氣。能引陰濁之氣下降。

手術……鍼三分。至五分。灸三壯。

■內庭

歌訣……內庭堪瀉痞滿堅。腹鳴振寒痛其咽。並瀉婦人石鼓脹。行經頭暈腹痛痓。

解剖……有短總趾伸筋。第一骨間背動脈。趾背神經。

部位……在次趾中趾之間。脚乂縫盡處之陷凹中。

主治……四肢厥逆。腹滿不得息。惡聞人聲。振寒咽痛。齒齲。口喎鼻衄。癮疹赤白痢。瘧疾不欲食。

性質……和胃氣。瀉胃熱。補胃中精液。

手術……鍼二分。至四分。留五呼。灸三壯。

■厲兌

歌訣……厲兌足陽明井穴。驚狂面腫兼尸厥。喉痺足寒膝臏中。隱白同消夢魘惡。

解剖……爲長總趾伸筋腱附著部之外側。分布趾背動脈。趾背神經。

部位……在足次趾外側。去爪甲如韮葉許。

主治……尸厥。口噤氣絕。狀如中惡。心腹滿。水腫熱病。汗不出。寒熱瘧不食面腫。喉痺。齒齲。惡風。鼻不利。多驚發狂。好臥足寒。膝臏腫痛。

性質……溫下焦寒。驅足膝之風寒濕熱。

手術……鍼一分。留一呼。灸一壯。

第四節　足太陰經穴之功用

▲隱白

歌訣……隱白原治脾病科。腹脹喘滿不得和。尸厥足寒兒驚忤。並治婦人天癸多。

解剖……有背足動脈。淺腓骨神經。

部位……在大趾内側端。去爪甲角如韭葉。

主治……腹脹喘滿不得臥。嘔吐食不下。胸中痛。煩熱。暴泄。衄血。尸厥不識人。足寒不得溫。婦人月事過多。或過時不止不潔。小兒客忤驚風。

性質……溫脾。壯陽元。理中下兩部之寒。

手術……鍼一分。留三呼。禁灸。

■大都

歌訣……大都主治溫熱病。骨痛腰痠臥不定。厥逆傷寒吐煩悶。胎產百日灸馳禁。

解剖……有足背動脈。深腓骨神經。

部位……在大趾內側本節前。第二節後骨縫。白肉際陷中。

主治……熱病汗不出。不得臥。身重骨痛。傷寒手足逆冷。腹滿嘔吐悶亂。腰病不可俯仰。四肢腫痛。

性質……瀉本經之熱。和氣血。

手術……鍼三分留七呼。灸三壯。產婦百日內不宜灸

■太白

歌訣……太白治腰痛不安。瀉痢濃血大便難。痔漏腹脹食不化。身重骨痛膝胻酸。

解剖……在第一趾骨之第二節後部。與第一蹠（音隻）骨之間。（履地之骨曰蹠骨）有當長伸拇筋。足背動脈。腓骨神經。

部位……在大趾本節後。其內側有如梅核之骨。骨下之陷凹處。赤白肉際即是。

主治……身熱。煩滿腹脹。食不化。嘔吐。瀉痢濃血。腰痛。大便難。氣逆。霍亂。腹中切痛。腸鳴。膝股胻酸。轉筋身重骨痛。

性質……通腸。逐汚穢。舒經活絡。

手術……鍼二分。至四分。留七呼。灸三壯。

腳背癢疼名艸鞋風宜刺商邱邱墟二穴

■公孫

歌訣……公孫壅痰積塊鍼。下血腸風寒熱勳。兼治婦人氣蠱病。隨機補瀉見功能。

解剖……有長伸拇筋。足背動脈。腓骨神經。

部位……在足太指本節後一寸。即圓骨後。赤白肉際。

主治……寒瘧不食。痼氣。好太息。多寒熱。汗出。喜嘔。卒面腫。心煩多飲。胆虛。水腫。腹脹如鼓。脾冷胃痛。

性質……運動脾氣。補脾陽。瀉脾氣。理心腹寒。

手術……鍼四分。灸三壯。

■商邱

歌訣……商邱脾虛須謹記。寒瘧疸黃兼痞氣。腹脹胃痛脚背疼。嘔吐腸鳴還泄痢。

解剖……爲前脛骨之筋腱部。有後內踝動脈。及神經。

部位……在內踝骨下。微前陷凹中。

主治……胃脘痛。心悲氣逆。狐疝陰股內痛。舌強黃疸。體重支節痛。

性質……瀉脾。

手術……鍼三分。留七呼。灸三壯。

■三陰交

歌訣……三陰交治痞滿堅。痼冷疝氣脚氣纏。婦人不孕及難產。帶下遺精淋濁安。

解剖……爲長總趾屈筋之下部。有脛骨動脈之分枝。及神經。

部位……在內踝上。除去踝骨。上量三寸是穴。

主治……脾胃虛弱。心腹脹滿。不思飲食。脾病身重。四肢不舉。飧泄血痢。痃癖。臍下痛不可忍。中風卒厥。不省人事。膝內廉痛。足痿不能行。

性質……行氣。降氣。通經。行瘀。清血。生血。凉血。固血。補陰壯陽。益精生氣血。溫中焦下焦。溫血寒。及一切寒冷。清血中之熱。平肝熱。理周身四肢風邪。化濕行濕。

手術……鍼一寸留七呼灸三壯

▲漏谷

歌訣……漏谷堪醫膝不仁。腸鳴腹脹小腹疼。雖食不肥痃癖冷。小便不利失精靈。

解剖……爲比目魚筋部。即腓腸筋之內端。有脛骨動脈枝脛骨神經。

部位……在三陰交上三寸。內踝上六寸。骨下陷中。

主治……膝痺脚冷不仁。腸鳴腹脹。痃癖。冷氣。小腹痛。飲食雖多。肌膚日瘦。小便不利。失精。

性質……益脾陰。舒氣血。散足膝中寒濕。

手術……鍼三分。禁灸。

■地機

歌訣……地機能泄癥瘕癖。溏泄腹脹不嗜食。精弱腰疼難俯仰。血海同鍼經期的。

解剖……爲腓腸筋內端。有脛骨動脈枝。脛骨神經。

部位……在膝下五寸內側。

主治……腰痛不可俯仰。溏泄腹脹。水腫。不嗜食。精不足。小便不利。足痺痛。女子癥瘕。

性質……通經活血。生精散鬱。運脾。

手術……伸足取之。鍼三分灸三壯。

■陰陵泉

歌訣……陰陵泉治氣成淋。水腫腹堅臥不寧。小便諸疾足膝腫。遺尿泄瀉或遺精。

解剖……居腓骨頭之下。即二頭股筋之連附處。有反回脛骨動脈。及外腓腸皮下神經。淺腓骨神經。

部位……在膝下內輔骨下陷中。與陽陵泉對。去膝橫開一寸餘。

主治……霍亂。寒熱。胸中熱。不嗜食喘逆。不得臥。疝瘕腹中寒。脅下滿。水脹。腰痛不可俯仰。陰痛。氣淋。遺精。小便不利。遺尿。泄瀉。足膝紅腫。

性質……補脾。滋陰。益氣血。導濁。固精。瀉心火。温中。理脾寒。

手術……伸足取之。鍼五分。留十呼。灸三壯。

■血海

歌訣……血海堪醫經不調。腎風腹脹未能消。崩滿帶下婦人疾。熱瘡濕痺癢須搔。
解剖……爲內大股筋下部。有上膝關節動脈。及股神經。
部位……在膝臏上二寸。膝之內側白肉際。
主治……女子崩中漏下。月事不調。帶下。逆氣腹脹。兩腿瘡癢。濕不可當。
性質……調血。固脾。行血中風熱。驅下部濕熱。
手術……鍼五分。灸五壯。

●箕門

歌訣……箕門臏上八寸量。股陰之內動脈旁。鼠鼷腫痛並遺溺。五淋脹痛便不長。
解剖……爲內大股筋部份。膝股上關節動脈。及股神經。
部位……在內股。去血海六寸。動脈應手處。
性質……五淋。小便不通遺溺。鼠鼷腫痛。
性質……驅除下焦濕熱。鎮痛導濁。
手術……鍼三分。灸三壯。（一說此穴禁鍼）但毫鍼無害。

■衝門

歌訣……沖門氣沖合並鍼。拳瘵帶下及產崩。沖門血海同鍼下。中寒積聚子衝心。

解剖……耻骨地平技之直上。中斜內爲直腸。有下腹動脈之耻骨技。下腹神經。

部位……在曲骨（耻骨縫際）旁三寸半。即去中行三寸半。（一說四寸半）

主治……中寒積聚。淫濼。陰疝。妊娠冲心。難乳。

性質……行氣。行血。定驚。

手術……鍼七分。灸五壯。

■府舍

歌訣……府舍臍下四寸三。旁開三寸半中候。疝癖厥氣及霍亂。腹脇滿痛理相參。

解剖……內斜腹筋之下部。分布下腹動脈之耻骨枝。與腸骨下腹神經。

部位……在臍下四寸三分。在腹結下三寸。去中行三寸半。（一說四寸半）

主治……疝癖。腹脇滿痛。上下搶心。積聚。痺痛。厥氣。霍亂。

性質……行大腸中不正之氣。降氣。行血。

手術……鍼七分。灸五壯。

■腹結

歌訣……腹結之上是大横。相去一寸三分量。瀉痢心疼並欬逆。繞臍疼痛腹中寒。

解剖……有內斜腹筋。下腹動脈。腸骨下腹神經。

部位……在大横下一寸三分。

主治……欬逆。繞臍腹痛。中寒。瀉痢。心痛。

性質……行氣。平氣。降氣。驅寒。

手術……鍼五分。灸五壯。

■大横

歌訣……大横之穴與臍平。相去中行四寸明。反張悲哭身寒慄。天冲同刺羨奇神。

解剖……爲內外斜筋部。小腸。有下腹動脈。肋間神經枝。腸骨下腹神經。

部位……去中行四寸與臍平。（一說四寸半）

主治……大風逆氣。四肢不舉。多寒善悲。

性質……通心氣。順氣。能制止肝中風火暴動。

手術……鍼三分。至七分。灸三壯。

■腹哀

歌訣……腹哀中脘四寸旁。大橫之上四寸量。大便膿血腹中痛。食不化兮胃中寒。

解剖……有內外斜腹筋。上腹動脈。肋間神經枝。腸骨下腹神經。

部位……在中脘旁四寸微下些。大橫上三寸半。

主治……中寒食不化。大便膿血。腹痛。

性質……助消化。清腸胃中之風熱。

手術……鍼三分。至七分。灸五壯。

■食竇

歌訣……食竇中庭五寸開。五肋三間穴位來。膈中有水聲如響。舉臂針之立可排。

解剖……在第五肋間部。當胃之上。有大胸筋。內外肋間筋。長門動脈。前胸神經。

部位……去中庭五寸。在第五肋間位。

主治……胸脇支滿。欬吐逆氣。飲不下。膈有水聲。
性質……降逆氣。逐水氣。利痰。
手術……鍼四分。灸五壯。舉臂取之。

■天谿

歌訣……天谿兩寸乳頭旁。四肋中間穴位詳。胸滿喘逆喉中響。仰臥鍼之法最良。
解剖……在第四肋間部。當胃之上。有大胸筋。內外筋。長門動脈。肋間動脈。前胸神經。
部位……去膻中六寸。在第四肋間部。去中行六寸。乳頭旁二寸。
主治……胸滿。喘逆上氣。喉中作聲。婦人乳腫。𩪷癰。
性質……逐水利痰。消肺胃之風熱。
手術……鍼四分。灸五壯。仰而取之。

■胸鄉

歌訣……胸鄉仰臥取之良。三肋之間穴位詳。乳頭直上旁兩寸。脅背引痛轉側難。
解剖……在第三肋部。有大胸筋。長胸神經。

部位……第三肋間。天谿上一寸六分。
主治……胸脅支滿。引背痛。不得臥。轉側難。
性質……行胸腔内寒熱不正之氣。
手術……鍼四分。灸五壯。仰而取之。

■周榮

歌訣……周榮穴位仰臥取。中府之下寸六許。胸中滿脹俯仰難。食不下兮欬不已。
解剖……在第二肋間部。有大胸筋。長胸動脈。前胸廓神經。
部位……在胸鄉上一寸六分。中府下一寸六分。
主治……胸滿不得俯仰。欬逆食不下。
性質……行鬲盲之邪氣。降逆氣。
手術……鍼四分。灸五壯。仰而取之。

■大包

歌訣……大包穴在九肋中。腋窩直下六寸通。實則身疼虛則縱。補虛瀉實有殊功。

解剖……在第九肋間部。有外斜腹筋。上腹動脈。長胸神經。

部位……在腋窩下六寸淵腋下三寸。第九肋間。

主治……胸中喘痛。腹有大氣。不得息。實則身盡痛。虛則百節皆縱。

性質……行胸腹中諸氣行脾胃大腸之惡氣。

手術……鍼三分。灸三壯。

第五節　手少陰經穴之功用

極泉

歌訣……極泉心滿肘臂寒。肢廢乾嘔目癈黃。腋窩之下是眞穴。兩筋中央勿彷徨。

解剖……在大胸筋之上膊下部。與三角筋之境界間。有腋下動脈與靜脈。中膊皮下神經。尺骨神經。

部位……在腋窩內兩筋間。橫後天府三寸。徵高於天府八分。

性質……心脇滿痛。肘臂厥冷。四肢不收。乾嘔。煩渴。目黃。

性質……清心火。散肘臂之寒邪。

手術……鍼三分。灸七壯。

●青靈

歌訣……青靈肘上三寸量。頭疼脇痛身振寒。目黃肩臂不能起。屈肘舉臂取之良。

解剖……在肘上三頭膊筋近旁。為重要靜脈之一部。及腋窩動脈枝。正中神經。

部位……在肘上三寸。

主治……頭痛。目黃。振寒。脇痛。肩臂不舉。

性質……驅風邪。舒經。活絡。

手術……屈肘舉臂取之。禁鍼。灸三壯。

▲少海

歌訣……少海主刺腋下瘰。羊癇痺痛肩風濕。心痛手顫臂頑麻。目眩發狂也可退。

解剖……在二頭膊筋之筋腱旁。有尺骨副動脈與靜脈。中膊皮下神經。與正中神經。

部位……在肘內廉。去肘端五分陷中。

主治……寒熱刺痛。目眩發狂。癲癇羊鳴。嘔吐涎沫。項不得回。頭風疼痛。氣逆瘰癧。肘臂脘脇痛攣不舉。

性質……清心竅之火痰。去溜入經絡之痰。舒經絡。

手術……屈肘向頭取之。鍼三分。不宜灸

■靈道

歌訣……靈道治愈心痛疼。骨寒髓冷火攻痓。此穴施鍼鍼亦妙。瘛瘲暴瘖不能言。

解剖……爲內尺骨筋部。有中靜脈。尺骨動脈。中膊皮下神經。尺骨神經。

部位……在掌後一寸五分。

主治……心痛。悲恐。乾嘔。瘈瘲。肘攣暴瘖不能言。

性質……鎮心定志。降逆氣。

手術……鍼三分。灸五壯。

■通里

歌訣……通里堪除温熱記。無漢懊憹心驚悸。喉痺苦嘔暴音啞。婦人崩漏經多費。

解剖……爲內尺骨筋部。有尺骨動脈。中膊皮下神經。尺骨神經。

部位……在腕側後一寸。靈道下半寸陷中。

主治……熱病。頭痛目眩。面熱無汗。懊憹暴瘖。心悸悲恐。畏人。喉痹苦嘔。虛損數欠。少氣。遺溺。肘臂腫痛。目眩。

手術……鍼三分。灸三壯。

性質……清心熱。瀉心火。

■陰郄

歌訣……陰郄灑淅身惡寒。衄吐失音不能言。厥逆霍亂胸中滿。鍼入三分有專長。

解剖……有尺骨動脈。中膊皮下神經。尺骨神經

部位……在通里下半寸。去腕五分。

主治……鼻衄。吐血失音。不能言。霍亂胸中滿。灑淅惡寒。厥逆。驚恐。心痛。

性質……泄心火。定心。安神。

手術……鍼三分。灸三壯。

■神門

歌訣……神門怔忡心悸安。痴呆中惡遂狂奔。並治小兒驚癇症。或時惡寒欲就温。

解剖……有深掌側動脈。與中靜脈。尺骨神經。

部位……在掌後銳骨(豌豆骨)之端下陷中。陰郄下五分。

主治……癲疾。心煩。欲得冷飲。惡寒則欲就温。咽乾不嗜食。驚悸心痛。少氣。身熱。面赤發狂。喜笑。上氣。嘔血。吐血遺溺。失音。欠忘。心積伏粱。大人小兒五癇。手臂攣掔。

性質……除心內鬱結之氣。寧心神。利氣。補陽。瀉心。清心熱。

手術……鍼三分。灸三壯。

少府

歌訣……少府久瘧宜用鍼。肘腋拘攣痛引胸。婦人陰挺癢而痛。男子遺尿治亦同。

解剖……有指掌動脈。與尺骨神經。指掌枝。

部位……在手小指本節後。骨縫陷中。直勞宮。

主治……痎瘧久不愈。振寒。煩滿。少氣。胸中痛。悲恐畏人。臂痠肘腋攣急。陰挺。陰癢。

陰痛。遺尿。偏墜小便不利。

性質……清心熱。

手術……鍼二分。灸三壯。

■少冲

歌訣……少衝主治心胆寒。怔忡癲狂復嚥酸。上氣寒熱心煩滿。眼赤火炎不一端。

解剖……有指掌動脈。與尺骨神筋之指掌枝。

部位……在小指内廉之端。去爪甲角如韭葉許。

主治……熱病煩滿。上氣。心火炎上。眼赤。血少。嘔吐血沫。及心痛。冷痰。善驚。口熱。咽酸。胸脇痛。乍寒乍熱。臑臂内後廉痛。手攣不伸。

性質……瀉心。解熱邪。

手術……鍼一分。灸三壯。

第六節　手太陽經穴之功用。

■少澤

歌訣……少澤堪治心中煩。喉痺舌強目翳攣。耳聾不眠項臂強。婦女生瘍得乳難。

解剖……有指背動脈。尺骨神經之分枝。

部位……在小指端甲側。去爪甲角如韭葉。

主治……痎瘧。寒熱。汗不出。喉痺舌強。心煩咳嗽。瘈瘲。臂痛項痛不可回顧。目生翳。及療婦人無乳。

性質……去表邪。清表熱。

手術……鍼一分。留三呼。灸一壯。

■前谷

歌訣……前谷治愈痛與癲。頭項肩臂痛難痊。更治產後不生乳。目翳鼻塞咳聲連。

解剖……有外轉小指筋。指背動脈尺骨神經枝。

部位……在小指外側。本節前之陷凹處。

主治……熱病汗不出。痎瘧。癲疾。耳鳴。喉痺。頸項煩腫引耳後。咳嗽。目翳。鼻塞。吐乳。臂痛不舉。手癰。

性質……通經活絡。消風邪濕熱。

手術……鍼一分。灸一壯。

■後谿

歌訣……後谿尋得瘧自平。癲癇從此漸清心。頸項難顧肘腕痛。脇肋腿疼亦告輕。

解剖……此處爲外轉小指筋。有重要靜脈。指背動脈。尺骨神經枝。

部位……在小指外側本節後陷中。第五掌骨之前外端。

主治……痎瘧。寒熱。目翳。鼻衄。耳聾。胸滿。項強。癲癇。腕臂攣急。五指盡痛。

性質……去表寒。散手臂之鬱熱。

手術……鍼三分。留二呼。灸一壯握拳取之。適當掌尖。

■腕骨

歌訣……腕骨能療臂腕疼。五指諸痛分淺深。脾疾翻胃食常吐。疸黃瘧疾亦堪鍼。

解剖……此處爲小指外轉筋。有腕骨背側動脈。與靜脈。尺骨神經。

部位……在手外側。腕前骨下陷中。

主治……熱病汗不出。脅下痛。不得息。頸項腫。寒熱。耳鳴。目出冷淚。生翳狂惕。偏枯。臂肘不得屈伸。瘧疾煩悶。頭痛。驚風。瘈瘲。五指掣攣。

性質……瀉脾。舒經利骨。

手術……鍼二分。留三呼。灸三壯

■陽谷

歌訣……陽谷堪醫癲疾狂。小兒瘈瘲舌本強。妄言妄語左右顧。耳聾面腫熱復寒。

解剖……有迴前方筋。深屈指筋。腕骨側背動脈。內膊皮下神經。尺骨神經。

部位……在銳骨之下陷中。

主治……癲狂妄言妄見。左右回顧。熱病汗不出。脇痛項腫。寒熱。耳聾耳鳴。齒痛。臂不舉。小兒瘈瘲。舌強。

性質……瀉心中虛熱。散心火瀉脾熱。

手術……鍼二分。留三呼。灸三壯。

■養老

歌訣……養老尋來療臂痠。肩疼膊拔可兼探。筋攣脚痺難伸屈。腫重痛兮起坐艱。
解剖……當外尺骨筋腱之側。有尺骨動脈之背枝。及尺骨神經。
部位……去陽谷斜向外。腕後一寸手踝骨上。
主治……肩臂痠疼。肩欲折。膊如拔。手不能自動。或上下目視不明。
性質……明目。生精。養陰。宣絡。舒筋。壯骨。
手術……此穴宜屈手取之。則骨開而孔露。鍼二分。至三分。灸三壯。

■支正

歌訣……支正七情六鬱探。肘臂十指盡皆攣。兼治消渴飲不止。補瀉分明自可安。
解剖……此處爲總指伸筋。岐出前膊骨間動脈之分枝。
部位……去腕後五寸。
主治……五勞。癲狂。驚風。寒熱。頷腫。項強。頭痛。目眩。虛損。驚恐。悲愁。腰背痠。四肢乏力。肘臂不能伸屈。手指痛不能握。
性質……散表邪。清心火。通經絡。利骨節。

手術……鍼三分。灸三壯。

■小海

歌訣……小海肘尖五分陷。齒齦腫痛刺爲便。肘臂肩臑頸項痛。風眩瘛瘲五癎驗。

解剖……在三頭膊筋間。有下尺骨副動脈。撓骨神經支。

部位……在尺骨鶯嘴突起之上端。去肘尖五分陷中。

主治……肘臂肩臑頸痛。寒熱齒根腫痛。風眩。瘍腫。小腹痛。五癎瘈瘲。

性質……驅風熱。瀉心大。利痰。

手術……以手屈肘向頸取之。鍼三分。灸三壯。

■肩貞

歌訣……肩貞取得治傷寒。寒熱不休肩痛疼。頷腫耳鳴缺盆痛。手足不舉風痺攣。

解剖……有小圓筋。迴旋肩胛動脈。腋下神經。肩胛上神經。

部位……在肩峯突起後側之下。去脊橫開八寸。下直腋縫。

主治……咳嗽上氣。吐血寒熱。目視不明。

性質……驅風散寒。

手術……鍼五分。灸三壯。

■臑俞

歌訣……臑俞穴屬手太陽。陽維陽蹻相會場。肩臂無力痛引胛。寒熱氣腫取之良。

解剖……有肩胛骨棘下筋橫肩胛動脈肩胛上神經

部位……肩貞上一寸。橫外開八分。

主治……肩臂痠無力。肩痛引胛。寒熱氣腫痠痛。

性質……驅風。散寒。去濕。瀉熱。

手術……舉臂取之。鍼五分。灸三壯。

■天宗

歌訣……天宗臂痛取之良。肩外後廉痛且痠。頰頷腫兮肩無力。鍼灸同施即可安。

解剖……有僧帽筋。肩胛骨棘下筋。肩胛動脈。與肩胛神經。

部位……肩貞斜上一寸七分。橫內開一寸。

主治……肩臂痠疼。肩外後廉痛。頰頷腫。

性質……驅頭面部風濕。去上半部骨節中風痰。

手術……鍼五分。至八分。灸三壯。

■秉風

歌訣……秉風治肩痛不已。肩無力兮不可舉。祇須鍼入五分深。小顒空內舉臂取。

解剖……有僧帽筋。肩胛動脈與神經。

部位……在肩上小顒後。舉臂有空。

主治……肩痛不可舉。

性質……驅筋骨間風痰濕熱。

手術……鍼五分灸五壯。

■曲垣

歌訣……曲垣[illegible]痺。肩臂熱疼筋急拘。鍼到五分灸十壯。不須藥物自然醫。

解剖……有僧帽[illegible]橫舉筋頸。動脈肩胛神經。

部位……在肩之中央。曲胛陷中。

主治……肩臂熱痛。拘急周痺（上下游行周身俱痛）

性質……驅分肉中之風痰濕熱。

手術……鍼五分。灸十壯。

■肩外俞

歌訣……肩外兪治項拘急。肩胛疼痛發寒熱。兼治周痺寒至肘。鍼有奇功灸猶捷。

解剖……有僧帽筋。肩胛横舉筋。肩胛神經。頸動脈。

部位……在肩胛上廉去脊三寸。

主治……肩胛痛。發寒熱。引項攣急周痺寒至肘。

性質……逐分肉中之風寒濕熱。

手術……鍼五分。灸三壯。

■肩中俞

歌訣……肩中俞治欬嗽頻。項頸急兮目不明。吐血寒熱並上氣。鍼灸同施取效靈。

解剖……有小方稜筋肩胛動脈。肩胛神經。

部位……在肩外兪斜上五分。去脊二寸大椎旁。

主治……咳嗽。上氣。吐血。寒熱目視不明。

性質……驅風。散寒。平肝滋肺。

手術……鍼三分。灸十壯。

■天窗

歌訣……天窗穴善治頸癭。耳聾喉痛或暴瘖。肩痛引胛難回顧。腮頰腫痛齒又噤。

解剖……此處當胸瑣乳頭筋之前。頸之兩動脈。中頸皮下神經。

部位……在耳下二寸大筋間。即曲頰下。扶突後。動脈中

主治……頸癭腫痛。肩胛引項不得回顧。頰腫齒噤。耳聾。喉痛。暴瘖。

性質……宣通氣血。行淤。散鬱痰。

手術……鍼三[illegible]三壯。

■天[illegible]

歌訣……天容亦療頸氣癭。不能言兮齒又噤。耳鳴喉痺咽如梗。諸般俱可用金鍼。

解剖……有耳下綫。內顎動脈。頸靜脈。顏面神經。

部位……在耳下頰車後。二寸頸筋間。

主治……癭氣頸腫。不可回顧。不能言。齒噤。耳鳴。耳聾。喉痺。咽中如梗。寒熱。胸滿嘔逆。吐沫。

性質……通氣。散淤。解鬱結經絡之氣。

手術……鍼五分。至八分。灸三壯。

◎顴髎

歌訣……顴髎面頄骨下端。口喎面赤目睛黃。眼瞤不止頗腫痛。金鍼施後自可安。（毫鍼無害）

解剖……此處有下眼窩動脈。三叉神經第二枝之下眼窩神經。

部位……在面頄骨下廉。銳骨端。即顴骨下。陷凹處。

主治……不詳。

性質……不詳。

手術……鍼灸兩禁。

■聽宮

歌訣……聽宮蟬鳴耳內哄。並治腎虛耳暴聾。癲疾失音心腹滿。心下悲悽俱可攻。

解剖……此處爲咀嚼筋。有上顎動脈。顏面神經。

部位……在耳前珠子旁。

主治……失音，癲疾。心腹滿。耳內蟬鳴。耳聾。

性質……降腎氣。

手術……鍼三分。灸三壯。

第七節　足太陽經穴之功用

▲睛明

歌訣……睛明專治目不明。雀目生翳或攣睛。目赤睛痛火炎上。眥癢流淚怕風迎。

解剖……爲前頭骨鼻上棘部。有鼻翼與上唇擧筋。鼻背動脈。滑車神經。

部位……在目內眥角。外一分。宛宛中。

主治……目痛視不明。迎風流淚。胬肉攀睛。白翳。眥癢。頭痛目眩。

性質……驅風。瀉熱。

手術……鍼一分半。不可灸。

▲攢竹

歌訣……攢竹眉頭陷處屬。眉間疼痛難張目。腦昏目赤瞳子癢。腮臉瞤動治可決。

解剖……此爲前頭骨部。有眉頭筋。前額動脈。及前額神經。

部位……在眉頭之陷凹中。

主治……目視䀮䀮。淚出。目眩。瞳癢。眼中赤痛。腮臉瞤動。不得臥。煩熱面痛。

性質……驅目中風邪。鎭靜局部神經。

手術……鍼一分。至三分。禁灸。

■眉冲

歌訣……眉冲主治頭目眩。鼻塞不知臭與香。鍼入二分灸三壯。不須藥物自安康。

解剖……有前頭筋。前額動脈。顏面神經之顳顬枝。

五味子溫肺斂腎　久咳痰稀用之有效

部位……在攢竹直上入髮際五分。去神庭旁五分。

主治……頭痛目眩。目重不知香臭。

性質……驅風通竅。

手術……鍼二分。灸三壯。

■曲差

歌訣……曲差鼽衄可行鍼。心煩身熱頂巔疼。頭痛鼻塞漢不出。目不明兮亦可痊。

解剖……爲前額骨部。有前頭筋。前額動脈。顏面神經之顳顬枝。

部位……在眉頭直上入髮際。約五分。去神庭旁一寸五分。

主治……目不明。頭痛。鼻塞。鼻淵。鼽衄。頂顛痛。心煩身熱。汗不出。

性質……驅頭部諸竅之熱。

手術……鍼三分。灸三壯。

●五處

歌訣……五處尋來治脊強。瘈瘲癲疾眼暈眩。曲差之後五分取。又在上星寸五旁。

解剖……有前頭筋。前額動脈。額神經。

部位……在曲差後五分。上星旁一寸半。

主治……脊強反折。瘛瘲。癲疾。頭痛。戴眼。（目睛不轉乃太陽經之絕症）暈眩。目視不明。

性質……驅頭部與本經之風熱。

手術……鍼三分。禁灸。

●承光

歌訣……承光治嘔吐頭眩。鼻塞不利心中煩。目翳口喎亦能治。祇宜鍼兮灸不痊。

解剖……爲帽狀腱膜部。有顱頂骨顳顬動脈。顳顬神經。

部位……在五處後一寸五分。

主治……頭風。風眩。嘔吐。心煩。鼻塞。不利。目翳口喎。

性質……通利頭部諸竅。清熱。息風。

手術……鍼三分。禁灸。

■通天

歌訣……通天頭旋神恍惚。耳鳴項強難轉側。衄血偏風口喎斜。青盲內障鼻還塞。

解剖……爲後頭筋之上部。有顱頂骨顳顬動脈。大後頭神經。

部位……在承光後一寸五分。

主治……頭旋項痛。不能轉側。鼻塞偏風。口喎衄血。頭重耳鳴。狂走。瘈瘲。恍惚。靑盲內障。

性質……通利頭部諸竅。驅風熱。

手術……鍼三分。灸三壯。

■絡却

歌訣……絡却癭瘤鍼可痊。口喎鼻塞與頭旋。項腫耳鳴目內障。三分鍼入顯奇能。

解剖……此處爲後頭骨部。有後頭筋。後頭動脈。大後頭神經。

部位……在通天後一寸五分。

主治……頭旋。口喎。鼻塞。項腫。癭瘤。內障。耳鳴。

性質……清頭部之熱。鎮頭部之風。

手術……鍼三分。灸三壯。

■玉枕

歌訣……玉枕却後寸五尋。又與腦戶一三平。目痛如脫難遠視。不拘香臭悉無聞。

解剖……有後頭筋。後頭動脈。大後頭神經。

部位……在絡却後一寸五分。去腦戶旁一寸三分。

主治……目痛如脫。。不能遠視。腦風。頭項痛。鼻塞無聞。

性質……驅風。清熱。息風。理頭部之亂氣。

手術……鍼三分。灸三壯。

■天柱

歌訣……天柱原療目淚流。脊強背痛並堪求。頭旋腦痛項強急。足不任身亦可療。

解剖……爲後頭骨項內側。有僧帽筋。有後頭動脈與靜脈。

部位……在項之後部髮際。大筋外廉之陷凹中。去中行風府七分。

主治……頭旋腦痛。鼻塞。淚出。項強。肩背痛。足不任身目瞑不欲視。

性質……理氣。及氣亂於頭。

手術……鍼三分。灸三壯。

■大杼

歌訣……大杼取得治瘧疾。喉痺咳嗽身發熱。頭疼咽痛背項強。痿厥風痺疼其膝。

解剖……有僧帽筋。大方稜筋。肩胛背側之動脈。脊髓神經之後枝。並第十二對神經。（舌下神經）

部位……在第一胸椎（大椎）之橫開各一寸五分。

主治……傷寒汗不出。腰項背強痛。不得臥。喉痺。煩滿。痎瘧。頭痛。咳嗽。身熱。目眩。癲疾。筋攣。瘛瘲。膝痛不可屈伸。

性質……清胸中之熱。理胸背之氣。

手術……鍼三分。不宜灸。

■風門

歌訣……風門主治易感風。痰嗽風寒吐血紅。兼治一切鼻中病。艾火多加鼻自通。

解剖……有僧帽筋背長筋肩胛神經。

部位……第二胸椎一寸五分大杼下。

主治……傷寒。頭痛。項強。目瞑。鼽衄善嚏。胸中熱。嘔逆上氣。喘臥不安。身熱黃疸。癰疽發背。即背花瘡上者搭手除針此穴外宜敷毒血

性質……清胸背部之熱。息腰背諸風。

手術……鍼五分。灸五壯。

■肺俞

歌訣……肺俞內傷嗽吐紅。兼灸肺痿及肺癰。小兒龜背亦堪灸。止嗽須教肺氣通。

解剖……有背長筋。上鋸筋。肩胛背神經。

部位……在第三胸椎之下。去脊旁一寸五分。

主治……五勞傳尸。骨蒸。肺風。肺痿。咳嗽。嘔吐。上氣。喘滿。虛煩口乾。目眩。支滿。汗不出。腰脊強痛。背如龜。寒熱癭氣。黃疸。

性質……瀉肺。淸肺熱。通肺氣

手術……鍼三分。至四五。灸三壯。至數十壯。

■厥陰俞

歌訣……厥陰兪主治咳逆。心疼胸結齒痛急。嘔吐煩悶亦堪療。胸中膈氣與聚積。

解剖……有背長筋。後上鋸筋。

部位……在第四胸椎之下。去脊旁一寸五分。

主治……欬逆。牙痛。心痛。結胸。嘔吐。煩悶。

性質……平肝氣。紓肝氣。和肝養血。

手術……鍼三分。灸七壯。

■心兪

歌訣……心俞穴醫風癎偏。發狂健忘可療痊。小兒數歲不能語。艾燃五壯立時言。

解剖……有背長筋。後上鋸筋。

部位……在第五胸椎之下。各開一寸半。

主治……偏風半身不遂。食噎。積結。寒熱。心氣悶亂。煩滿。恍惚。心驚。汗不出。中風。仰臥不得。發癇發狂。嘔吐咳血。

性質……清五臟之熱。

手術……正坐取之。鍼五分。灸三壯。

■督俞

歌訣……督俞穴在六椎下。旁開寸五不相差。正坐取之鍼灸妙。腹內雷鳴效可誇。

解剖……有長背筋。

部位……在第六椎之下。去脊一寸五分。

主治……寒熱心痛。腹痛雷鳴。氣逆。

性質……理背腹胸膺中寒熱不正之氣。

手術……鍼三分。至五分。灸三壯。

■膈俞

歌訣……膈俞治痛在胸脇。翻味吐食兼痃癖。一切失血總宜鍼。腹臚寒痰並吐逆。

解剖……有長背筋。

部位……在第七胸椎之下。去脊一寸五分。

主治……心痛。周痺。膈疼。胃痰。暴痛。心滿氣急。吐食翻胃。痃癖。五積。氣塊。血塊。欬逆。四肢腫痛。怠惰。嗜臥。骨蒸喉痺。熱病漢不出。食不下。腹脇脹滿。

性質……理全身之血。

手術……鍼三分。至五分。灸三壯。

■肝俞

歌訣……肝俞主瀉臟熱清。兼灸氣短語無聲。更向命門同用灸。能教瞽目倍功明。

解剖……有長背筋。

部位……在第九胸椎之下。去脊一寸五分。

主治……氣短。欬血。多怒。肋脇滿悶。欬引兩脇。脊背急痛。不得息。轉側難。反折上視。驚狂鼽衄。眩暈。痛循眉頭。黃疸鼻痠。熱病後目中出淚。眼目諸疾。風熱生翳。或熱病瘥後因食辛辣患目疾嘔血。或疝氣筋莖相引。轉筋入腹。

性質……清五臟之熱。補肝調血。

手術……鍼三分。灸三壯。

■胆俞

歌訣……胆俞尋得胸腹寬。更防驚悸臥不安。翻味酒癉目黃色。面發赤斑口苦乾。

解剖……爲闊背筋部。有胸背動脈。

部位……在第十胸椎之下。去脊一寸五分。

主治……頭痛。振寒。汗不出。腋下腫。心腹脹滿。口乾苦。咽痛。嘔吐翻味。食不下。骨蒸勞熱。目黃。胸脇不能轉側。

性質……瀉肝胆之熱。

手術……鍼五分。灸三壯。

■脾俞

歌訣……脾俞治療食過多。吐瀉瘧痢積未磨。尤患嬰兒脾風症。喘急吐血治同科。

解剖……有濶背筋。胸背動脈。
部位……在第十一胸椎之下。去脊一寸五分。
主治……痃癖。積聚。脇下滿。痎瘧。寒熱。黃疸。腹脹痛。吐食。不食。食不化。或飲食倍多。煩熱嗜臥。身體羸（音離）、瘦泄泄痢。善欠。體重。四肢不收。
性質……清五臟之熱。升脾陽。
手術……鍼三分。灸三壯。

胃俞

歌訣……胃俞堪治黃疸病食。畢頭目即旋暈。瘧疾善飢不能食。腹脹翻胃均能定。
解剖……有濶背筋。
部位……在十二胸椎之下。去脊一寸五分。
主治……胃寒吐逆。翻味霍亂。腹脹支滿。肌膚疲瘦。腸鳴腹痛。不嗜食。脊痛筋攣。小兒羸瘦。食少不生肉。小兒痢下赤白。脫肛。疼不可忍。
性質……助消化。益胃精。溫胃寒。

手術……鍼三分。灸三壯。

■三焦俞

歌訣……三焦俞治多積聚。脹滿膈塞不通利。積塊堅硬痛不寧。更防赤白休息痢。

解剖……有濶背筋腰背筋膜。肋間動脈。脊椎神經之後枝。

部位……在第一腰椎下。（即第十三椎下）去脊一寸五分。

主治……傷寒身熱。頭痛吐逆。肩背急。腰脊強不得俛仰。臟腑積聚。脹滿膈塞不通。飲食不化。羸瘦。水穀不分。腹痛下痢。腸鳴。目眩。

性質……通利水氣。瀉三焦之濕熱。

手術……鍼五分。灸三壯。

■腎俞

歌訣……腎俞下元虛敗醫。令人有子效多奇。精滑耳聾脇腰痛。女疸婦帶不能遺。

解剖……有闊背筋。腰背筋膜。長背筋後下鋸筋。肋間動脈。脊椎神經。

部位……在第二腰椎下。（即第十四椎下）與臍眼並行。

休息痢鴉胆子用桂圓肉包之吞服治之有效

主治……虛勞。羸瘦。面目黃黑。耳聾腎虛。水臟久冷。腰痛。夢遺。精滑精冷。膝脚拘急。身熱。頭痛振寒。心腹膜脹。兩脇滿。痛引少腹。少氣溺血。便濁淫濼。赤白帶下。月經不調。陰中痛。五勞七傷。虛憊無力。足寒如冰。洞泄。食不化。身腫如水。男女久積。氣痛。變成勞疾。

性質……通腎氣。補腎中水火。益腎精。瀉腎熱。温下焦寒。清五藏之熱。

手術……鍼五分。灸三壯。

■氣海俞

歌訣……氣海俞在十五椎。去脊一五穴相推。專療腰疼並痔漏。刺入三分病可衰。

解剖……有長背筋。腰背筋膜。薦骨脊柱筋。

部位……在第三腰椎之下。（第十五椎下）去脊一寸五分。

主治……腰痛痔漏。

性質……補腎精。瀉腎熱。

手術……鍼三分。灸三壯。

■大腸俞

歌訣……大腸俞治大腸鳴。大小便難食積停。腹脹腰疼兼泄痢。先補後瀉要分明。

解剖……有長背筋。腰背筋。薦骨脊柱筋。

部位……在第四腰椎之下。（即第十六椎下）去脊一寸五分。

主治……脊強不得俯仰。腹脹。腰痛。繞臍切痛。腸鳴瀉痢。食不化。大小便不利。

性質……通利腸胃之氣。

手術……伏而取之。鍼三分。灸三壯。

■關元俞

歌訣……關元兪內長背筋。剖驗得之始分明。伏而取之療癥結。不怕風勞病勢沉。

解剖……有長背筋。腰背筋膜。肋間動脈。薦骨神經之後枝。

部位……在第五腰椎之下（第十七椎之下）去脊一寸五分

主治……風勞腰痛。泄痢虛脹。小便難。婦人癥瘕。

性質……補腎。

手術……伏而取之。鍼五分。灸三壯。

小腸俞

歌訣……小腸俞治小便難。大便不通亦可參。一切男女便中病。不拘前後可鍼探。

解剖……有腰背筋膜。肋間動脈。薦骨神經枝。

部位……在薦骨上部。（第十八椎之下）去脊一寸五分。

主治……膀胱三焦津液少。小便赤不利。淋瀝。遺尿。小腹脹滿。腹痛瀉利。

性質……清小腸熱。行小腸氣。

手術……鍼五分。灸三壯。

膀胱俞

歌訣……膀胱俞治小便澀。少腹脹滿遺尿濕。腰脊強痛脚膝寒。女子癥瘕可消脫。

解剖……有大臀筋。小臀筋。上臀動脈。上臀神經。

部位……在第十九椎下（即尾閭骨第二節）去中行一寸五分。

主治……小便赤澀。遺尿洩痢。腰脊腹痛。陰瘡。脚膝寒冷無力女子癥瘕。

性質……利濕。清熱。化氣。

手術……鍼三分。灸三壯。

中膂俞

歌訣……中膂從來治腎虛。再鍼三里痢還宜。腰脊強痛難俯仰。此穴鍼時伏取之。

解剖……有大臀筋。上臀動脈。上臀神經。

部位……在二十椎之下。（尾閭骨第三節）去中行一寸五分。

主治……腎虛消渴。腰脊痛不得俯仰。腸泄。赤白痢。疝痛。汗不出。脅腹脹腫。

性質……益精。固腎。發汗。化膀胱之氣。

手術……鍼五分。灸三壯。伏而取之。

白環俞

歌訣……白環俞主足不仁。尾閭旁開寸半尋。背連腰痛難坐臥。再鍼委中見奇勳。

解剖……爲尾閭骨部。有大臀筋下臀動脈。陰部神經。下臀神經。

部位……在第二十一椎之下。（尾閭骨第四節）相去中行一寸五分。

主治……腰脊痛。不得屯臥。疝痛。手足不仁。二便不利。温瘧。筋攣。痺縮。虚熱。閉塞。

性質……理腎中之氣。舒筋。活絡。利濕。

手術……鍼五分。灸三壯。

■上髎

歌訣……上髎腰膝疼痛醫。寒熱瘧疾鼻衄隨。婦人絕嗣陰中癢。陰挺帶下濁淋漓。

解剖……是處有腸腰筋。肋間動脈。上腰神經後枝。

部位……在第十八椎。下直小腸俞。去中行一寸。

主治……大小便不利。嘔逆。腰膝冷痛。寒熱瘧。鼻衄。婦人絕嗣。陰中癢痛。陰挺出。赤白帶下。

性質……瀉腎熱。通利水道。温腎氣。袪下部濕熱。

手術……鍼三分。至八分。灸三壯。

■次髎

歌訣……次髎十九椎下擂。旁開一寸不爲遙。腰痛膝腫疝氣墜。赤白帶下亦可療。

解剖……有臀筋。與中臀筋。上臀動脈。上臀神經。
部位……在第十九椎下。直膀胱俞。去中行一寸。
主治……大小便淋赤不利。心下堅脹。腰痛足腫。疝氣下墜。引陰痛。不可忍。腸鳴瀉泄。赤白帶下。
性質……益腎氣。暢利水道。鎮痛。祛下焦濕氣。
手術……鍼五分。灸三壯。

中髎

歌訣……中髎婦人無子慈。五勞七傷此穴療。腹脹飧泄便不利。帶下月經俱可調。
解剖……有大臀筋。上臀動脈。上臀神經。
部位……在二十椎之下。直中膂俞。去中行一寸少些。
主治……五勞七傷。二便不利。腹脹飧泄。婦人乏嗣。帶下月經不調。
性質……溫經祛濕。固腎生精。通利水道。
手術……鍼五分。灸三壯。

■下髎

歌訣……下髎腰痛速刺之。小腹急痛實堪悲。腸鳴瀉泄並下血。女子淋濁不難醫。

解剖……有大臀筋。下臀動脈。陰部神經。下臀神經。

部位……在二十一椎之下。旁開五六分。挾脊陷中。

主治……腸鳴泄瀉。二便不利。下血。腰痛牽引小腹。女子淋濁不禁。

性質……袪下焦濕熱。固腎生精。行大小腸氣。

手術……鍼五分。灸三壯。

■會陽

歌訣……會陽尾閭骨下端。旁開寸半穴位彰。腹中寒氣並瀉泄。陰痯濕汗癢難當。

解剖……有大臀筋。下臀動脈。陰部神經。下臀神經。

部位……在尾閭骨下部之旁。去中行一寸五分。

主治……腹中寒氣。泄瀉腸澼。便血。久痔。陽氣虛乏。陰汗濕癢。

性質……袪下焦風邪濕熱。

手術……鍼五分。灸三壯。

附分

歌訣……附分風門兩邊附。第二椎旁三寸步。腠理風邪肘不仁。肩背項痛難回顧。

解剖……有僧帽筋後上鋸筋。小方稜筋。橫頸動脈。副神經。脊椎神經後枝肩胛神經。

部位……在第二椎下。去脊三寸。

主治……肘肩不仁。肩背拘急。風客腠理。頸痛不可回顧。

性質……利筋骨。袪分肉中風寒。

手術……鍼五分。灸三壯。

魄戶

歌訣……魄戶療虛勞肺痿。第三椎旁三寸許。胸背肩膊痛難當。勞際傳尸此穴取。

解剖……有僧帽筋，大方稜筋。肩胛背神經。

部位……在第三椎下。去脊三寸。

主治……虛勞。肺痿。肩膊胸背痛。飛尸走注。（勞病風痺二症）項強。喘逆。煩滿。嘔吐。

性質……清五臟之熱。調呼吸。
手術……鍼五分。灸五壯。

■膏肓俞

歌訣……膏肓一穴灸勞傷。百損諸虛罔不良。上氣欬逆欠妄症。夢遺痰火發癲狂。
解剖……有僧帽筋。大方稜筋。脊椎神經後枝。肩胛背神經。
部位……在第四椎之下。去脊中行三寸。
主治……百病皆治。虛羸瘦損。五勞七傷。夢遺失精。上氣欬逆。痰火。發狂。健忘。
性質……補陽元。益精。養氣。
手術……鍼五分。灸三壯。

■神堂

歌訣……神堂腰脊痛難當。不可俯兮不可仰。灑淅悪寒身慄慄。胸腹脹滿治猶安。
解剖……有僧帽筋。脊椎神經後枝。肩胛背神經。
部位……在第五椎下。去脊三寸。

主治……腰脊強痛。不可俯仰。灑淅惡寒。胸腹滿逆。時噎。

性質……能引陰濁之氣下降。解表邪。

手術……鍼五分。灸三壯。

■譩譆

歌訣……譩譆主治久瘧疾。胸腹脹悶兼氣溢。大風熱病漢不出。肩背脇肋均痛急。

解剖……有僧帽筋。脊椎神經後枝。肩胛背神經。

部位……在第六椎下。去脊三寸。

主治……大風。熱病。汗不出。勞損不得臥。温瘧（先熱後寒熱時無汗出者）久不愈。胸腹脹悶氣噎。肩背脇肋痛急。目痛。欬逆。鼻衄。

性質……降濁陰之氣。發表。驅久伏之邪熱。

手術……鍼五分。灸五壯。

■膈關

歌訣……膈關堪醫背惡寒。脊強嘔吐飲食難。兼療腹內諸般血。二更不利胸悶煩。

解剖……有僧帽筋。椎脊神經枝。
部位……在第七椎下。去脊三寸。
主治……脊痛惡寒。脊強嘔吐。飲食不下。胸中噎悶。大小便不利。
性質……開表邪。降濁升清。
手術……鍼五分。灸五壯。

■魂門

歌訣……魂門能愈食不下。胃冷食物殊難化。筋攣骨痛須當補。五臟熱兮此穴泄。
解剖……有闊背筋。胸背動脈。肩胛下神經。
部位……在第九椎下。去脊三寸。
主治……尸厥胸背連心痛。食不下。腹中雷鳴。大便不節。小便黃赤。
性質……清五臟之熱。
手術……鍼三分。灸三壯。

■陽綱

歌訣……陽綱能醫眼目黃。腹脹瀉泄脾胃傷。腸腹鳴兮小便澁。身熱消渴可兼探。

解剖……有濶背筋。胸背動脈。脊椎神經。

部位……第十椎下。去脊三寸。

主治……腸鳴腹脹。食不下。小便澀。身熱。消渴。目黃。腹脹痛。瀉泄。

性質……清膀胱之積熱。通利水道。行大小腸之氣。

手術……鍼五分。灸七壯。

■意舍

歌訣……胸脇滿痛刺意舍。小便黃而大便泄。惡寒嘔吐立時寧。消渴目黃食不下。

解剖……有濶背筋。胸背動脈。脊椎神經。

部位……在第十一椎下。去脊三寸。

主治……背痛腹脹大便泄。小便黃嘔吐惡寒。惡風。飲食不下。消渴目黃。

性質……清五臟熱。

手術……鍼五分。灸七壯。

胃倉

歌訣……胃倉腹滿水腫膨。食不下兮又惡寒。脊背疼痛難俯仰。鍼灸同施總不防。

解剖……有胸背動脈。脊椎神經。

部位……在十二椎下。去脊三寸。

主治……背痛。腹脹。水腫。食不下。惡寒。腰脊不可俯仰。

性質……通利水道。驅寒解表。

手術……鍼五分。灸五壯。

肓門

歌訣……肓門婦人乳痛疼。心下痛兮大便堅。鍼入五分留三吸。再加艾火自然安。

解剖……有濶背筋。方形腰筋。肋間動脈。肩胛下神經。脊髓神經。

部位……在第十三椎下。去脊三寸。

主治……心下痛。大便堅。婦人乳痛。

性質……行淤散鬱。

手術……鍼五分。灸五壯。

■志室

歌訣……志室原來主失精。小便淋瀝痛前陰。脊背強兮不欲食。腰脇疼痛腹滿堅。

解剖……有闊背筋。方形腰筋。肋間動脈。肩胛下神經。脊髓神經。

部位……在第十四椎下。去脊三寸。

主治……陰腫。陰痛。失精。小便淋瀝。脊背強。腰脇痛。腹中堅滿。霍亂吐逆。大便難。

性質……清五臟之熱。袪下焦濕熱。行腸腹中不正之氣。

手術……鍼五分。灸三壯。

■胞肓

歌訣……胞肓一穴治腰疼。小腹堅兮背惡寒。第十九椎旁三寸。鍼灸同施有效能。

解剖……即寬骨（跨骨）部。有大臀筋。中臀筋。上臀動脈。下臀神經。

部位……在第十九椎下。去脊旁開三寸。

主治……腰脊痛。惡寒。小腹堅。腸鳴。大小便不利。

性質……行大小腸之氣。
手術……鍼五分。灸七壯。

■秩邊

歌訣……秩邊穴宜伏臥取。腰背連肩痛不已。小便赤澀亦宜之。五痔施鍼效更美。
解剖……有大臀筋。中臀筋。上臀動脈。下臀神經。
部位……在二十椎下。去脊三寸。
主治……五痔腰痛。小便赤澀。
性質……去大腸中之濕熱。清小腸之風熱。
手術……鍼五分。灸三壯。伏而取之。

▲承扶

歌訣……承扶臀部横紋中。委中直上用鍼攻。腰脊相引鬆如解。大便難兮久痔紅。
解剖……在大臀筋之下部。大肉轉股筋之間。有坐骨動脈。下臀神經。
部位……在臀部高肉下垂之横紋中。直立之時。在委中直上。

主治……腰脊相引如解。久痔臀腫。大便難。胞寒。小便不利。
性質……驅足太陽經之風寒。並去胃腸中之風熱。
手術……鍼五分。不宜灸。

▲殷門

歌訣……殷門扶下六寸通。惡血流注外股紅。腰脊牽強難俯仰。金鍼施後有奇功。
解剖……爲二頭股筋部。有股動脈。坐骨神經。
部位……在承扶下六寸。
主治……腰脊不可俯仰。惡血流注。外股腫。
性質……清肌膚分肉中之熱。
手術……鍼五分。不宜灸。

■浮郄

歌訣……浮郄髀樞木不仁。霍亂之後又轉筋。小腹膀胱大腸熱。股外筋急亦堪鍼。
解剖……爲二頭股筋腱部。有膝膕動脈。坐骨神經。

鋒針古放血針失傳。三稜針放血用但妥宜量。

部位……在殷門下斜向外。委陽上一寸。

主治……霍亂轉筋。小腹膀胱熱。大腸結。股外筋急。髀樞不仁。

性質……通經活絡。袪濕散寒。

手術……鍼五分。灸三壯。

■委陽

歌訣……委陽膕外兩筋鄉。腰脊腋下痛難當。牽引陰中難便溺。痿厥風痺可參商。

解剖……在膝膕窩之外側。二頭股筋腱之間。有膝膕動脈。腓骨神經。

部位……由委中向外之兩筋間。去承扶一尺二寸。

主治……腰脊腋下腫痛。不可俯仰。引陰中不得小便。胸滿身熱。瘈瘲。癲疾。小腹滿。飛尸遁注（即走注）。痿厥不仁。

性質……驅腰腿之風濕。

手術……鍼七分。灸三壯。

▲委中

歌訣……委中腰脊疼痛功。熱病汗稀便不通。衄血脊強狂熱疾。眉髮脫落大痲風。

解剖……有膝膕動靜脈。脛骨神經。

部位……當膝膕窩之正中。

主治……大風眉髮脫落。太陽瘧從背起。先寒後熱。熇熇然汗出難已。頭重轉筋。腰脊背痛。半身不遂。遺溺。小腹堅。髀樞風痛。膝痛。足軟無力。

性質……清血熱。降大腸膀胱熱。化血中風毒。驅腰腿諸風。利濕。瀉五藏之熱。

手術……鍼一寸五分。禁灸。

合陽

歌訣……合陽鍼來治脊強。更醫腹痛腿胻痠。寒疝偏墜與崩帶。陰股熱痛不可當。

解剖……有腓腸筋。環行後脛骨動脈。脛骨神經。

部位……委中下三寸。一說委中下二寸。

主治……腰脊強引腹痛。陰股熱。胻酸腫。寒疝偏墜。女子崩帶不止。

性質……驅風散寒。去濕行氣。

手術……鍼五分。灸五壯。

●承筋

歌訣……承筋俗名號腨腸。堪醫便閉五痔良。此穴金鍼知所忌。承山瓜代爲專長。

解剖……有腓腸筋。環行後脛骨動脈。脛骨神經。

部位……在合陽與承山之中間。即腨腸之中央。

主治……寒痺。腰背拘急。腋腫。大便閉。五痔腨痠。脚跟痛引少腹轉筋霍亂。鼽衄。

性質……瀉風邪濕熱。

手術……灸三壯。禁鍼。

■承山

歌訣……承山痔漏亦可醫。心胸痞滿衄血宜。轉筋脚氣腰疼痛。膝腫胻痠便血流。

解剖……有腓腸筋。脛骨動脈。脛骨神經。

部位……在委中下八寸。分肉之間。

主治……頭熱。鼻衄。寒熱。癲疾。疝氣。腹痛。痔腫便血。腰背痛。膝腫。脛痠。痞痛。霍亂轉筋。戰慄不能行立。

性質……清熱血。鎮靜脚下部之神經。

手術……鍼七分。灸五壯。以足趾履地兩手按壁上取之。

■飛揚

歌訣……飛揚原醫步不前。濕熱痔漏起坐艱。歷節風疼難伸屈。頭目眩兮效如仙。

解剖……有脛骨動脈。脛骨神經。

部位……在外踝上七寸。骨後廉。

主治……痔痛不得起坐。脚痠腫不能立。歷節風不得屈伸。癲疾寒瘧。頭暈目眩。

性質……驅風。去濕。

手術……鍼三分。灸三壯。

■跗陽

歌訣……跗陽外踝上三寸。霍亂轉筋腰背痛。堪瘉髀樞股胻痠。痿厥風痺頭痛重。

解剖……有長腓筋。前腓骨動脈。淺腓骨神經。

部位……在外踝上三寸。

主治……霍亂轉筋。腰痛不能立。髀樞股胻痛。痿厥。風痺不仁。頭重頞痛。時有寒熱。四肢不舉。伸屈不能。

性質……宣通血脈。

手術……鍼三分。灸三壯。

崑崙

歌訣……崑崙足腿紅腫痛。鼽衄頭疼肩背急。霍亂轉筋腰尻痛。喘咳目眩難步立。

解剖……有長腓筋腱。後腓骨動脈。脛骨神經。

部位……在外踝後五分。跟骨上陷中。

主治……腰尻脚氣足踝腫痛。不能步立。頭痛。鼽衄。肩背拘急。咳喘。目眩。陰腫痛。產難。胞衣不下。小兒發癇瘈瘲。

性質……行濕。下血。舒經絡。驅風邪。

手術……鍼三分。灸三壯。孕婦禁鍼。

▲僕參

歌訣……僕參足下跟骨覔。霍亂轉筋並吐逆。腰疼足痿不能收。兩足痠麻疼其膝。

解剖……有腓骨動脈。脛骨神經。

部位……在崑崙直下。足跟骨下陷中。拱足取之。

主治……腰痛。足痿不收。足跟痛。霍亂轉筋。吐逆膝痛。

性質……引氣血下行。舒經絡。降逆氣。

手術……鍼三分。不宜灸。

▲申脈

歌訣……申脈速鍼起沉疴。晝發痓症欲若何。上牙疼兮下足腫。頭風偏正盡平和。

解剖……爲跟骨之上部。有脛骨神經。腓骨動脈。

部位……在外踝下五分陷中。可容爪甲許。赤白肉際。

主治……風眩。癲疾。腰脚痛。膝胻寒酸。不能坐立。加在舟車中。氣逆。腿足不能伸屈。婦人氣血痛。腓部紅腫。

性質……瀉太陽經風熱。鎮驚。

手術……鍼三分。不宜灸。

金門

歌訣……金門不患癒難平。尸厥癲癇又轉筋。膝瘈疝氣頭風痛。小兒反折成急驚。

解剖……爲總指伸筋部。有腓骨動脈。脛骨神經。

部位……在申脈之前九分。骨下陷中。

主治……霍亂轉筋。尸厥癲癇。疝氣。膝胻酸。不能立。小兒張口搖頭。身反折。

性質……瀉太陽經風熱·定驚。宣通血脈。

手術……鍼三分。灸三壯。

京骨

歌訣……京骨足太陽原穴。能治腰脊痛如折。項強難顧背難彎。痎瘧癲狂目眥赤。

解剖……爲小趾第一趾節骨之後部。即短腓筋腱部。有骨間背動脈。外小趾背神經。

部位……在足外側大骨下。赤白肉際。

主治……腰脊痛如折。髀不可曲。項強難回顧。筋攣。善驚。痎瘧。寒熱。目眩。內眥赤爛。頭痛鼽衄。癲病狂走。

性質……疏瀉太陽經之風火濕熱。

手術……鍼三分。灸三壯。

■通谷

歌訣……通谷小趾本節前。善醫頭痛目暈眩。目䀮䀮兮食不化。項痛鼽衄亦可痊。

解剖……爲長總趾伸筋附着之部。有小趾背神經。骨間背動脈。

部位……在小指外側。本節陷中。

主治……腸澼泄瀉。瘧痔癲癇。發背。癰疔。頭痛目眩。內眥赤痛。耳聾。腰膝痛。項強不可回顧。

性質……理五臟之亂氣。

手術……鍼二分。灸三壯。

■至陰

歌訣……至陰穴在小趾旁。能灸婦人橫產難。並鍼頭面諸般疾。寒瘧轉筋心內煩。

解剖……有外小指背神經。骨間背動脈。

部位……在足小指端外側。去爪甲角如韭葉。

主治……風寒頭痛重。鼻塞。目痛生翳。胸脇痛。轉筋。寒瘧。汗不出。煩心。足下熱。小便不利。難產。

性質……降胎。瀉熱。

手術……鍼一分。灸三壯。

第八節　足少陰經穴之功用

■湧泉

歌訣……湧泉熱厥宜用鍼。兼刺奔豚疝氣痛。血淋氣痛殊難忍。男疾如蠱女如妊。

解剖……爲轉拇筋部。有內足蹠（骨）動脈。內足蹠神經。

部位……在足底中央。試屈足趾。在足底中央宛之處。

主治……尸厥。面黑。喘嗽有血。目視𥉂𥉂無所見。善恐。心中結熱。風疹。風癇。心痛。不嗜食。男子如蠱。女子如娠。欬嗽氣短。身熱。喉痺。目眩。頸痛。胸脅滿。小便痛。腸澼泄瀉。霍亂。轉胞不得尿。腰痛。大便難。轉筋。足脛寒痛。腎積奔豚。熱厥。五趾盡痛。足不踐地。

性質……補腎。益精。滋陰。瀉熱。袪濕。

手術……鍼三分。灸三壯。

■然谷

歌訣……然谷主瀉腎藏熱。欬嗽遺精喉痺疾。疝氣温瘧月經差。撮口臍風還洞泄。

解剖……爲長屈拇筋之附着部。有脛骨神經。

部位……在内踝前之高骨下。公孫後一寸。

主治……喘呼。煩滿。欬血。喉痺。消渴。舌縱。心恐。少氣。涎出。小腹脹。痿厥。寒疝。足附腫。胻痠。足一寒一熱。不能久立。男子遺精。婦人陰挺出。月經不調。不孕。小兒臍風撮口。痿厥。洞泄。

性質……益腎。振陽。温下元。壯腎火。袪風邪。利濕。

臍風於未發生時其鼻準或印堂或兩顴發見深黃色者即其預兆治宜先灸隱白商邱及臍之四周各灸一壯 已發臍風則向上臍起處灸之縮盡為止同時可針隱白商邱然谷合谷等穴 撮口共可加灸地倉

手術……鍼三分。灸三壯。

■太谿

歌訣……太谿尋得治消渴。嘔吐房勞眠不得。婦人水鼓胸脇滿。衄血吐血溺色赤。

解剖……爲長總趾屈筋腱部。有後脛骨動脈。脛骨神經。

部位……在內踝後五分。跟骨上動脈陷中。

主治……熱病汗不出。傷寒手足逆冷。嗜臥。欬嗽。咽腫。衄血。唾血。溺赤。消癉。大便難。久瘧。欬逆。煩心。不眠。脈沉。手足寒。嘔吐。不嗜食。善噫。腹疼。瘠瘦。寒疝痃癖。

性質……益腎振陽。滋陰瀉腎。

手術……鍼三分。灸二壯。

■大鍾

歌訣……大鍾專治心癡呆。腰背強痛洒洒來。閉戶而居善驚恐。喉鳴吐血何懼哉。

解剖……有長總趾屈筋腱。脛骨神經。

部位……在足跟後踵中。太谿下五分。

主治……氣逆煩悶小便淋閉。洒洒脊強痛。大便祕澀。嗜臥。口中熱。虛則嘔逆多寒。欲閉戶而處。胸脹。喘息。舌乾。食噎不得下。善驚恐。不樂。喉中鳴。欬吐血。

性質……生精液。補腎水。利痰。除濕。

手術……鍼二分。灸三壯。

■水泉

歌訣……水泉遠視不能瞧。月潮違限亦能療。若與天樞同鍼灸。便淋陰挺不須愁。

解剖……有長總趾屈腱部。有後脛骨動脈。及脛骨神經。

部位……在內踝後。太谿下一寸。

主治……目䀮䀮不遠視。女子月事不來。來即多心下悶痛。小腹痛。小便淋。陰挺出。

性質……通腸。逐穢。利濕。益腎陰。

手術……鍼四分。灸四壯。

■照海

歌訣……照海夜間發瘂攻。消渴咽乾便不通。月事不調胞難下。疝氣禁口並喉風。

解剖……爲外轉拇筋之上部。有後脛骨動脈。脛骨神經。

部位……在內踝下一寸。

主治……咽乾。嘔吐。四肢懈惰。嗜臥。善悲。不樂。大風。偏枯。半身不遂。久瘧。卒疝。腹中氣痛。小腹淋痛。陰挺出。月水不調。

性質……通腸逐穢。益腎陰。

手術……取此穴令人正坐。足底相對。在內踝骨下。赤白肉際陷中。鍼三分灸七壯。

■復溜

歌訣……復溜血淋宜乎灸。氣滯腰痛貴在鍼。傷寒無汗猶當瀉。六脈沈伏亦宜鍼。

解剖……爲後脛骨部。有後脛骨動脈。脛骨神經。

部位……在內踝上二寸。距交信後五分。

主治……腸癖。痔疾。腰脊內引痛。不得俯仰。善怒。多懈。舌乾。涎出。足痿胻寒。不得履。目視䀮䀮。腸鳴腹痛。四肢腫。十種水病。五淋。盜汗。齒齲。脈細微。

性質……固衛氣。布陰氣。收腎氣。補腎。滋陰。振陽。固精。清熱。化熱。

手術……鍼三分。灸五壯。

■交信

歌訣……交信能醫疝氣凌。五淋瀉痢腹痛頻。女人漏血陰生挺。腰膝強痛亦可頻。

解剖……爲長總趾屈筋部。有後脛骨動脈。脛骨神經。

部位……在內踝上二寸。與復溜並立。在復溜之前。三陰交下一寸微後些。

主治……五淋。癩疝。陰急。股腨內廉引痛。瀉痢赤白。大小便難。女子漏血不止。陰挺。月事不調。小腹痛。盜汗。

性質……調經。活血。養陰。通淤。去濕。

手術……鍼四分。灸五壯。

■築賓

歌訣……築賓亦是少陰穴。吐舌發狂嘔痰沫。小兒胎疝癲疾醫。此穴鍼之功效捷。

解剖……爲腓腸筋部。分布後脛骨動脈。脛骨神經。

部位……在內踝上五寸。三陰交直上二寸。後開一寸二分。
主治……小兒胎疝。癲疾。吐舌發狂。怒駡。腹痛。嘔吐涎沫。足腨痛。
性質……行氣活血。泄熱化痰。
手術……鍼三分。灸五壯。

■陰谷

歌訣……陰谷舌縱涎流唇。腹脹煩滿膝難伸。疝痛痿痺陰股痛。婦人漏下及鮮妊。
解剖……爲大股筋連屬之部。有膕窩動脈。與股神經。
部位……在膝內大筋之下。小筋之上。即在曲䐐之後。横直一寸餘。
主治……舌縱涎流。腹脹煩滿。溺難。小腹急痛。疝痛急引陰股。股內廉痛。痿痺膝痛。不可屈伸。女人漏下不止。少妊。
性質……益腎陰。行腎氣。
手術……屈膝取之。鍼四分。灸三壯。

■横骨

歌訣……橫骨陰下縱引痛。小腹脹滿目眥紅。氣滯腰疼不能立。五般淋症便不通。

解剖……有腸骨下腹神經。三稜腹筋。

部位……在大赫下一寸。去中行五分。

主治……五淋。小便不通。陰器下縱引痛。小腹滿。目眥赤痛。五臟虛。

性質……通利水道。瀉腎火。補腎陰。

手術……鍼三分。灸五壯。

■大赫

歌訣……大赫尋來治遺精。女人赤帶亦能清。陰痿下縮莖中痛。病屬虛勞總可攻。

解剖……有三稜腹經。腸骨下腹神經。

部位……在氣穴下一寸。去中行五分。

主治……虛勞失精。陰痿下縮。莖中痛。目赤痛。女子赤帶。

性質……泄腎熱。補腎陰。

手術……鍼三分。灸三壯。

■氣穴

歌訣……氣穴堪醫經不調。腎氣奔豚痛引腰。四滿之下一寸取。相去中行五分瘵。

解剖……有腸骨下腹神經。直腹筋。

部位……在四滿下一寸。去中行五分。

主治……奔豚痛引腰脊。瀉痢。經不調。

性質……驅腎寒。溫腎氣。去濕。

手術……鍼三分。灸三壯。

■四滿

歌訣……四滿積聚與疝瘕。石水奔豚亦可誇。臍下痛兮惡血阻。月經不調也不差。

解剖……有直腹筋。下腹動脈。

部位……在中柱下一寸。去中行五分。

主治……積聚。疝瘕。腸澼切痛。石水奔豚。臍下痛。女人月經不調。惡血腹痛。

性質……逐污散鬱。溫寒利水。

手術……鍼三分。灸三壯。

■中柱

歌訣……中柱能愈大便燥。月事不調鍼須到。小腹熱兮不可當。目眥疼痛猶稱效。
解剖……有下腹動脈。直腹筋。
部位……在肓俞下一寸。去中行五分。
主治……小腹熱。大便堅燥。腰脊痛。目眥痛。女子月事不調
性質……去腸風燥熱。行汚血。
手術……鍼五分。灸五壯。

■肓兪

歌訣……肓俞臍旁五寸平。大便燥兮目赤疼。目赤痛從內眥始。五淋久積亦能痊。
解剖……有下腹動脈。直腹筋。（仝上）
部位……去臍旁五分。
主治……腹痛寒疝大便燥。目赤痛。從內眥始。

性質……通大腸中寒熱鬱結之氣。

手術……鍼五分。灸五壯。

■商曲

歌訣……商曲石關下一寸。能醫內眥目赤痛。腹中切痛亦能療。積聚不食猶堪頌。

解剖……有直腹筋。上腹動脈。肋間神經。

部位……在石關下一寸。

主治……腹中切痛。積聚不嗜食。目赤痛由內眥始。

性質……瀉大腸膀胱之熱。

手術……鍼五分。灸五壯。

■石關

歌訣……石關婦人無子醫。胞藏惡血亦鍼之。腹中疼痛不可忍。大小便閉取效奇。

解剖……有直腹筋。上腹動脈。肋間神經。

部位……在陰都下一寸。

主治……噦噫嘔逆。脊強腹痛。氣淋。小便不便。大便燥閉。目赤痛。婦人無子。或惡血上冲。腹痛不可忍。

性質……行淤逐穢。引濁陰下降。

手術……鍼一寸。灸三壯。孕婦禁鍼。

陰都

歌訣……陰都心煩神恍惚。氣逆腸鳴肺脹急。大便難下脇熱疼。婦人無子鍼有益。

解剖……有直腹筋。上腹動脈。第十二肋間神經枝。

部位……在通谷下一寸。

主治……心煩恍惚。氣逆腸鳴。肺脹。氣喘。嘔沫。大便難。脅下熱痛。目痛。寒熱痎瘧。婦人無子。藏有惡血。腹絞痛。

性質……通汚逐穢。行大小腸不正之氣。

手術……鍼五分。灸三壯。

通谷

歌訣……通谷目赤痛不明。項似拔兮難顧盼。口喎暴瘖痃癖積。胸滿難食可鍼探。

解剖……有直腹筋。上腹動脈。十二筋間神經枝。

部位……在幽門下一寸。

主治……口喎暴瘖。積聚痃癖。胸滿食不化。目赤痛不明。清涕。項似拔。不可回顧。

性質……攻堅通淤。行血驅寒邪。

手術……鍼五分。灸三壯。

■幽門

歌訣……幽門堪療心下煩。欬嗽乾嘔吐沫涎。逆氣裏急胸中痛。少腹脹滿亦何難。

解剖……爲直腹筋。其內左爲胃府。右爲肝葉。有上腹動脈。十二肋間神經枝。

部位……在巨闕旁五分。

主治……胸中引痛。心下煩悶。逆氣裡急。支滿不嗜食。數咳。乾噦。嘔吐涎沫。健忘。痢膿血。少腹脹滿。女子心痛。逆氣。善吐。食不下。

性質……益胃精。開胃氣。降濁陰之氣。

手術……鍼五分。灸五壯。

■步廊

歌訣……步廊能療嘔不食。咳嗽喘逆不得息。乳癰洒洒又憎寒。神封之下寸六闢。

解剖……有肋間動脈。內乳動脈。肋間神經。

部位……在神封下一寸六分。中庭旁二寸。

主治……胸脅滿痛。鼻塞少氣。欬逆不得息。嘔吐不食。臂不舉。

性質……驅胸膺之亂氣。

手術……鍼三分。灸五壯。

■神封

歌訣……神封寸六上靈墟。乳癰疼痛洒淅隨。胸脅滿痛咳不息。嘔吐不食亦鍼之。

解剖……有大胸筋。肋間動脈。內乳動脈。肋間神經。前胸神經。

部位……靈下一寸六分。去中行二寸。對膻中。

主治……胸脅滿痛。欬逆不得息。嘔吐不食。乳癰。灑灑惡寒。

性質……散鬱結之氣。
手術……鍼三分。灸五壯。仰而取之。

■靈墟

歌訣……靈墟胸滿不得息。乳癰嘔吐又咳逆。仰臥鍼之穴不差。洒淅惡寒不嗜食。
解剖……有大胸筋。肋間動脈。肋間神經等。
部位……在神藏下一寸六分。旁開中行二寸。對玉堂。
主治……胸滿不得息。欬逆。乳癰。嘔吐洒淅。惡寒不嗜食。
性質……開胸降冲氣。
手術……鍼三分。灸三壯。仰而取之。

■神藏

歌訣……神藏靈上寸六尋。仰臥取之要分明。若與璇璣同時刺。胸滿項強可治平。
解剖……爲大胸筋部。中藏肺葉。分布肋間動脈。內乳動脈。肋間神經。前胸神經。
部位……彧中下一寸六分。對紫宮。

主治……嘔吐欬逆。噏不得息。胸滿不嗜食。

性質……降冲氣。

手術……鍼三分。灸五壯。仰而取之。

■彧中

歌訣……彧中欬嗽喘不奪。胸脅支滿可推尋。嘔吐不休不能食。速將艾火勿因循。

解剖……爲大胸筋部。分布肋間動脈。內乳動脈。肋間神經。前胸神經。前胸神經。

部位……在俞府下一寸六分。對華蓋。

主治……欬逆不得喘息。胸脅支滿。嘔吐不食。

性質……降冲逆之氣。調勻呼吸。

手術……鍼四分。灸五壯。仰而取之。

■俞府

歌訣……俞府吼喘咳痰多。若用金鍼疾自和。再加乳根一樣刺。氣喘風邪漸次磨。

解剖……有大胸筋。及上鎖骨筋。鎖骨下動脈。胸廓神經。

部位……在璇璣旁二寸。
主治……欬逆上氣。嘔吐胸中痛。
性質……行氣。降逆氣肅肺氣。
手術……鍼三分灸五壯。仰而取之。

第九節　手厥陰經穴之功用

■天池

歌訣……天池灸後瘰癧安。更醫眼目視䀮䀮。再加委陽一穴刺。腋下腫痛可平康。
解剖……有大胸筋。前大鋸筋。長胸動脈。長胸神經。前胸廓神經。
部位……在乳後一寸。去腋下三寸。第四肋間。
主治……目䀮䀮不明。頭痛胸脇煩滿。欬逆。臂腋腫痛。四肢不舉。上氣。寒熱瘧。熱病漢不出。
性質……解鬱。平氣。驅手足風濕。通利經絡。
手術……鍼三分灸三壯。

■天泉

歌訣……天泉之穴舉臂取。腋下二寸內側搉。胸脅支滿惡風寒。膺背胛臂痛不已。

解剖……爲三頭膊筋部。有上膊動脈。內膊皮下神經。上膊尺骨神經。

部位……在手之內側。曲腋直下二寸。

主治……惡風寒。胸脇痛。支滿欬逆。膺背胛臂間痛。

性質……驅風散寒。通利經絡。

手術……鍼六分。灸三壯。

■曲澤

歌訣……曲澤鍼病可離身。嘔吐傷寒氣上升。心痛善驚身煩熱。肘臂掣痛不能伸。

解剖……在二頭膊筋之腱間。有上膊動脈。重要靜脈正中神經。

部位……在肘內廉之陷凹中。即尺澤之內側。

主治……心痛善驚。身熱煩渴。臂肘搖動掣痛不可伸。傷寒嘔吐氣逆。

性質……淸血熱。瀉心熱。去暑熱。

手術……鍼三分。灸三壯。屈肘舉臂取之。

郄門

歌訣……郄門腕後五寸尋。兩筋之中定分明。心痛嘔噦並驚恐。吐衄氣傷此穴繩。

解剖……有內撓骨筋。尺骨動脈。重要靜脈。正中神經。

部位……在大陵上五寸。即去腕五寸。

主治……嘔吐衄血。心痛嘔噦。驚恐。神氣不足。久痔。

性質……制止血液上升。降低體溫。

手術……鍼三分。灸三壯。

間使

歌訣……間使脾寒鍼最宜。癲狂瘰癧並堪醫。九種心疼五種痛。咽中如鯁心如飢。

解剖……有內橈骨筋。尺骨動脈。重要靜脈。正中神經。

部位……在大陵上三寸。即掌後三寸。

主治……傷寒結胸。心懸如飢。嘔沫。少氣。中風。氣塞。昏危不語。卒狂。胸中澹澹。惡風寒。霍亂乾嘔。腋腫肘攣。卒心痛。多驚。咽中如鯁。婦人月水不調。小兒客忤。久瘧。

性質……瀉熱安神。制止沖血。降低體溫。

手術……鍼三分。灸五壯。

■內關

歌訣……內關氣塊最宜攻。肚痛脅疼悶心胸。纏綿久瘧兼勞熱。支滿肘掣及中風。

解剖……有尺骨動脈與心脈。正中神經。

部位……大陵上二寸。兩筋間。

主治……中風失志。實則心暴痛。虛則心煩惕惕。面熱目昏。支滿肘攣。久瘧不已。胸滿腸痛。舌上開裂出血。

性質……瀉心包絡之熱。解心胸中之鬱熱。

手術……鍼五分。灸五壯。

■大陵

歌訣……大陵尋來治目赤。喘咳瘧來兼嘔血。胸中疼痛與疥瘡。附骨癰疽均可脫。

解剖……在撓骨尺骨之間。有橫腕韌帶。動脈與靜脈。

部位……在手腕橫紋之陷中。即尺橈兩骨之間。

主治……熱病漢不出。舌本痛。喘欬嘔血。心懸如飢。善笑不休。頭痛氣短。胸脅痛。驚恐悲泣。嘔逆。喉痺。目乾。目赤。肘臂攣痛。小便如血。胸前瘡疥。支節腫痛。游風熱毒。口臭。

性質……降心氣。除濁氣。瀉本經之熱。清心胸熱。

手術……鍼三分。灸三壯。

■勞宮

歌訣……勞宮痰火上胸中。小兒口瘡鵝掌風。滿手生瘡兼黃疸。大便小便血流紅。

解剖……有淺伸屈指筋。有尺骨動脈之動脈弓。手掌部之正中神經。

部位……在掌心。

主治……中風悲笑不休。熱病漢出。脅痛不可轉側。吐衄噫逆。煩渴食不下。胸脅支滿。口中

腥氣。黃疸。手痺。大小便血。熱痔。心中懊憹。（補勞宮）

性質……清熱理氣。瀉心包之熱。清腸熱。

手術……鍼二分。灸三壯。以中指無名指屈拳掌中。在二指尖所到處之間取之。

■中冲

歌訣……中冲能止夜兒號。頭痛如刺身如燒。心中煩滿舌腫痛。熱病中風俱易消。

解剖……有指掌動脈。正中神經。

部位……在中指之端。去爪甲如韮葉。

主治……熱病漢不出。頭痛如破。身熱於火。心痛煩滿。舌強痛。中風不省人事。

性質……降低體溫。引血液下降。制止充血。

手術……鍼一分。灸一壯。

第十節　手少陽經穴之功用

■關衝

歌訣……關衝無名指外側。三焦胷熱脣焦凋。脣乾難調心煩熱。速取金鍼刺出血。

解剖……有骨間背動脈。尺骨神經之手背枝。

部位……在無名指外側去爪甲角如韭葉。

主治……頭痛。口渴。喉痺。霍亂。胸中氣噎。不食。肘臂痛不舉。目昏。（註）凡初中風。卒仆。昏洸。痰涎壅盛。不省人事。牙關緊閉。藥水不下。急以三稜鍼刺各井出血。使氣血流通。乃起死回生之急救妙法。

性質……流通氣血。瀉熱生精。

手術……鍼一分。留三乎。灸三壯。

液門

歌訣……液門可治腫喉嚨。手臂紅腫出血靈。目眩耳聾難得睡。刺入三分始可寧。

解剖……有總指伸筋。骨間背動脈。尺骨神經之手背枝。

部位……在小指次指之間。合縫陷中。

主治……驚悸妄言。寒厥。臂痛不得上下。痎瘧。寒熱頭痛。目眩赤澀。淚出。耳暴聾。咽外腫。牙齦痛。（註）手臂紅腫三稜鍼出血瀉之。耳聾不得眠。毫鍼刺入三分補之。

性質……祛風毒。去血熱。

手術……鍼三分灸三灸。握拳取之。

中渚

歌訣……中渚善治四支麻。戰振倦攣力不加。肘臂連肩紅腫痛。手背生癰亦易瘥。

解剖……有總指伸筋腱。第四骨間背動脈。尺骨神經手背枝。

部位……在無名指小指本節後。骨間陷中。

主治……熱病漢不出。臂指痛。不得屈伸。頭痛。目眩。生翳。目不明。耳聾。咽腫。久瘧。手臂紅腫。（註）手臂紅腫泄之出血。脊間心後痛。髀疼背痛。均瀉中渚。

性質……舒筋活絡。瀉本經之熱。

手術……鍼三分。灸三壯。握拳取之。

陽池

歌訣……陽池消渴取之宜。煩悶口乾痺有時。兼治折傷手腕痛。不能舉臂力難持。

解剖……旁小指筋腱。有下膊皮下神經。尺骨神經。

部位……在手表腕上。横紋陷中。

主治……消渴口乾。煩悶。寒熱瘧。或因折傷手腕。捉物不得。臂不能舉。

性質……養陰瀉熱。生精液。

手術……針三分。灸三壯

外關

歌訣……外關主治臟腑熱。肘臂俱疼兼發熱。吐衄不止血妄行。胸頭瘰癧成結核。

解剖……有總指伸筋。骨間動脈。後下膊皮下神經。撓骨神經。

部位……在陽池後二寸兩筋間。

主治……耳聾渾渾無聞。肘臂不得曲伸。五指痛不能握。

性質……瀉三焦之熱。

手術……針三分。灸三壯。

支溝

歌訣……支溝中惡立能休。三焦相火甚難收。大便不通脇肋痛。產後血暈取無憂。

解剖……有總伸筋。骨間動脈。後下膊皮下神經。撓骨神經。

部位……在陽池後三寸。兩骨間陷中。

主治……熱病漢不出。肩背痠重。脅腋痛。四肢不擧。霍亂嘔吐。口噤。暴瘖。產後血暈。不省人事。

性質……瀉三焦之熱

手術……針三分。灸七壯。

●會宗

歌訣……會宗支溝橫外通。專療五癇耳又聾。又治徧身肌膚痛。此穴祇宜艾火攻。

解剖……有總指伸筋部。骨間動脈。撓骨神經。

部位……在支溝外旁一寸。(偏在小指一面)

主治……五癇。耳聾。飢膚痛。

性質……袪除頑痰。

手術……禁針。灸三壯。

●三陽絡

歌訣……三陽絡穴亦禁針。堪灸暴瘖不能言。耳聾齒齲亦堪灸。嗜臥疲倦可療痓。

解剖……爲固有小指伸筋部。有骨動脈。後下膊皮下神經。撓骨神經後枝。

部位……去支溝一寸。

主治……暴瘖不能言。耳聾齒齲。嗜臥。身不欲動。

性質……興奮神經。

手術……禁針。灸三壯。

●四瀆

歌訣……四瀆針灸兩相攻。最宜暴氣耳又聾。下齒齲痛均宜灸。速施手術有奇功。

解剖……有骨間動脈。撓神經之後枝。

部位……在三陽絡上一寸。外廉陷中。

主治……暴氣耳聾。下齒齲痛。

性質……瀉三焦之熱。

手術……針五分。灸三壯。

天井

歌訣……天井瘰癧瘖疹兼。治愈驚悸及痫癲。臂腕難運手腫痛。吐膿寒熱治猶能。

解剖……爲三頭膊筋腱之間。有尺骨副動脈。撓骨神經枝。

部位……在肘尖上二寸陷凹處。（即屈肘之肘尖上側向上二寸間之陷中）

主治……咳嗽。上氣。胸痛。不得語。唾膿。不嗜食。寒熱凄凄。不得臥。驚悸悲傷。瘈瘲癲疾。五痫風痺。頭頸肩背痛。耳聾。目銳眥痛。頰肘腫痛。不能捉物。及瀉一切瘰癧腫疹。

性質……瀉三焦熱。化熱痰。宣通經絡。

手術……針三分。灸三壯。

清冷淵

歌訣……清冷淵療諸痛痺。肘臂不舉亦能醫。鍼入三分灸五壯。伸肘舉臂探取之。

解剖……有三頭膊筋。下尺骨副動脈。撓骨神經後枝。上膊皮下神經。

部位……去天井一寸。（即肘尖上三寸）
主治……諸痺痛。肩臂肘臑不能舉。目中痛。
性質……能引三焦火毒外出。驅風熱。舒經絡。
手術……鍼三分。灸三壯。伸肘舉臂取之。

■消濼

歌訣……消濼堪醫瘻氣溜。頸項之下起如球。風痺項腫肩背急。速施手術樂攸攸。
解剖……有三角筋。頭靜脈。後迴旋上膊動脈枝。後膊皮下神經。
部位……在臑會下二寸。（肩頭下五寸）
主治……風痺。頭項強急。腫痛。寒熱頭痛。肩背急。
性質……驅風濕。解熱邪。消腫。鎮痛。
手術……鍼五分。灸三壯。

■臑會

歌訣……臑會何病此間求。最宜頸項氣瘻瘤。肘臂腫痛不能舉。速施鍼灸勿綢繆。

解剖……有三角筋。後廻旋上膊動脈。頭靜脈。後膊皮下神經。腋下神經等。
部位……在肩頭下三寸。
主治……肘臂氣腫。痠痛無力。不能舉。項癭氣瘤。寒熱瘰癧。
性質……清熱。行三焦經之氣。
手術……鍼五分。灸五壯。

■肩髎

歌訣……肩髎鎖骨陷中央。臂重肩痛不可當。兼治肩臂不能舉。先鍼後灸立時安。
解剖……有橫肩胛動脈。外膊皮下神經。鎖骨上神經。
部位……在鎖骨與肩胛骨之陷凹處。處肩顒後一寸餘。微下些。試將臂膊上舉。當其陷凹處是也。
主治……臂重。肩痛不能舉。
性質……舒經絡鎮痛。
手術……鍼三分。灸三壯。

▲天髎

歌訣……天髎井內一寸佳。後開八分穴不差。胸中煩滿缺盆痛。項頸急兮亦可誇。

解剖……有橫肩胛動脈。頸靜脈。肩胛背神經。

部位……在鎖骨上窩之上部。肩井內一寸。後開八分。

主治……肩臂痠痛。缺盆痛。汗不出。胸中煩滿。頸項急。寒熱。

性質……清熱。利筋骨。

手術……鍼五分。灸三壯。

▲天牖

歌訣……天牖項強不顧回。頭風面腫實堪虞。鍼瀉一寸不可補。再加譩譆與風池。

解剖……有耳後靜脈。後耳動脈。副神經。頸椎神經。

部位……在風池下一寸。徼外些。即完骨下。髮際上。天容後。天柱前。

主治……面腫頭風。項強不得回顧。

性質……消風舒頸項之經絡。

手術……鍼入一寸。留七呼。不宜補。不宜灸。若灸之即面腫眼合。鍼天牖風池其痛即瘥。

▲翳風

歌訣……翳風善治耳聾病。中風暴瘖口還噤。牙車急痛頰腫兮。項下瘰癧俱平定。

解剖……此處爲耳下腺部。有耳後動脈。顏面神經之耳後枝。

部位……在耳根後。距耳約五分之陷凹處。

主治……耳聾。口眼喎斜。口噤不開。頰腫牙車急痛。暴瘖不能言。耳紅腫痛。

性質……驅風瀉熱。

手術……鍼三分。灸三壯。

▲瘈脈

歌訣……瘈脈須從耳根尋。青絡之內穴分明。刺血有如豆汁水。吐嘔瀉痢耳中鳴。

解剖……有顳顬筋。耳後動脈。顏面神經之耳後枝。

部位……在翳風上一寸。稍近耳根青絡上。

主治……頭風。耳鳴。小兒驚癇瘈瘲。嘔吐瀉痢。無時驚恐。目澀多眵。（眵音鴟目汁凝結也）

性質……驅頭面眼目中風熱。

手術……鍼一分。出血如豆汁。

▲顱息

歌訣……顱息亦治耳中鳴。穴在耳後青絡尋。小兒嘔吐瘈瘲急。驚癇頭痛臥不寗。

解剖……有顳顬筋。耳後動脈。顏面神經之耳後枝。

部位……在瘈脈上一寸餘。有青絡。

主治……耳鳴。喘息。小兒嘔吐瘈瘲。驚恐。發癇。身熱。頭痛不得臥。

性質……行氣定驚。

手術……鍼此穴絡脈微出血。禁灸。

◉角孫

歌訣……角孫尋到目翳清。齒齦腫痛緣火升。唇吻燥裂頸項強。此穴宜灸不宜鍼。

解剖……有顳顬筋。顳顬脈枝。顳顬神經。

部位……當耳殼上角之陷凹處。以指按之。口開闔時。指下覺牽動。

主治……目生翳。齒齦腫。不能嚼。唇吻燥。頸項強。

性質……清熱降火。

手術……灸三壯。不宜鍼。

▲耳門

歌訣……耳門醫牙痛傷寒。耳中諸疾聽不聞。聤耳流膿生瘡疖。此間手術有異功。

解剖……有咀嚼筋。顳顬動脈。顳顬神經。

部位……在耳前肉峯下。缺口外。

主治……耳聾。聤耳。膿汁。耳生瘡。齒齲。唇吻強。

性質……瀉三焦經之熱。

手術……鍼三分。灸三壯。

▲禾髎

歌訣……禾髎之穴耳前行。髮銳尖下仔細尋。頸項腫痛牙車急。頭疼口噼耳中鳴。

解剖……有顳顬筋。顳顬動脈。顏面神經。

部位……在耳前髮銳尖下。

主治……頭痛耳鳴。牙車引急。頸項腫。口噼瘈瘲。

性質……祛風熱。

手術……鍼三分。灸三壯。

■絲竹空

歌訣……絲竹空中治頭風。目痛難安腫又紅。若從此穴鍼流血。目眩頭疼儘可淞。

解剖……有前頭筋。顳顬動脈枝。顏面神經。

部位……眉毛稍外端陷中。

主治……頭痛目赤目眩。視物𥆨𥆨。拳毛倒睫。風癇戴眼。發狂吐沫。偏正頭風。

性質……清頭目熱。

手術……鍼三分。禁灸。

第十一節　足少陽經穴之功用

▲瞳子髎

歌訣……瞳子髎兪眼淚凝。淚出眥傷法效頻。目翳青盲外眥赤。目癢鍼之可安寧。

解剖……有眼輪匝筋。顴骨。眼窠動脈。顏面神經。三叉神經。

部位……在目外眥之五分。

主治……頭痛目癢。外眥赤痛。目翳青盲。遠視䀮䀮。淚出多眵。（眵音鴟目淚凝也又目眥傷也）

性質……祛風清熱明目。

手術……鍼三分。不宜灸。

■聽會

歌訣……聽會主治耳聾鳴。兼刺迎香患更輕。中風瘈瘲㖞斜病。牙車脫臼痛牙根。

解剖……爲耳下綫之上部。分佈顳顬枝。內顎動脈。顏面神經。

部位……在耳珠微前陷中。

主治……耳聾耳鳴。牙車脫臼。齒痛中風。瘈瘲㖞斜。

性質……利經絡。驅風邪實熱。

手術……鍼三分。灸三壯。

▲客主人（即上關）

歌訣……上關即是客主人。顴骨之旁上口尋。開口有空是眞穴。不宜灸兮不宜鍼。

解剖……有內顎動脈。顏面神經。

部位……在耳前起骨上廉。開口有空。即顴骨橋之上口。

主治……不詳。

性質……不詳。

手術……禁鍼灸。

■頷厭

歌訣……頷厭能療癇與驚。偏正頭風頸不輕。目眩耳鳴多嚔嘘。歷節風疼亦可鍼。

解剖……有顳顬筋。顳顬動脈。顏面神經。

部位……曲周下。顳顬上廉。（顳顬即鬢骨。又耳前動也。曲周即曲鬢處。）

主治……頭風。偏頭頸項俱痛。目眩。耳鳴。多嘘。驚癇。歷節風。

性質……清頭部風熱。瀉胆經風火。

手術……鍼一二分。不可深刺。灸三壯。

懸顱

歌訣……懸顱穴在顳顬中。曲周之下二分攻。齒痛頭風痛引目。深刺令人耳便聾。

解剖……爲前頭骨之顳顬窩部。有顳顬筋。顳顬動脈。顳顬神經。

部位……曲周下。顳顬中廉。（曲周即曲鬢之處）

主治……頭痛。齒痛。偏頭痛引目。熱病汗不出。

性質……清頭面之風邪燥火。

手術……鍼二三分。灸三壯。

懸厘

歌訣……懸厘穴在顳下廉。偏頭面腫不安然。熱病煩心汗不出。精工鍼下皆痛痊。

解剖……有顳顬筋。顳顬動脈。顳顬神經。

部位……曲周下。顳顬下廉。距懸顱下半寸。

主治……偏頭痛面腫目銳眥痛。熱病煩心。汗不出。
性質……清頭面之風火。
手術……鍼二分。或三分。灸三壯。

曲鬢

歌訣……曲鬢穴愈頭角風。巔風目眇（眇音藐。一目較小也。又小視其人曰眇視。）有殊功。
頷頰腫兮言不出。牙車拘急鍼可鬆。
解剖……有顳顬筋與神經。
部位……在耳上入髮際。一寸後些。此懸厘
主治……頷頰腫引牙車不得開。口噤不得言。項強不得回顧。巔風目眇。
性質……瀉熱。疏風。
手術……鍼二分。灸三壯。

率谷

歌訣……率谷耳上入髮際。入髮一寸五分是。腦痛兩邊頭角疼。胃脘寒痰嘔吐治。

鍼灸學講義

解剖……有顳顬筋。耳上擧筋。耳後動脈。
部位……在耳後入髮際一寸五分。
主治……腦痛。頭角痛。胃脘寒痰。煩悶嘔吐。酒後皮風膚腫。
性質……袪頭部風濕。利痰。
手術……鍼三分。灸三壯。

■天冲

歌訣……天冲率後約三分。驚恐頭痛或癲風。若是反張又悲哭。須仗大橫穴中攻。
解剖……有耳上擧筋。耳後動脈。
部位……在率谷之後約三分。「按在耳上者有三穴。最上爲率谷。其次爲天冲。最下爲角孫。
主治……巔疾風痙。牙齦腫。驚恐頭痛。
性質……清熱消風。鎭驚定神。
手術……鍼三分。灸三壯。

■浮白

解剖……浮白耳後上輪根。臂不舉兮足不行。耳聾齒痛及癭氣。欬逆胸滿喘息肩。

歌訣……有耳上擊筋。耳後動脈。

部位……在耳後上輪根。入髮際一寸。

主治……欬逆。胸滿。喉痺。耳聾。齒痛。項癭。痰沫。喘息。肩臂不舉。足不能行。

性質……化濕。除痰。通經絡。

手術……鍼三分。灸三壯。

竅陰

歌訣……竅陰浮下一寸眞。堪治四肢苦轉筋。癰疽發熱亦堪治。喉痺舌強口苦淸。

解剖……有耳後動脈。耳後神經。

部位……在浮白下一寸。

主治……四肢轉筋。目痛頭項痛。耳鳴。癰疽發熱。手足煩熱。汗不出。欬逆。喉痺舌強。脇痛口苦。

性質……去頭風淸熱。

手術……鍼三分。灸三壯。

■完骨

歌訣……完骨能醫痿不收。喉痺頰腫不須憂。齒齲耳鳴牙車急。口眼喎斜貌不周。

解剖……在胸鎖乳嘴筋。附著之上部。有耳後動脈。與神經。

部位……在髮陰下七分。

主治……頭痛。頭風。耳鳴。齒齲。牙車急。口眼歪斜。喉痺頰腫。癭氣。便赤。足痿不收。

性質……清肝瀉胆。化痰消風。

手術……鍼三分。灸三壯。

■本神

歌訣……本神曲差一五旁。入髮五分仔細量。胸脇引痛項強急。偏風癲疾有專長。

解剖……是處有前額骨部。有顳顬動脈與神經。

部位……在曲差旁一寸五分。入髮際五分。

主治……驚癇。吐沫。目眩。項強急痛。胸脇相引。不得轉側偏風癲疾。

性質……除濕痰。開胸膈。

手術……鍼三分。灸三壯。

▲陽白

歌訣……陽白瞳子直上尋。眉毛之上一寸明。頭痛眼花多眵淚。寒戰堪誇手術神。

解剖……有前頭筋。顳顬動脈。顏面神經。

部位……眉毛直上一寸。與瞳子直。

主治……頭痛。目昏多眵。背寒慄。重衣不得溫。

性質……鼓動陽氣。消風。

手術……針二分。灸三壯。

▲臨泣

歌訣……臨泣堪療鼻不利。驚癎反視目生翳。日晡發虐脅下疼。暴厥眵蔑流冷淚。

解剖……有前頭筋。顳顬動脈。顏面神經。（與上條同）

部位……在目上直入髮際五分。

主治……鼻塞。目眩。生翳。眵䁾冷淚。眼目諸疾。驚癇反視。卒暴中風。不識人。脇下痛。瘧疾日西即發。

性質……安神定志。

手術……針三分。禁灸。

■目窗

歌訣……目窗穴在臨泣後。相去一寸是眞竅。頭目眩痛引外眥。遠視不明針灸妙。

解剖……有前頭筋。前額神經。前額動脈。

部位……在臨泣後一寸。

主治……頭目眩。痛引外眥。遠視不明。面腫寒熱。汗不出。

性質……清頭面風熱。明目。

手術……鍼三分。灸五壯。

■正營

歌訣……正營目窗後一寸。頭目昏疼齒齲痛。唇吻強急不可當。針灸同施見功用。

解剖……有皮下頭蓋之帽狀腱膜。其下爲顱頂。有顳顬動脈枝顏面神經枝。
部位……在目窗後一寸半
主治……頭痛目眩。齒齲痛。唇吻強急。
性質……祛風瀉熱。
手術……鍼三分。灸三壯。

●承靈

歌訣……承靈正營後面尋。相去寸五穴分明。腦風頭痛不可忍。鼻塞不通顯效能。
解剖……爲後頭骨部。有後頭筋後頭動脈與神經。
部位……在正營後一寸五分。
主治……腦風。頭痛。鼻塞不通。惡風。
性質……理頭腦中之氣。
手術……禁鍼。灸五壯。

●腦空

歌訣……腦空枕骨下陷取。勞瘵羸瘦熱不已。癲風頭痛引目鼻。鼻衄耳聾猶稱美。

解剖……當後頭骨外。後結節之下面。即僧帽筋附着之上部。是處有後頭筋。後頭動脈。大後頭神經。

部位……在承靈後一寸五分。玉枕骨下陷中。

主治……勞瘵身熱羸瘦。腦風頭痛不可忍。項強不得顧。目瞑鼻衄。耳聾驚悸。癲風引目。鼻痛。

性質……理頭部亂氣。

手術……鍼四分。灸五壯。

風池

歌訣……風池腦後凹陷間。偏正頭風治不難。頭項如拔痛難顧。傴僂項急四肢癱。

解剖……當後頭骨下部之陷凹處。僧帽筋之外側。有後頭神經與動脈。

部位……在腦空之下髮際之陷凹處。

主治……中風。偏正頭痛。傷寒熱病。汗不出。痎瘧。頸項如拔痛。不得回顧。目眩赤痛。淚出鼽衄。耳聾腰背俱痛。傴僂（傴曲背也傴僂者背曲之甚也）引項。肘力不收。脚弱無力。

性質……袪頭風。除外來之風邪。

手術……鍼四分。灸三壯。

▲肩井

歌訣……肩井由來治外傷。肘臂不舉亦無妨。脚氣痠疼宜速灸。墜胎厥冷刺猶良。

解剖……有橫頸動脈。外頸靜脈。上肩胛骨神經。

部位……在肩上陷解中。缺盆上大骨前一寸半。以三指按取之。當中指下陷者是。

主治……中風。氣塞。涎上不語。氣逆。五勞七傷。頭頸痛。臂不能舉。或因撲傷。腰痛脚氣上攻。若婦人難產。墜胎後手足厥冷。鍼之立愈。

性質……鎮肝氣。降逆氣。

手術……鍼四五分。灸三壯。孕婦禁鍼。

▲淵腋

歌訣……淵腋腋下三寸通。此穴相傳不可攻。金鍼艾灸均當忌。傷在二關病更凶。
解剖……有肋間筋。肩胛下神經。肋間神經。
部位……在腋下三寸。
主治……不詳。
性質……不詳。
手術……因禁鍼灸不詳。

■輒筋

歌訣……輒筋脅下直三寸。復斜裡面一寸攻。四肢不收語不正。多唾嘔吐暴滿胸。
解剖……適當第三肋間。有大胸筋小胸筋深部。有內外肋間筋。分布長胸動脈。側胸皮下神經。長胸神經。
部位……在脅下三寸。復前向乳房一寸
主治……太息。多唾。善悲。言語不正。四肢不收。嘔吐宿汁。吞酸。胸中暴滿。不得臥。
性質……行胸之氣。瀉胆平肝。

手術……鍼六分。灸三壯。

■日月

歌訣……日月期門下五分。太息善唾嘔吐淘。語言不正四肢軟。少腹熱兮此穴攻。

解剖……當附第八肋骨下之一寸許。介於直腹筋以外斜腹筋之間。有上腹動脈。肋間神經。

主治……在期門下五分。

部位……太息。善唾。小腹熱。多吐。語言不正。四肢不收。

性質……平肝氣。降濁氣。

手術……鍼六分。灸七壯。

■京門

歌訣……京門俠脊季脇間。腸鳴洞泄可商參。肩背腰髀牽引痛，俛仰不能久立難。

解剖……爲外斜腹筋端部。分布上腹動脈。及長胸神經。

主治……在挾脊季脅之端。即臍上五分。旁開九寸半也。

部位……腸鳴洞泄。水道不利。少腹急痛。寒熱䐜脹。肩背腰髀引動。不得俯仰。久立艱難。

鍼灸學講義 一一一 湖南國醫專科學校印

性質……行腹中亂氣。利水。

手術……鍼三分。灸三壯。

帶脈

歌訣……帶脈能醫一切疝。偏墜木腎均堪散。婦人小腹急痛寒。經水不調赤白帶。

解剖……爲外斜腹筋部。有上腹動脈。長胸神經。肋間神經枝

部位……在京門下一寸八分。去臍旁八寸半。

主治……腰腹縱。溶溶如坐水中狀。婦人小腹痛急。瘈瘲。月經不調。赤白帶下。兩脅引背痛。

性質……行氣。調經。

手術……針六分。灸五。

五樞

歌訣……五樞帶下三寸尋。婦人赤白帶堪鍼。陰疝睪丸上入腹。得穴須告頃刻寧。

解剖……有下腹動脈。長胸神經。肋間神經枝。

部位……在帶脈下三寸。

主治……疝瘕。小腸膀胱氣攻兩脇。小腹痛。腿腰痛。陰疝。睪丸上入腹。婦人赤白帶下。

性質……行濕。化氣。平肝。

手術……鍼五分。或一寸。灸五狀。

■維道

歌訣……維道章下五寸三。嘔逆不止用心探。三焦不調水氣腫。更醫氣塞食物艱。

解剖……有內外斜腹筋。下腹動脈。

部位……在章門直下五寸三分。五樞之前下部。

主治……嘔逆不止。三焦不調。不食。水腫。

性質……利水。降逆。

手術……鍼八分。灸三壯。

■居髎

歌訣……居髎能治腿股風。環跳相與認眞攻。兩腿拘攣腰不舉。鍼灸同施立見鬆。

解剖……有內外斜腹筋。下腹動脈。

部位……在維道下三寸。後開五分。橫直環跳三寸稍高些。

主治……痛引胸臂。攣急不得舉腰。引小腹痛。

性質……驅腿股之風濕。舒經絡。

手術……鍼三分。或五分。灸三壯。

■環跳

歌訣……環跳堪醫風濕症。股膝筋攣腰痛甚。委中刺血亦同功。經絡開道見濕症。

解剖……在臀股部。有大臀筋。上臀神經。

部位……在髀樞中。通京門之下。並兩足而立。腰下部有陷凹處是也。

主治……冷風濕髀不仁。胸脇相引。半身不遂。腰胯痠痛。膝不伸。遍身風疹

性質……搜四肢經絡之風。

手術……側臥。伸下足。屈上足取之。有大空處即是。鍼二寸。或三寸。灸十壯。

■風市

歌訣……風市堪治腿中風。兩膝無力脚氣冲。兼治渾身頻搔癢。艾火多加皆就功。

解剖……有外大股筋。上膝關節動脈。前股皮下神經。
部位……膝上外廉兩筋中。
主治……腿膝無力。脚氣。渾身搔痒。痲痺。厲風。
性質……祛腰腿之風邪濕熱。
手術……正立以兩手垂直覆腿上。中指尖到處是穴。鍼一寸至二寸。灸五壯。

▲中瀆

歌訣……中瀆屈膝橫紋取。直上五寸用鍼理。寒邪客於分肉間。筋痺不仁刺可已。
解剖……有外大股筋。股脈分枝。
主治……在髀骨外。（環跳直下屈膝橫紋外角直上五寸）
部位……寒氣客於分肉間。攻痛上下。筋痺不仁。
性質……逐濕。驅風。散寒。
手術……鍼五分。鍼三壯。

▲陽關

歌訣……陽關穴可愈風痺。膝難伸屈不能移。股膝冷痛猶堪治。金鍼施治勿遲疑。
解剖……有外大股筋。外關節動脈。股神經。
部位……在陽陵泉三寸。犢鼻外陷中。即膝蓋之旁兩筋之間盡處。
主治……風痺不仁。股膝冷痛。不可屈伸。
性質……利筋骨。祛風濕。
手術……鍼五分。禁灸。

陽陵泉

歌訣……陽陵泉治偏風症。腰痠膝腫濕寒攻。霍亂轉筋俱見效。冷風脚氣可調融。
解剖……當脛骨外側。有膝關節動脈。淺腓骨神經。
部位……在膝下一寸。外尖骨前之陷凹處。
主治……半身不遂。足膝冷痺不仁。無血色。脚氣筋攣。
性質……消肝胆熱。舒筋利骨節。搜風。行腸胃之氣。利大便。
手術……鍼六分。灸七壯。

■陽交

歌訣……陽交外踝七寸尋。胸滿喉痺足不仁。驚狂面腫膝瀉痛。鍼入六分病見輕。

解剖……有長總指筋。前脛骨動脈。深腓骨神經。

部位……在外踝上七寸。沿太陽經一面崑崙之直上。

主治……胸滿喉痺。足不仁。膝痛寒厥。驚狂面腫。

性質……宣通經絡。瀉上部之熱邪。

手術……鍼六分。灸三壯。

■外邱

歌訣……外邱頸項痛難當。毒不出兮惡犬傷。胸滿痿痺癲風疾。鍼入三分保安康。

解剖……有長腓筋。前脛骨動脈。淺腓骨神經。

部位……外踝上七寸與陽交相並。陽交在後。外邱在前。相隔一筋。

主治……頸項痛。胸痿痺。癲風惡犬傷。毒不出。

性質……瀉血液中之風毒。

手術……鍼三分。灸三壯。

■光明

歌訣……光明穴絡胆之經。眼目不明此穴針。實則足胻膝熱痛。虛則偏枯手術新。

解剖……有長總指伸筋。前腓骨動脈。深腓骨神經。

部位……外踝上五寸。

主治……熱病漢不出。卒狂。嚼頰。淫濼。脛胻痛。不能久立。虛則痿痺偏細。坐不能起。實則足胻熱。膝痛。身體不仁。

性質……能補虛瀉實。驅濕熱。宣通經絡。

手術……鍼六分。灸五壯。

■陽輔

歌訣……陽輔兩膝痠疼鍼。腰冷溶溶似水侵。膚腫筋攣諸痿痺。偏風不遂灸功深。

解剖……有長總指伸筋。前腸骨動脈。深腓骨神經。

部位……在外踝上四寸。

主治……腰溶溶如水浸。膝下膚腫筋攣。百節痛疼。痿痺。馬刀。頸項痛。喉痺。汗不出。及漢出振寒。痎瘧。腰胻痠痛。不能行立。

性質……瀉熱發漢。和榮衛。

術手……鍼三分。灸三壯。

■懸鐘

歌訣……懸鐘踝上三寸中。俗名絕骨外踝逢。腹脹脚氣濕痺癢。足趾疼痛亦可攻。

解剖……爲短腓筋部。有前腓骨動脈與神經。

部位……在外踝上三寸。

主治……心腹脹滿。胃熱不食。喉痺欬逆。頭痛中風。虛勞頸項痛。手足不收。腰膝痛。脚氣筋骨攣。

性主……能引氣血下行。

手術……鍼五分。灸五壯。

■坵虛

歌訣……坵虛胸脅滿痛醫。腿腰痠痛及髀樞。足脛轉筋小腹硬。跗痛足腫不能移。

解剖……當長總趾伸筋腱之後部。有前外踝動脈。淺腓骨神經。

部位……在外踝下微前陷中。

主治……胸脇滿痛。不得息。寒熱。目生翳膜。頸腫久瘡。振寒痿厥。腰腿痠痛。髀樞中轉肪。足脛偏細。小腹堅。卒疝。

性質……瀉肝胆經之熱。

手術……鍼五分。灸五壯。

■臨泣

歌訣……足臨泣穴有奇方。善醫頸漏馬刀瘍。婦人月水不調暢。並療胸脇乳癰瘡。

解剖……爲長總指伸筋腱都。在第四蹠骨之前面有蹠有骨動脈。中足背皮神經。

部位……在足小指次指本節後。去俠谿一寸五分。

主治……胸滿氣喘。目眩心痛。缺盆中及腋下馬刀瘍。痺痛無常。厥逆。痎瘧日西發者。洒淅振寒。月經不調。季脇支滿。乳癰。

性質……瀉濕通經。行絡活血。

手術……鍼二分。灸五壯。

▲地五會

歌訣……地五會在四趾後。丫上一寸是眞穀。腋痛足枯乳癰疼。更加三里參機要。

解剖……當第四指第一趾骨後。有骨間背動脈。中足背皮神經。

部位……去俠谿一寸。

主治……腋腫。內損吐血。足外無膏澤。乳癰。

性質……行血。活血。淸血熱。

手術……針一分。禁灸。

■俠谿

歌訣……俠谿胸脇滿痛逼。傷寒熱病漢難出。頷腫口噤不開言。耳痛耳聾目還赤。

解剖……有趾背動脈與神經。

部位……在足小趾次趾歧骨間。本節前陷中。（即足趾丫盡處）

主治……胸脇肢滿。寒熱病。漢不出。自赤。頷腫。胸痛。耳聾。

性質……清血中風熱。引氣下行。

手術……鍼二分。灸三壯。

■竅陰

歌訣……竅陰治療脇痛闢。煩熱欬逆不得息。癰疽疼痛耳仍聾。喉痺舌強少津液。

解剖……有趾背動脈與神經。

位部……在第四趾外側。爪甲角。

主治……脇痛。欬逆不得息。手足煩熱。漢不出。癰疽。口乾口痛。喉痺舌強。耳聾。轉筋。肘不可舉。

性質……瀉肝胆之熱。利筋骨。

手術……鍼一分。灸三壯。

第十二節　足厥陰經穴之用功。

■大敦

歌訣……大敦陰囊腫痛鍼。腦衄傷風復血崩。小兒急慢驚風症。七疝五淋法亦然。

解剖……有長大趾伸筋。趾背神經。淺腓骨神經。

部位……在大趾端。爪甲後之叢毛中。按之有陷。

主治……卒心痛。漢出。腹脹腫滿。中熱。喜寐。五淋七疝。小便頻數不禁。陰痛引小腹。陰挺出。血崩尸厥如死。

性質……瀉肝。祛濕。瀉心火。煖下元。舒筋。調肝。

手術……鍼一分。灸三壯。

■行間

歌訣……行間本治小兒驚。婦人血蠱恐留停。渾身腫浮單腹脹。善施手術自然平。

解剖……有趾背動脈淺腓骨神經。

部位……在大趾次趾合縫後五分動脈陷中。

主治……嘔逆欬血。心胸痛。腹脇脹。色蒼蒼如死狀。中風口喎。嗌乾。煩渴。瞑不欲視。目中淚出。太息。癲疾短氣。痎瘧洞瀉。遺尿。癃閉。崩漏。白濁。寒疝。少腹腫。腰痛不可俛仰。小兒驚風。

性質……瀉肝經風熱。行淤。破血結。

手術……鍼三分。灸一壯。

■太冲

歌訣……太冲取得治溏泄。步履艱難腫股膝。霍亂吐泄小腹疼。手足轉筋及遺溺。

解剖……在第一蹠骨之部。有淺腓骨神經枝。前脛骨筋。

部位……在行間上寸半。

主治……虛勞。嘔血。恐懼。氣不足。嘔逆。發寒。肝虛令人腰痛。嗌乾。胸脅支滿。太息。浮腫。小腹滿。腰引少腹痛。足寒或大小便難。陰痛遺溺。溏泄。小便淋癃。小腹疝氣。腋下馬刀瘍。胻痠。踝痛。足寒。或大小便難。女子月水不通。或漏血不止。小兒卒疝。

性質……降氣。通經。行淤。養血。凉血。瀉肝。鎮驚。泄痰。

手術……鍼三分。灸三壯。

中封

歌訣……中封主治病遺精。陰縮便難及五淋。鼓脹瘦氣隨年灸。寒疝痿厥及攣筋。

解剖……有前脛骨筋。內踝動脈。大薔薇神經。

部位……在內踝前一寸微下些。屈足見。踝前下面有陷凹處便是。

主治……痎瘧。色蒼蒼如死狀。善太息。振寒溲白。大便難。小便腫痛。五淋。足厥冷。不嗜食。身體不仁。寒疝痿厥。筋攣失精。陰縮入腹相引痛。或身微熱。

性質……瀉肝。舒經絡。

手術……鍼四分。灸三壯。

蠡溝

歌訣……蠡溝內踝五寸量。堪醫足脛軟痠寒。疝痛癃閉小腹滿。膝難伸屈背拘攣。

解剖……在脛骨之內側。有比目魚筋。脛骨動脈。脛骨神經。

位部……在內踝上五寸。

主治……疝痛。小腹痛。癃閉。臍下積氣如盃。數噫。恐悸少氣。足脛寒痠。屈伸難。腰背拘攣。不可俛仰。月經不調。溺下赤白。

性質……益肝。瀉肝。柔肝。

手術……鍼三分。灸三壯。

中都

歌訣……中都崩中帶下良。產後惡露亦無妨。腸癖疝潰小腹滿。不能行立足脛寒。

解剖……有比目魚筋脛骨動脈。脛骨神經。

部位……在蠡溝上二寸。（即內踝上七寸）

主治……腸癖。㿉疝。少腹痛。濕熱。足脛寒。不能行立。婦人崩中。產後惡露不絕。

性質……行肝氣。行濕。利經絡。

手術……鍼三分。灸五壯。

膝關

歌訣……膝關風痺膝內腫。白虎歷節風濕湧。臏難伸屈舉動難。濕熱下注歸一統。

解剖……爲腓腸筋部。有內下關節動脈。脛骨神經。

部位……在內犢鼻穴下二寸。向裏橫開一寸半之間陷中。

主治……風痺。膝內腫痛。引臏不可伸屈。及寒濕走注。白虎歷節。風痛不能舉動。咽喉中痛。

性質……舒經絡。利骨節。

手術……鍼四分。灸五壯。

曲泉

歌訣……曲泉癀疝四支強。風勞失精膝脛冷。兼治女子血癥瘕。少腹冷疼陰挺癢。

解剖……有膝關節動脈。腓骨神經。半膜狀筋。

部位……在膝內輔骨下。曲膝橫紋陷中。

主治……癀疝陰股痛。小便難。少氣。泄痢膿血。腹脇支滿。膝痛筋攣。四肢不舉。不可伸屈。風勞失精。身體極痛。膝脛冷。陰莖痛。實則身熱自痛。漢不出。目䀮䀮。發狂。衄血。喘吁。痛引咽喉。女子陰挺出。陰癢血瘕。

性質……淸血。凉血。養血。理血。驅腹中寒。

手術……鍼七分。灸三壯。

■陰包

歌訣……陰包鍼刺效如神。中滿鍼時去得根。股尻急引小腹痛。小便難兮月信遷。

解剖……有內大股筋。外旋股動脈。股神經。

部位……在膝上四寸。股內廉。兩筋間。

主治……腰尻引小腹痛。小便難。遺尿。月水不調。

性質……養肝。調經。

手術……鍼六分。灸三壯。

■五里

歌訣……五里熱閉溺不通。風勞嗜臥有奇功。兼治四肢不能舉。更針下血與腸風。

解剖……有長內轉股筋。循行股動脈。閉鎖神經。

部位……去氣衝下三寸。

主治……腸風熱閉。不得溺。風勞嗜臥。四肢不舉。

性質……通利小便。泄大腸風熱。利筋絡。

手術……鍼六分。灸三壯。

■陰廉

歌訣……陰廉穴在陰部傍。皮肉之下核骨詳。月信不調未有孕。艾加三壯獲兒郎。

解剖……在鼠蹊部之下。有恥骨筋。外陰部動脈。股伸筋。閉鎖神經。

部位……在陰部之傍。皮肉之下。有如核者。名曰羊矢骨。穴在其下。去氣衝二寸。斜裡些。

主治……婦人不孕。若經水不調。未有孕者。灸三壯。即有子。

性質……調經。煖子宮。

手術……鍼六分。灸三壯。

●急脈

歌訣……急脈陰器二五傍。禁用金針艾灸良。癩疝牽引小腹痛。治療斯疾有專長。

解剖……有三稜腹筋。下腹神經。

部位……在陰器之旁二寸五分。

主治……癧疝。小腹痛。
性質……行氣。散氣。
手術……禁鍼。灸三壯。

章門

歌訣……章門屈肘側臥取。肘尖盡處穴爲美。腰脊冷痛難轉側。喘咳腹脹胸脅痞。
解剖……爲內外斜腹筋部。即胃脘之外側。貫通上腹動脈。有第八至第十二肋間之神經枝。
主治……在季肋之端。與臍直。（即肘尖盡處）
部位……兩脅積氣如卵石。膨脹腸鳴。食不化。胸脅痛。煩熱支滿。嘔吐咳喘。不得臥。腰脊冷痛。不得轉側。肩臂不舉。傷飽。身黃。瘦弱。洩瀉。四肢懶。少氣。厥逆。
性質……補五臟。益氣血。瀉心火。温臟寒。散積聚。
手術……鍼六分。灸三壯。

期門

歌訣……期門穴主傷寒患。又治女人生產難。胸滿痞結脇積痛。熱入血室不可慢。

解剖……有內外斜腹筋。循行上腹動脈。第八至第十二肋神經。

部位……在不容傍一寸五分。乳下第二肋間。

主治……傷寒。胸中煩熱。奔豚上下。目青而嘔。霍亂瀉痢。腹鞕胸脇積痛。支滿。嘔酸。嗌噫。食不下。喘不得臥。

性質……行血。養血。降血。清血。

手術……鍼四分。灸五壯。

第十三節　任脈經穴之功用

■會陰

歌訣……會陰男子兩陰暈。玉門頭上刺嬌娘。陰漢陰中諸疾病。暴卒鍼之可回陽。

解剖……有海綿體球筋。及其他諸筋。內陰部神經。

部位……在兩陰之間。

主治……陰漢。陰中諸病。前後相引痛。不得大小便。穀道病。久痔。男子陰寒衝心。女子陰門痛。月經不通。

性質……通利二便。能引陽入陰。

手術……不宜鍼。惟卒死溺死可鍼一寸。

圖曲骨

歌訣……曲骨陰毛陷中藏。小便淋漓小腹膨。失精虛冷血癃閉。更醫赤白帶下良。

解剖……爲耻骨軟骨之合縫部。有外陰動脈。腸骨下腹神經。

部位……在中極下一寸。陰毛中。

主治……小便脹滿。小便淋漓。血癃。𤸇疝。小腹痛。失精。婦人赤白帶。

性質……行血。行氣。

手術……鍼分八。至一寸二分。灸五壯。

圖中極

歌訣……中極陽氣虛弱取。無子失精腹塊痞。小便赤色五淋加。婦人虛冷惡露已。

解剖……有深淺下腹動脈。腸骨下腹神經。

部位……在關元下一寸。（即臍下四寸。

主治……陽氣虛弱。冷氣時上冲心。尸厥恍惚。失精無子。腹中結塊。水腫。奔豚。疝瘕。五淋。小便赤澀不利。婦人下元虛冷。血崩。白濁。產後惡露不行。胎衣不下。經閉不通。血積成塊。子門腫痛。轉脬不得小便。

性質……温下焦。壯元陽。行淤。化氣。

手術……鍼八分。灸三壯。

關元

歌訣……關元臍下三寸量。諸虛百損灸之良。遺精淋濁疝瘕聚。經水不調亦有方。

解剖……有下腹動脈。下腹神經。

部位……在石門下一寸。（即臍下三寸）

主治……諸虛百損。臍下絞痛。漸入陰中。冷氣入腹。少腹積冷。疝氣奔豚。白濁。五淋。小便赤澁。轉脬不得溺。婦人帶下。瘕聚。經水不通。不姙。或姙娠不血。產後惡露不止。或血冷。月經斷絕。

性質……溫下焦。寒冷不正之氣。固下元。益精。瀉膀胱熱。煖子宮。
手術……鍼八分。至一寸二分。灸三壯。

■石門

歌訣……石門產後惡露多。結成血塊勢嵯峨。崩中漏下或嘔血。速施手術起沉疴。
解剖……有下腹動脈與神經。
部位……在氣海下半寸。（即臍下二寸）
主治……腹脹堅硬。水腫。支滿。小便黃赤不利。小腹痛。洩泄不止。身寒熱。欬逆上氣。嘔血，卒疝疼痛。婦人產後惡露不止。遂結成塊。崩中漏下。血淋。
性質……行血。逐淤
手術……鍼六分。灸三壯。婦人不宜鍼灸。鍼灸則終身不孕。

■氣海

歌訣……氣海總治諸般病。陽虛不足灸猶利。七疝奔豚臍下寒。傷寒卵縮功非細。
解剖……有小腸動脈。交感神經叢枝。

部位……陰交下半寸。（即臍下一寸半。）

主治……下焦虛冷。上冲心腹。或嘔吐不止。或陽虛不足。驚恐不臥。奔豚。七疝。小腸膀胱痃癖結塊。狀如覆盃。臍下冷氣。陽脫欲死。傷寒卵縮。四肢厥冷。小便赤澀。羸瘦。白濁。婦人赤白帶下。月事不調。產後惡露不止。繞臍腹痛。小兒遺尿。

性質……固元氣。振陽氣。瀉血。補氣。益精。

手術……鍼一寸。灸百壯。

陰交

歌訣……陰交水腫不能消。帶下崩中痛膝腰。產後淋漓臍冷痛。求嗣須並石關搜。

解剖……有小腸動脈與神經。

部位……臍下一寸。

主治……衝脈生病。從少腹衝心而痛。不得小便。疝痛。陰汗濕癢。奔豚。腰膝拘攣。婦人月事不調。崩中帶下。產後月事不止。繞臍冷痛。

性質……煖子宮。調血。行氣。

手術……針八分。灸五壯。

●神闕

歌訣……神闕宜灸不宜刺。堪治中風不省事。虛瀉虛脹兒脫肛。納鹽臍中灸百壯。

解剖……當臍中央。中有小腸。

部位……臍之中央。

主治……陰症傷寒中風。不省人事。腹中虛冷。陽氣虛弱。腸鳴洩泄不止。水腫鼓脹。小兒乳痢不止。腹脹大。風癇。角弓反張。婦人精血冷。不受胎者。脫肛。灸此永不脫肛。

性質……扶陽。補正。驅寒。煖子宮。驅腸胃中之淤穢。

手術……可灸。不可針。

●水分

歌訣……水分臍上一寸量。善治腹堅浮腫膨。水氣不消腸鳴瀉。亦不宜鍼灸乃良。

解剖……有上腹動脈。肋間神經。

部位……在臍上一寸。下脘下一寸。

主治……水病腹堅。黃腫如鼓。衝胸不得息。繞臍痛。腸鳴洩瀉。小便不通。小兒顖陷。

性質……利水。

手術……灸七壯。不宜鍼。

下脘

歌訣……下脘能療腸內鳴。再鍼陷谷自然平。孕婦鍼灸均宜忌。胃冷虛寒可壯頻。

解剖……有上腹動脈。肋間神經。

位部……在建里下一寸。（即臍上二寸）

主治……臍上厥氣堅痛。腹脹滿。穀不化。虛腫。癖塊連臍。瘦弱。少食。翻胃。小便赤。

性質……引胃氣下行。助消化。

手術……鍼八分。灸五壯。孕婦禁鍼灸。

建里

歌訣……建里身腫灸爲良。肚腹浮腫脹膨膨。腸鳴嘔逆不能食。婦人有孕務宜防。

解剖……有上腹動脈。肋間神經。

部位……在中脘下一寸。（即臍上三寸）
主治……腹脹。身腫。心痛。上氣。腸鳴。嘔逆。不食。
性質……行水。降逆。
手術……針五分。灸五壯。孕婦忌灸。灸則胎火大重。

■中脘

歌訣……中脘奔豚與伏梁。主治食飽脾胃傷。兼療脾痛瘧痰暈。痞滿翻味盡安康。
解剖……中藏胃府。有上腹動脈。肋間神經。
位部……在上脘下一寸。（即臍上四寸）
主治……心下脹滿。傷飽。食不化。膈噎。翻味不食。心脾煩熱疼痛。積聚。痰飲。面黃。傷寒。飲水過多。腹脹氣喘。温瘧。霍亂吐瀉。寒熱不已。或因讀書奔豚氣上攻。伏梁。寒癖。結氣。凡脾冷不可忍。心下脹滿。飲食不進不化。氣結腸鳴。
性質……解鬱結之氣。升清降濁。利氣。振陽氣。益胃津。補助六腑消化機能。瀉六腑之濁氣。温中焦。煖胃。驅腹中寒邪。化濕。清胃熱。

手術……針八分。至二寸。灸七壯。

■上脘

歌訣……上脘穴内運神針。霍亂翻胃心悸驚。九種心疼不可忍。再針中脘見奇勳。

解剖……有上腹動脈。與肋間神經。

部位……在巨闕下一寸。臍上五寸。

主治……心中煩熱。痛不可忍。腹中雷鳴。飲食不化。霍亂翻胃。嘔吐。奔豚伏梁。氣脹積聚。黃疸。驚悸。嘔血。身熱。汗不出。

性質……清心熱。瀉胃熱。

手術……針八分。灸五壯。

■巨闕

歌訣……巨闕九種病心疼。痰飲吐水兼息賁。霍亂腹脹黃疸病。須經此穴灸而鍼。

解剖……有上腹動脈與神經。

部位……去鳩尾一寸。

主治……上氣欬逆胸滿氣疼。九種心痛。蚘痛痰飲咳嗽。霍亂腹脹恍惚發狂。黃疸。膈中不利。煩悶。卒心痛。尸厥。蠱毒息賁嘔血吐痢不止。

性質……開胸。利膈。行氣。

手術……鍼六分。灸七壯。

鳩尾

歌訣……鳩尾能治五般癇。若瀉湧泉人不死。神氣耗散立能收。此穴鍼時雙手舉。

解剖……胸骨劍狀突起端。有上腹動脈。肋間神經。

部位……在岐骨下一寸。

主治……心驚悸。神氣耗散。癲癇狂病。

性質……鎮心定神。瀉心熱。平胃痰。

手術……行鍼時宜慎重。須使病者兩手高舉。方可下鍼。鍼三分。灸三壯。

中庭

歌訣……中庭胸脇肢滿療。小兒吐乳不須愁。食入還出不勝苦。此穴鍼之興趣饒。

解剖……有內乳動脈之分枝。肋間神經。

部位……在膻中下一寸六分。

主治……胸脇支滿。噎塞吐逆。食入還出。小兒吐乳。

性質……寬胸膈。降濁陰之氣。

手術……針三分。灸三壯。

■膻中

歌訣……膻中膈痛用針攻。嘔吐膿血成肺癰。咳嗽哮喘氣癭病。艾然七壯自成功。

解剖……有內乳動脈之分枝。肋間神經。

部位……在玉堂下一寸六分。即兩乳之間。

主治……一切上氣短氣。痰喘哮嗽。欬逆噎氣。膈食。反胃。喉鳴氣喘。肺癰。嘔吐涎沫。膿血。婦人乳汁少。

性質……升脾氣。降胃氣。開胸解鬱。行氣。活血。理中焦不正之氣。

手術……古時禁針。灸七壯。（現今毫針沿皮針之無害）

■玉堂

歌訣……玉堂胸痛針宜急。心煩欬逆喘不息。嘔吐寒痰氣上攻。喉痺咽腫水難入。

解剖……有肉乳動脈。肋間神經。

部位……在膻中上一寸六分。

主治……胸膺滿痛。心煩欬逆。上氣喘急不得息。喉痺咽塞。水漿不入。嘔吐寒痰。

性質……開胸降逆。瀉熱。

手術……針三分。灸五壯。

■紫宮

歌訣……紫宮針下喉痺休。咽中壅腫不須憂。不怕水漿不得入。三分針入樂攸攸。

解剖……有肉乳動脈神經。

部位……在華蓋下一寸六分。（即膻中上三寸二分）

主治……欬逆喘急。上氣哮嗽。喉痺。脇滿痛。水飲不下。

性質……平氣。降氣。

■璇璣
歌訣）璇璣善刺胸中積 喉痺咽腫水不入 咳嗽喘促不能言 氣海同針收效高
解剖）有內乳動脈 肋間神經
部位）在天突下一寸
主治）胸脅滿 欬逆上气喘不能言 喉痺咽腫水飲不下
性質）降氣
手術）針三分灸五壯

手術……針三分。灸五壯。

■華蓋

歌訣……華蓋堪療哮喘頻。喉痺胸脇痛不甯。水飲不下氣上促。更針氣戶取效虛。

解剖……有內乳動脈。肋間神經。

位部……在璇璣下一寸六分。

主治……欬逆喘急。哮嗽喉痺。胸脇滿痛。水飲不下。

性質……降氣。平氣。調呼吸。寧肺。

手術……針三分。灸五壯。

■天突

歌訣……天突宛中降氣逆。喉痺咽腫不得食。肺癰膿血亦可鍼。更治咽乾舌下急。

解剖……即胸骨半狀切痕部。有上甲狀腺動脈。上喉頭神經。

部位……在甲狀軟骨下二寸。（即結喉下二寸）

主治……上氣哮喘。欬嗽喉痺。肺癰吐痰膿血。咽腫暴瘖。身寒熱頻作。咽乾舌下急。不得食。

性質……降氣。瀉肺。

手術……鍼五分。至八分。灸二壯。鍼頭斜向下。

廉泉

歌訣……廉泉舌下腫痛取。舌根縱急難言語。舌腫唇喎流沫涎。欬嗽喘急刺可也。

解剖……爲甲狀軟骨部。內有甲狀腺。甲狀腺動脈。上喉頭神經。

部位……在頷下。舌本之下結喉之上。

主治……欬嗽喘息。吐沫。舌縱。舌下腫。舌根急縮。

性質……降氣。寧肺。生津。養液。

手術……鍼三分。仰而取之。灸三壯。

承漿

歌訣……承漿主治兒緊唇。半身不遂偏風生。女子瘕聚男七疝。牙疳消渴灸功深。

解剖……爲下顎骨部。分佈頤上掣筋。口冠狀動脈。顏面神經。三叉神經。

部位……在下唇下之陷凹中。

主治……偏風。半身不遂。口眼喎斜。口噤不開。暴瘖

性質……宣通經脈。

手術……鍼三分。開口取之。可灸七壯。

■齦交

歌訣……齦交堪愈面部瘡。心中煩痛臉紅粧。鼻中瘜肉猶當刺。牙疳腫痛甚相當。

解剖……爲下顎骨部。口冠狀動脈。顏面神經。三叉神經。

部位……在下唇下齒中央縫中。

主治……偏風。口噤。暴瘖。

性質……宣通經脈。

手術……鍼三分。不須灸。

第十四節　督脈經穴之功用

■長強

歌訣……長強專治大腸風。小兒脫肛痢猶凶。腰脊強急難俯仰。小腹氣痛亦堪攻。

解剖……有大臀筋。下臀動脈。尾閭神經。

部位……尾閭骨端五分之處。肛門之上。

主治……腰脊強急。不可俯仰。狂病。大小便難。腸風下血。五痔五淋。下部疳蝕洞洩失精。
脫肛瀉血。

性質……通腸逐穢。

手術……鍼二分。伏地取之。灸或三十壯。

■腰俞

歌訣……腰俞治痛腰脊間。冷痺強急動作難。腰下至足不仁冷。月經熱赤並能痊。

解剖……大臀之起始部。有下臀動脈。荐骨神經。

部位……在尾閭骨之上部。二十一椎之下

主治……腰脊重痛。不得俯仰。腰以下至足冷痺不仁。強急不能坐臥。

性質……宣通經絡。利骨節。

手術……鍼三分。灸五狀。

■腰俞

歌訣……腰俞治痛腰脊間。冷痺強急動作難。腰下至足不仁冷。月經熱赤並能痊。

解剖……大臀之起始部。有下臀動脈。荐骨神經。

部位……在尾閭骨之上部。二十一椎之下。

主治……腰脊重痛。不得俯仰。腰以下至足冷痺不仁。強急不能坐臥。

性質……宣通經絡。利骨節

手術……鍼三分。灸五壯。

■陽關

歌訣……陽關風痺足不仁。筋攣膝痛不能行。膝頭腫痛難伸屈。伏取鍼之頃刻寧。

解剖……爲第四腰椎部。有下臀動脈。荐骨神經枝。

部位……第十六椎下

主治……膝痛不可屈伸。風痺不仁。筋攣不能行。

性質……舒筋利骨。

手術……鍼五分。灸五壯。伏而取之。

■命門

歌訣……命門十四椎下是。腎虛腰痛防其肆。兼療脫肛痔腸風。弱冠灸之恐乏嗣。

解剖……當第二腰椎部。有肋間動脈。脊椎神經。

部位……在第十四椎下。

主治……腎虛腰痛。赤白帶。男子遺精。耳鳴。手足冷痹。攣急。頭痛如破。身熱骨蒸。痃癖瘈瘲。裏急腹痛。

性質……舒利脊部骨節。瀉已入督脈熱邪。

手術……針三分。伏而取之。灸三壯。至數十壯。

■懸樞

歌訣……懸樞治腰脊不伸。屈亦不能此穴針。腹中積氣食不化。瀉利不止亦可清。

解剖……爲第一腰椎部。有脊椎神經。

部位……在第十三椎之下。

主治……腰脊強不得屈伸。腹中積氣。上下疼痛。水穀不化。瀉痢不止。
性質……舒利筋骨·助脾胃消化機能。
手術……針三分。灸三壯。伏而取之。

■脊中

歌訣……脊中治腹滿聚積。赤白痢下不能食。每下糞時即脫肛。五痔煎疼難起立。
解剖……當第十一胸椎之部。有胸背動脈。肩胛下神經。
部位……在第十一椎下。
主治……風癎癲邪。腹滿不食。五痔。積聚。下痢。小兒赤白痢脫肛。痛不可忍。灸之極效。
性質……扶正氣。行滯氣。調血。
手術……針五分。灸三壯。伏而取之。

▲中樞

歌訣……中樞亦屬督脈經。十椎之下陷中尋。伏而取之是眞穴。療治從來未發明。
解剖……不詳。

部位……在第十椎之下。
主治……此穴從無療治何症之表示。以編者經驗所得。其功效與筋縮同。
性質……瀉三陽之熱邪。定驚。養陰。
手術……鍼五分。不宜灸。伏而取之。

筋縮

歌訣……經縮從來治脊強。風癎反折發驚狂。癲疾鍼之亦見效。伏而取之有專長。
解剖……爲第九胸椎部。有胸背動脈。肩胛下神經。
部位……在第九椎下。
主治……癲致。驚狂。脊強。風癎。目下視。
性質……鎮驚定志。瀉熱養陰。
手術……針五分。灸三壯。俯而取之。

至陽

歌訣……至陽却痘治神疲。腰脊強痛亦能離。羸瘦身黄胸脇滿。氣喘灸之取效奇。

解剖……爲第七胸椎之部。有胸背動脈。肩胛下神經。

部位……在第七椎下。

主治……腰背強痛。胃寒不食。胸脇支滿。羸瘦身黃。寒熱解㑊。

（註）『解㑊』言體中肌肉解散。筋不束骨也。即遍體百節鬆解之意。

性質……瀉三陰之熱。清血毒。

手術……針五分。灸三壯。俯而取之。

●靈台

歌訣……靈台之穴灸功奇。氣喘難臥即時離。設遇風冷久嗽病。速施手術勿徘徊。

解剖……爲第六胸椎部。有胸背動脈。肩胛下神經。

部位……第六椎下。

主治……灸氣喘不能臥。及風冷久嗽。火到便愈。

性質……溫肺寒。甯肺氣。與麻黃同功。

手術……灸三壯。俯而取之。古時禁針。但毫針無害。

神道

歌訣……神道之穴灸之宜。口張不合莫遲疑。小兒風癇瘈瘲急。痎瘧悲愁作有時。

解剖……爲第五胸椎部。僧帽筋之起始部。有橫頸動脈之下行枝。肩胛背神經。

部位……在第五椎下。

主治……傷寒頭痛。寒熱往來。痎瘧。悲愁。健忘。驚悸。牙車急。口張不能合。小兒風癇。

性質……瀉三陽經內伏之熱邪。

手術……灸五壯。不宜針。

身柱

歌訣……身柱蠲咳愈肺勞。妄言妄見或驚嘷。怒欲殺人君火旺。更除脊痛樂陶陶。

解剖……爲第三胸椎之部。有橫頸動脈之下行枝。肩胛背神經。

部位……在第三椎下。

主治……腰背痛。癲癇狂走。怒欲殺人。瘈瘲身熱。妄見妄言。小兒驚癇。

性質……瀉五臟之熱。

手術……鍼三分。灸五壯。俯而取之。

■陶道

歌訣……陶道尋來療骨蒸。腦背髓炎勢不輕。頭重目瞑神恍惚。再鍼風府奏奇勳。

解剖……爲第二胸椎部。有横頸動脈。肩胛背神經。

部位……在第一椎之下。

主治……痎瘧。灑淅脊強。煩滿。漢不出。頭重目瞑。瘈瘲恍惚。不樂。

性質……瀉陽邪。及肝胆之風火。

手術……鍼五分。灸五壯。

■大椎

歌訣……大椎亦療腦脊炎。風熱傷陰不語言。更刺疔毒心煩悶。項難回顧亦能痊。

解剖……適當第七頸椎。與第一胸椎之間。有横頸動脈。及肩胛背神經。

位部……在第一椎上之陷凹中。

主治……五勞七傷。乏力。風勞食少。痎瘧久不愈。肺脹脇滿。嘔吐上氣。背膊拘急。項頸強。不得回顧。

性質……和衛氣。發表寒。

手術……針五分。灸三壯。

▲啞門

歌訣……啞門髮際五分測。衄血脊強至反折。中風尸厥陽熱張。頸項疼痛語難出。

解剖……有項靭帶。橫項動脈。肩胛背神經。

部位……背部中行。脊骨直上髮際。

主治……頸項急不語。諸陽熱盛。衄血不止。脊強反折。瘈瘲。癲疾。頭風疼痛。汗不出。寒熱痓。中風尸厥。暴死。不省人事。

性質……驅陽邪。開音。

手術……針二分。不宜深。深則令人啞。不宜灸。灸之亦令人啞。

▲風府

歌訣……風府傷寒百病取。腦後髮中一寸許。頸項強急瘈瘲急。中風舌緩不龍語。

解剖……有後頭筋。後頭動脈。大後頭神經。
部位……在項部入髮際一寸。腦戶後一寸五分。
主治……中風舌緩。暴瘖不語。振寒汗出。身重。偏風半身不遂。傷風頭痛。項急不得回顧。目眩反視。鼻衄咽痛。枉走。悲恐驚悸
性質……去頭風。搜週身風邪。
手術……針三分。至五分。禁灸。

▲腦戶

歌訣……腦戶原來灸不宜。金針深刺更殆危。瘿瘤面腫腦顖痛。務將手術仔細施。
解剖……爲後腦結節之下部。
部位……在枕骨下。強間後一寸五分。（即後髮際上行二寸五分）
主治……熱邪上行。頭項顖痛。腦中搖。面赤目黃。面痛。頭重腫痛。瘿瘤
性質……去頭風瀉熱邪。
手術……針三分。不可深刺。深刺則恐傷腦。腦傷即死。禁灸。灸之令人聲啞。

▲強間

歌訣……強間療頭痛難禁。再加豐隆二穴針。項強眼花腦旋轉。嘔吐涎沫又煩心

解剖……爲後頭顱頂縫合部。

部位……在後頂後一寸五分。

主治……腦痛項強。目眩頭旋。煩心。嘔吐涎沫。狂走。

性質……驅頭部風邪。

手術……針二分。禁灸。

▲後頂

歌訣……後頂頸項強急美。額顱之上痛不已。偏頭風痛亦堪療。目光不明此穴取。

解剖……此爲顱頂骨部。有帽狀腱膜。顳顬動脈後枝。後頭神經。

部位……在百會後一寸半。

主治……頸項強急。額顱上痛。偏頭痛。悪風。目眩不明。

性質……去頭風。祛陽邪。

手術……針二分。灸五壯

■百會

歌訣……百會專醫神恍惚。鼻衄耳聾兼鼻塞。中風偏風及痫癲。兒病驚風肛久脫。

解剖……有帽狀腱膜顳顬動脈後枝。後頭神經。

部位……當頭正中。

主治……頭風。頭痛。耳聾。鼻塞。鼻衄。中風語言蹇澀。口噤不開。或多悲哭。偏風半身不遂。風痫卒厥。角弓反張。吐沫。心神恍惚。驚悸健忘。痎瘧。胎前產後風疾。小兒驚風。脫肛久不瘥。

性質……（爲諸陽之首）理頭部亂氣。清頭部之熱。去頭風。

手術……針二分。灸七壯。

■前頂

歌訣……前頂虛浮項腫刪。頭風目眩面赤斑。小兒驚痫瘈瘲急。此穴尋來脫險關。

解剖……有顳顬動脈後枝。及前額神經。

部位……在前髮際上一寸半。
主治……頭風目眩。面赤腫。小兒驚癇瘈瘲。鼻多清涕。頸項腫痛。
性質……瀉三陽經之風寒燥火。
手術……針二分。灸五壯。

■顖會

歌訣……顖會腦虛冷痛醫。頭風腫痛亦針之。鼻塞不聞香臭味。艾如五壯復常規。
解剖……爲前頭骨顱頂骨之縫合部。
部位……在上星後一寸。（即由後髮際沿頭項前行一尺）
主治……腦虛冷痛。頭風腫痛。項痛目眩。鼻塞不聞香臭。驚癇。戴眼。
性質……瀉陽邪。
手術……針二分。灸五壯。

▲上星

歌訣……上星通天主鼻淵。瘜肉鼻塞亦能蠲。兼治頭風諸目疾。三稜刺血立時安。

解剖……為前頭骨部。有前頭筋。前頭神經。三叉神經。

部位……在鼻之直上。入髮際一寸。（即後髮際沿項前行一尺一寸）

主治……頭風。頭痛。頭皮腫。惡寒。痎瘧寒熱。汗不出。鼻衄。鼻涕。鼻塞不聞香臭。目眩睛痛。不能遠視。以三稜針刺之。

性質……瀉熱。消風。

手術……針三分。不宜灸。

◉神庭

歌訣……神庭宜灸不宜針。不得安眠悸復驚。頭風鼻淵涕不止。目光上視罔識人。

解剖……有前頭筋。前頭神經。三叉神經。

部位……入前髮際半寸。

主治……發狂。登高。妄走。風癇。癲疾。用弓反張。目上視不識人。頭風。鼻淵。流涕不止。頭痛目中流淚。煩滿喘咳。驚悸不得安眠。

性質……補腦。定志。安神。祛風。

手術……此穴禁針。灸三壯。

▲素髎

歌訣……素髎穴在鼻準端。治瘠衄衄不得乾。鼻中瘜肉不消化。霍亂亦可用針探。

解剖……在鼻軟骨之尖端。有鼻神經分歧。口角動脈。

部位……鼻端準頭。

主治……鼻中瘜肉不消。喘息多涕。衄血。霍亂。

性質……瀉肺熱。開肺氣。

手術……此穴禁灸。針一分。

▲水溝

歌訣……水溝中風噤齒牙。中惡癲癇口眼斜。刺治水風頭面腫。灸治兒驚亦不差。

解剖……爲上顎骨部。有口輪匝筋。鼻中動脈。下眼窠神經。

部位……鼻下人中之正中。

主治……中風口噤。牙關不開。卒中惡邪。不省人事。癲癇卒倒。消渴多飲水。口眼喎斜。俱宜鍼之。若風水面腫。鍼此一穴出水靈頓消。

性質……瀉熱。消風。

手術……鍼三分。不宜灸。

▲兌端

歌訣……兌端齒齦疼痛㨿。口噤口瘡一例刪。消渴衄血小便赤。金鍼一刺勝仙丹。

解剖……爲口輪匝筋部。循行上唇冠狀動脈。

部位……在上唇之端。

主治……癲癇吐沫。齒齦痛。消渴。衄血。上唇腫。口噤口瘡。

性質……瀉太陽經熱。

手術……鍼三分。不宜灸。

▲齦交

歌訣……齦交牙疳面赤紕。鼻生瘜肉更相當。目淚多眵赤痛甚。更療小兒面上瘡。

解剖……爲上顎骨齒槽突起之粘膜部。有口冠狀動脈。三叉顏面神經。

部位……在唇內齒上齦縫筋中。

主治……面赤心煩。鼻生瘜肉不消。頸中痛。頭項強。目淚多眵。赤痛。牙疳腫痛。小兒面瘡。

性質……瀉陽邪。清熱。消風。

手術……鍼三分。逆鍼之。（即鍼頭向上）

第六章　總訣

第一節　同身取寸總訣解

蓋人身之經穴度量尺寸。與各種制尺裁尺不同。普通以患者中指彎曲。取其第一節與第二節之橫紋尖。及第二節與第三節之橫紋尖。兩尖相去爲一寸計算之。作量四肢之標準。頭部以前髮際至後髮際作爲一尺二寸。前髮際不明者。以眉心上行至後髮際作爲一尺五寸。後髮際不明者。以大椎上行至前髮際作一尺五寸。前後髮際均不明者。以大椎上行至眉心作一尺八寸計算。此量頭部置行尺寸之標準。頭部橫寸以眼之內眥角至外眥角作一寸爲標準。胸腹部之量法。以兩乳相去八寸計算。爲胸腹橫寸之標準。膻中至臍心作九寸計算之。爲胸腹直行寸之標準背部以大椎骨下至尾骶骨作三尺計算之。爲背部分寸之標準。

歌訣

古今骨度不相同。測量由來莫適從。惟此同身取寸法。簡明切要是眞宗。大椎直上至眉心。尺八量來折算尋。內外目眥平一寸。直橫頭面作規箴。兩乳相離八寸商。膻中直下達臍堂。算來九寸爲標準。規定腹胸橫直量。尾骶骨尖至大椎。折量三尺作常規。背腰直寸從玆定。橫寸同身中指推。拇中二指屈成環。中指中間中節彎。內側橫紋尖一寸。四肢橫直可同探。

第二節　行鍼宜愼解

（一）施治

針灸療治。宜於前二日或三日。禁忌房事。治療後之五六日內亦然。若不愼房事。則針之效驗甚微。而且易於暈針。故施行針灸後。宜善自調養。飲食起居。猶宜有節。禁食生冷之物。或洗冷水以防阻滯榮衛。忌沐浴出漢以免耗泄眞氣。勿悲憂忿怒以乖神志。勿當風坐臥以免針孔作痛。（註鍼孔作痛温灸之立止）勿過勞。勿久臥。宜緩緩散步。俾經絡氣血。得以舒暢。

（二）暈鍼

用鍼之時。務使病人謹守方寸。切勿恐怖。勿畏疼痛。勿睹鍼穴。和緩呼吸。凝神定氣。自無痛苦暈鍼之虞。倘下鍼後即覺心亂目眩。頭重嘔吐。甚或二便不禁。目珠上視。向前傾仆者。即屬暈鍼也。切須愼定。不可驚恐。不許大呼小喚。慌張哭泣。此乃由於病者氣弱。鍼力補瀉過猛。或空心恐怖。有以致之。其形狀雖屬驚人。但見慣者亦不爲異。惟暈鍼者。其效力更速。凡遇此等症象。即當從容令其伴於倚榻之上。(不可平睡)再進熱湯(即開水)一盃。四五分鐘即安。甚有歷時稍久不已者。可灸百會。或刺十宣出血。繼補足三里。(灸之亦可)或再視其所鍼何經之穴而暈。即補該經合穴。皆可立愈也。

(三) 險要

鍼灸療病。固屬有千利而無一弊之治療法也。雖然猶有險要之處。不可不知。否則不免有害生命之虞。習鍼者更當注意。如胸臍部之穴不可鍼之過深。深則恐傷心肺。兩脇之穴亦然。其所以不可深者。恐傷及肝胆心肺脾也。背部腎俞穴亦當愼重鍼之。緣腎臟亦不可傷之也。更有毫鍼鍼入穴隙之時。必當留意病者之姿式。無使改移。緣人之骨節筋肉。異常活動。苟姿式移動。則所鍼孔穴。亦因之而異。毫鍼嫩而且軟。孔穴異動。則鍼身易感彎曲。彎則出鍼頗難。甚或因之而斷。慎之慎之。

第三節　補瀉手術解

補瀉之法。門類殊多。有在乎呼吸。有在乎手指。陰陽各別。子午互異。內經難經大成所載。卒皆詞意深奧。無從捉摸。實感困難。即家傳祕授。大都零亂無章。遂致今之學者。裹足不前。深感無從下手之苦。甚或孟浪施行。返補爲瀉者有之。返瀉爲補者亦有之。錯雜離亂。實因補瀉之法過於複雜耳。致使學者缺乏精確之認識。緣無善本參考故也。余於近年探討諸大名家補瀉之法。不外三種。

（一）迎隨補瀉手法

迎而奪之。隨而濟之八字。爲補瀉者。是對於肌肉淺處之補瀉法也。何謂隨而濟之之謂補。隨者隨其經氣之行也。濟者助其經氣之輸也。如於太陰肺經從胸走手。若補肺經之穴。鍼頭沿皮順其經行而刺之。略略捻動鍼身。徐徐出鍼。而疾按其孔。是謂之補。何謂迎而奪之之謂瀉。迎者迎其經氣之來也。奪者乘其經氣之來而奪之也。若瀉肺經之穴。鍼頭沿皮逆其經行而刺之。疾出鍼而不按其孔。是謂之瀉。（餘經類推）

（二）三才提按補瀉手法

三才提按爲補瀉者。是對於肌肉深處之普通補瀉法也。三才者。是指天地人三字而言也。施用此種手法。不分何經何穴。惟以提按分三部出入也。如行補法。即於未行鍼之前。度量該穴應鍼深度若干。分三次插入。第一爲天部。第二爲人部。第三爲地部。如行補法。但以鍼頭插入天部時。須以手指捻按九次。再行插入人部。再捻按九次。再行插入地部。如法捻按。手術既畢。乃徐徐將鍼捻出。而按其孔。是謂之補。如行瀉法。則以鍼頭直插入地部。以手指捻提六次。再提至人部。如法捻提六次。再提至天部。照法捻提六次。乃出鍼而不按其孔。是謂之瀉。

（三）左右捻轉補瀉手法

左右捻轉補瀉。如手陽明大腸經。手少陽三焦經。手太陽小腸經。俱自手而至頭。足太陰脾經。足厥陰肝經。足少陰腎經。俱自足而至腹。六經悉皆自下而至上。如鍼左邊而行補法。鍼入穴内相當之分寸。微停。凝神集意。專注於鍼。以右手拇食二指。持鍼柄捻動。轉向右邊。大指向後。食指向前。如鍼右邊而用瀉法。則鍼轉向左邊。大指向前。食指向後。是爲手三陽足三陰之補法。如針左邊而行泄法。則針轉向左邊。大指向前。食指向後。如針右邊而行泄法。則針轉向右邊。大指向後。食指向前。是爲手三陽足三陰之泄法。手太陰肺經。手少陰心經。手厥陰心包絡。俱自胸而至手。足陽明胃經。足太陽膀胱經。足少陽胆經。俱自頭而至足。斯六經者俱自上而至下。如鍼左邊而行補法。鍼頭轉向左邊。大指向前。食指向後。如鍼右邊而行補法。則鍼頭轉向右邊。大指向後。食指向前。此爲足三陽手三陰之補法。若鍼泄左邊。則鍼捻向右轉。大指向後。食指向前。如鍼泄右邊。則針轉左面。大指向前。食指向後。斯爲足三陽手三陰之泄法。任督二經俱屬中行。補法悉向左轉。大指向前。食指向後。泄法悉向右轉。大指向後。食指向前。毋分背陽腹陰。而異其法也。茲將左右捻轉補泄表列後。

經絡／手術	行度	
手陽明大腸經	自手至頭	自下而上
手少陽三焦經		
手太陽小腸經		
足太陰脾經	自足至腹	
足厥陰肝經		
足少陰腎經		
手太陰肺經	自胸至手	自上而下
手少陰心經		
手厥陰心包經		
足太陽膀胱經	自頭至足	
足少陽胆經		
足陽明胃經		
任督脈	前後	中正

補法		泄法		說明
左	右	左	右	
大指向後食指向前從左轉右	大指向前食指向後從右轉左	大指向前食指向後從右轉左	大指向後食指向前從左轉右	凡屬補法當捻動針時微深進分許漸出針而疾閉其孔　凡屬泄法當捻動針時微向上提分許疾出針而不閉其孔也
大指向前食指向後從右轉左	大指向後食指向前從左轉右	大指向前食指向後從右轉左	大指向後食指向前從左轉右	
大指向前食指向後從右轉左		大指向後食指向前從左轉右		

第四節　禁針總訣解

按前人所用之鍼。與今用毫鍼較粗數倍。故對於內部有重要神經。或血管腦髓脊髓。易於刺傷。發生其他病患。乃有禁鍼之避忌。以今所用之毫鍼刺之。固無甚妨碍也。雖然亦當知有所避忌。以愼爲要。考腦戶顖會玉枕絡却承靈中爲腦髓。亦爲面部器管重要神經之處。顱息角孫適當絡脈之上。神庭一穴。前賢云刺之則發狂。乃偶然之事。中無重要神經。有目翳者。非刺不可。神道靈台脊中。中爲脊髓。爲心肝肺之系附着之處。承泣爲三叉神經之通於眼系者。水分神闕今人亦有鍼者。中爲大動脈管。不可過深刺及耳。會陰乳中之禁鍼。殆避嫌也。橫骨爲生殖系之精囊卵巢佈及之處。宜勿深刺。氣衝爲淋巴結節之處。粗針則傷。膻中避直刺。箕門承筋手五里三陽絡靑靈衝陽顱顖。中非靜脈即爲動脈。前人恐出血不止。故列入禁之例。在今日毋須避忌。鳩尾恐傷及心尖與刺破膈膜。非至不已時始刺之。必使患者兩手直舉。方可下針。肩井缺盆過深。則傷及迷走神經之入於胃者。引起胃之反射性也。（即暈針）海泉在舌下正中絡上。爲治消渴須刺出血。魚腹在腋股下。中有靜脈可無忌。膝臏出液則跛。總之在經驗上。頭之上部爲大小腦延髓之處。不宜深刺。背部自腰以上。胸部自臍以上。肋骨所蔽之部。悉勿過深。不傷及內臟爲要。手足諸部。雖毋須避忌。但鍼宜清潔。若有銹汚等物。遺入血管中。即危險有不堪設想者。當三注意焉。

歌訣

禁鍼穴法要分明。腦戶顖會及神庭。絡却玉枕角孫穴。顱息承泣隨承靈。神道靈台膻中忌。水分神闕並會陰。橫骨氣衝手五里。箕門承筋及靑靈。乳中上臂三陽絡。二十三穴不可鍼。孕婦不宜刺合谷。三陰交內亦通論。石門鍼灸應須忌。女子終身無姙娠。外有雲門並鳩尾。缺盆客主人莫深。肩井深刺人悶倒。三里(足三里)急補人還平。刺以五臟胆皆死。衝陽出血投幽冥。海泉顴髎乳頭（即乳中穴）上。脊間中髓傴僂形。手魚腹陷陰股內。膝臏筋會及腎經。腋股之下各三寸。目眶關節皆通評。

第五節　禁灸總訣解

按禁灸各穴。悉屬神經散布浮淺之處。或直接動脈之所。所謂灸則傷神明者。即指灸傷血管以神經也。至於灸不再鍼。鍼不再灸之說。良以灸後肌膚表皮破潰。復以粗劣之鍼刺之。汚物易於傳入。致紅腫潰膿。若針而再灸。則針孔未閉。火氣同汚物亦易直入。故鍼灸不能兼施。今以鍼留孔內。以艾燃燒柄。使温熱由鍼傳入者。亦不宜效其法。如須灸時。不如直接灸之爲愈。

歌訣

啞門風府天柱擎。承光臨泣頭維平。絲竹攢竹睛明穴。素髎禾髎迎香程。顴髎下關人迎去。天牖天府到周榮。淵液乳中鳩尾下。腹哀臂後尋肩貞。陽池中冲少商穴。魚際經渠一順行。地五陽關臚中主。隱白漏谷通陰陵。條口犢鼻上陰市。伏兔髀關申脈迎。委中殷門承扶上。白環心俞同一經。灸而勿鍼鍼勿灸。鍼經爲此常叮嚀。庸醫鍼灸一齊用。徒使患者炮烙形。

第六節　絡穴總訣解

按支而橫出者爲絡。十二經各有別絡。由此經分支而與別經相連屬之路也。

歌訣

肺經列缺絡。偏歷屬大腸。胃有豐隆絡。脾則公孫詳。心經絡通里。支正屬小腸。飛揚膀胱絡。腎絡大鐘彰。內關手心主。外關三焦臟。膽絡光明穴。蠡溝肝莫忘。任脈屏翳會。督脈絡長強。更有大包脾大絡。胃絡虛里在左旁。

第七節　井滎俞原經合解

按內經靈樞九鍼十二原篇曰。五臟五腧。五五二十五腧。六府六腧六六三十六腧。經脈十二。絡脈十五。凡二十七氣。以上所出爲井。所溜爲滎。所注爲俞。所行爲經。所入爲合。二十七氣所行皆在五腧也。節之交三百六十五會。所言節者。神氣之所游行出入也。非皮肉筋骨也。考井者泉也。水源之所出也。汪昂註曰。井者如水之出也。故曰所出爲井。溜者流也。靈樞二十七氣之所溜爲滎。言經脈之氣由此處急流而過也。汪昂注曰。滎者如水之流也。俞者輸也。靈樞二十七氣之所注爲俞。言經氣由此輸注也。汪昂注曰。俞者如水之注也。經者行也。

靈樞二十七氣之所行爲經。言經脈之氣。由此處通行而過也。汪昂注曰。經者如水之行也。合者會也接也。靈樞二十七氣之所入爲合。言經絡之氣由此會接。汪昂云。會者如水之會也。素問曰。治府者治其會。又曰陽氣在會。以虛陽邪。原者流也本也。經曰。脈之所過爲原。又曰泄必鍼其原。至於春刺夏刺之說。言春令木旺。宜刺井穴以應之。夏令火旺。宜刺滎穴以應之。長夏土旺。宜刺俞穴以應之。秋爲金旺。宜刺經穴以應之。冬爲寒水司令。宜刺合穴以應之。此屬前賢惑於五行陰陽之說。有此附會。在治療上未盡然也。

歌訣

少商魚際與太淵。經渠尺澤肺相聯。商陽二三間合谷。陽谿曲池大腸牽。隱白太都太白脾。商邱陰陵泉要知。厲兌內庭陷谷胃衝陽解谿三里隨。少冲少府屬於心。神門靈道少海尋。少澤前谷後谿腕。陽谷小海小腸經。湧泉然谷與大谿。復溜陰谷腎所宜。至陰通谷束金骨。崑崙委中膀胱知。中冲勞宮心包絡。大陵間使傳曲澤。關冲液門中諸焦。陽池支溝天井索。大敦行間大冲看。中封曲泉屬於肝。竅陰俠谿臨泣胆。邱墟陽輔陽陵泉。

第八節　十三鬼穴總訣解

按孫眞人十三鬼穴。專治神魂不安。或歌或吟。或笑或哭。多言多語。或靜默不聲。或晝夜妄行。或潛居不動。裸體形穢。親長不避。癲狂之疾。頗有神效。行鍼依歌訣次序下鍼。申脈曲池二穴宜用火灸。舌下海泉出血。

歌訣

百邪爲疾狀癲狂。十三鬼穴須推詳。一鍼鬼宮人中穴。二鍼鬼信取少商。鬼壘三鍼爲隱白。鬼心四刺大陵岡。申脈五鍼通鬼路。風府六鍼鬼枕旁。七鍼鬼牀頰車穴。八針鬼市闢承漿。九刺勞宮鑽鬼窟。十刺上星登鬼堂。十一鬼藏會陰取。玉門頭上刺嬌娘。十二曲池淹鬼腿。十三鬼封舌下藏。出血須令舌不動。更加間使後谿良。男先鍼左女先右。能令鬼魔立刻降。

針灸經穴學卷終